The Pelican
Brief

鹈鹕案卷

[美国]约翰·格里森姆 著 林晓帆 张岱云 译

译林出版社

图书在版编目(CIP)数据

鹈鹕案卷／（美）格里森姆（Grisham, J.）著；林晓帆，张岱
云译. —南京：译林出版社，2005.9
（译林畅销名作坊·格里森姆作品精选）
书名原文：The Pelican Brief
ISBN 7-80567-349-7

Ⅰ.鹈… Ⅱ.①格… ②林… ③张… Ⅲ.长篇小说-美
国-当代 Ⅳ.I712.45

中国版本图书馆 CIP 数据核字（2003）第 044063 号

登记号 图字:10-2003-176号

书　　名	**鹈鹕案卷**
作　　者	[美国]约翰·格里森姆
译　　者	林晓帆　张岱云
责任编辑	可　轩
原文出版	Bantam Doubleday Dell Publishing Group, Inc., 1992
出版发行	凤凰出版传媒集团
	译林出版社(南京湖南路47号　210009)
电子信箱	yilin@yilin.com
网　　址	http://www.yilin.com
集团网址	凤凰出版传媒网 http://www.ppm.cn
印　　刷	南京捷迅印务有限公司
开　　本	880×1230毫米　1/32
印　　张	11.75
插　　页	2
字　　数	279千
版　　次	2005年9月第2版　2005年9月第1次印刷
书　　号	ISBN 7-80567-349-7/I·171
定　　价	22.40元

译林版图书若有印装错误可向承印厂调换

来不及拭泪

——《鹈鹕案卷》解析

刘佳林

大风起于青萍之末。

修长的双腿,苗条的身材,一头秀美的长发,两排洁白如玉的牙齿,达比·肖,新奥尔良市图兰大学法学院的一个二年级女生,不但迷倒了那些心猿意马的男生,也让她的宪法课教授托马斯·卡拉汉放下了师道尊严。一个是年方24、有失怙之痛、因此恋慕父亲般情人的才女,一个是人到中年、狂放不羁、酷爱醇酒美人的自由派学者,正可谓情投意合,你愿我甘。

可是,世间好物不坚牢,彩云易散玻璃碎。达比·肖的一篇似乎微不足道、纯粹求知式的案情分析摘要,不但毁了她与老师的浪漫爱情,还让卡拉汉丧身于汽车炸弹,自己也被迫从此走上险象环生的亡命之路。

那个后来被称作"鹈鹕案卷"的案情摘要跟几天前美国最高法院两位大法官的遇害有关。

首席大法官罗森堡和另一位大法官詹森在同一天夜里先后遭人暗杀,此事不但让联邦调查局和中央情报局震惊,美国总统也因之手忙脚乱。在华盛顿当局展开调查的同时,远在新奥尔良的法学院学生达比·肖也开始了她基本上出于好奇的分析研究。通过分析作案动机,尤其是查找两位法官之间的某些相似点,达比推想,这两件谋杀案一定具有内在的关联,并且背后肯定涉及

到巨大的经济利益,很可能跟一桩耗资巨大、尚未完结的诉讼纠纷有关。由于缺乏确凿的证据支持,案情摘要只是一些大胆的悬想和逻辑上的推断。卡拉汉看到后觉得有些意思,就在去华盛顿开会的时候顺便将它捎给了他的同学加文·维尔希克,联邦调查局局长的特别顾问。维尔希克将这份案情摘要上呈到局长手中,最后总统的高参科尔包括总统本人等都知道了这个材料的存在。

于是,蹊跷离奇的事情接踵而至。

卡拉汉被安装在他车内的炸弹炸死,在场的达比则侥幸逃过一劫。惊魂未定,达比又被一个自称是鲁珀特警官的男子带到一辆没有标志的警车里询问情况,但当其他警车过来后,鲁珀特却忽然消失不见了。新奥尔良的警察说他们并不认识什么鲁珀特,这让达比摸不着头脑,她本能地意识到,爆炸事件不只是针对卡拉汉一人,她的处境也十分不妙。于是,达比还没有来得及拭一拭惊悚悲伤的泪水,就被迫走上孤身逃亡的道路。

达比首先打电话告知维尔希克,后者提醒她,她处境危险,要加倍小心。接着达比就发现有一个瘦个子在跟踪她,她租住的公寓房也遭到神秘人物的搜查,许多文件和电脑软盘都失踪了。面对形形色色的追踪尾随,达比不断改变发型服饰,频频更换住所。

就在达比·肖陷身风波、四处躲藏的同时,《华盛顿邮报》的记者格雷·格兰瑟姆也正通过各种渠道追问着两位大法官被暗杀的真相。格兰瑟姆从白宫的线人获悉,凶犯原来是一个叫做卡迈尔的职业杀手。但因为无法寻觅这个跨国职业杀手的行踪,其雇主的身份及作案动机也就成了不解之谜。使整个事件更加扑朔迷离的是,格兰瑟姆多次接到一个自称叫"加西亚"的男子的电话。加西亚说他是一个律师,对罗森堡和詹森的案子有些了解,但他总是吞吞吐吐,欲言又止,满腹疑虑。格兰瑟姆设法搞到了加西亚的照片,但后来这个神秘的律师却忽然黄鹤杳然地失踪了,案件的线索由此中断。

为了参加老同学的葬礼,也是为了保护达比,维尔希克从华盛顿来到了新奥尔良。维尔希克与达比从未谋面,他们两人电话里约好在河滨走廊的一个服装店门口见面。但杀手卡迈尔再次露面,并先行藏匿在维尔希克的房间里,窃听了他们的电话录音,杀死了维尔希克,接着冒名顶替去见达比,他此行的主要任务就是杀害达比。谨慎机敏的达比根本料想不到,与她会面的那个按照她的约定身穿黑汗衫、头戴红色棒球帽的男子竟然是冒牌的维尔希克。但就在危急关头,卡迈尔却被从人群中冒出来的另一个神秘人物枪杀。

事件整个陷入一团迷雾之中。

从报纸上获知维尔希克遇害的消息后,四处逃生的达比惊恐不已,她甚至已经来不及为他人垂泪了,她必须抓紧时间把自己掌握的真相和离奇的经历向世人讲述。

达比联系上了格兰瑟姆,两人在纽约会面。达比讲出了她在调查后发现的"鹈鹕案卷"内情。两个大法官的死似乎应该跟马蒂斯有关。马蒂斯是路易斯安那州的一个石油巨商,他在该州的三角洲地带发现了一个特大的油田,如果开采顺利,他将有几十亿的收益。马蒂斯非常阴险狡诈,十分精通商业上的欺瞒掩盖伎俩,也明白如何结交上层以为自己的事业铺平道路,几年前他就通过科尔贿赂了当时还是副职的现任总统。但现在他的开采活动遭到一个名为绿色基金的环保组织的阻挠,绿色基金以保护生态环境特别是保护濒危物种鹈鹕为由起诉了他的石油公司。官司已经拖了很久,而且很可能会移交到最高法院。马蒂斯的律师团知道,最高法院的大法官罗森堡和詹森都是环境保护主义者,他们的存在对诉讼的最后结果非常不利,除去他们则是确保胜诉的最佳办法。马蒂斯是一个为了自己的金钱事业而不择手段的人,他因此指使手下雇用了职业杀手卡迈尔将两位法官暗杀。马蒂斯过去曾经与现任总统合影,并有过金钱交易,他自信,即使案件调查发现他是真正的元凶，最高当局也会因为顾及自身的政治前途而捂盖子叫停。这就是达比·肖在"鹈鹕案卷"中的大胆推断。

事实正是如此。并且，案件的进展、白官的态度也不出马蒂斯所料。一桩惊天的罪行眼看就要被永远隐藏，真相将永远不会被揭露，谁知半路上忽然杀出一个法学院的女生，"鹈鹕案卷"不但惊动了最高当权者，也让各相关人员如坐针毡。于是，马蒂斯派人继续追杀达比。

显然，要彻底揭露事件的真相，必须获得大量确凿的罪证，弄清那个神秘的加西亚的身份就成为关键。达比和格兰瑟姆推断，加西亚很可能在怀特和布莱泽维契律师事务所工作。他们走访了以前在该律师事务所实习的学生，最终得知加西亚的真实姓名是柯蒂斯·摩根。但当他们去那家律师事务所走访摩根时，却惊异地发现，摩根已经在一个星期前死于街头流氓之手。摩根的死显然另有隐情。达比和格兰瑟姆继续调查摩根的妻子，终于获得一个惊人的发现，原来摩根临死前已经将他所知道的事实真相写成陈述书，并拍了一盘录像带。马蒂斯与其律师团合谋策划的谋杀案终于水落石出，真相大白。

《鹈鹕案卷》的作者约翰·格里森姆曾经是一名律师，他的小说大都跟法律、律师行业有关。与格里森姆的大多数小说围绕法庭及诉讼过程的展开不同，《鹈鹕案卷》的情节基本上是一次关于犯罪真相的追查与探询。由于事件牵涉的方面异常纵深（从职业杀手到石油公司，从律师事务所到最高当局，从年轻的法学院学生到一家大报的记者），各种势力的纠缠错综复杂，这部小说在情节的构成及发展方面就呈现出多条线索交织的态势，波谲云诡，曲折起伏。除了两位大法官的遇害这一情节引线外，小说的前半部分基本上是两条虽然相关却各自独立的线索，一条以新奥尔良的达比为中心，另一条则围绕华盛顿的格雷瑟姆的调查展开。两条线索的主人公各自面对的是不同的对手。对达比来说，马蒂斯的党羽及其所雇用的杀手的追杀与达比的躲避推动着该线索的发展；就格兰瑟姆而言，科尔等人的从中作梗则使得这条线索进展缓慢。到小说的后半部分，两条线索合二为一，小说情节逐步趋于明朗，节奏也明显加快。此外，联邦调查局和中央情报局的介入又构成一条若隐若现、时断时续的情节线。相对于前面两条线索有明确的主旨（追杀与逃亡、调查与探询）而言，这条线索的发展方向却有些模糊暧昧。总统及其心腹科尔担心鹈鹕案卷真相的披露会影响其政治前程，于是他们设法阻止联邦调查局的追查，而希望主要是负责国际事务的中央情报局出面了解案卷实情，并试图让此事不了了之。但政客之间的恩怨仇隙和明争暗斗最终使得科尔一派、联邦调查局一派和中央情报局一派都各有心思地卷入整个事件之中，于是追问与掩盖、跟踪与保护就异常复杂地纠缠在一起。直到小说结尾，联邦调查局局长沃伊尔斯的一番解释才让读者彻底明白了这几条线索之间的瓜葛与关联。

　　小说在人物关系的安排与身份设计方面也别具匠心。《鹈鹕案卷》的人物众多，一些次要却关键的角色身份诡秘且神出鬼没，从而增加了小说在阅读方面的难度，这也是一些读者心生抱怨的重要原因。格里森姆惯于让小人物与大人物形成对抗，用明显失衡的力量对比来制造悬念，以证明正义必胜的真理性。《鹈鹕案卷》的一方是涉世未深的孤身女子，另一方则是老谋深算的石油大亨，其雇用的是手段高超、9个国家都在通缉的跨国杀手，同时背后还有资格很老、精于玩弄法律的一帮律师。虽然双方的力量对比悬殊，但得道者多助，达比的机智以及格兰瑟姆的加盟和中央情报局的暗中保护，最终使达比能够绝处逢生，逢凶化吉，并赢得最后的胜利。在次要人物的描写上，作者着力突出他们的神秘性，布下重重疑阵，进而渲染悬疑紧张的小说气氛。作为揭露案情真相的关键人物，柯蒂斯·摩根仅仅以陌生青年男子的形象在电话亭里出现过一次，其余几次读者听到的都是化名加西亚的声

音。联邦调查局和中央情报局的侦查人员的几次街头会晤也给人
云遮雾罩之感。小说中最为神秘的一个角色应该是鲁珀特警官。
他独立受雇于中央情报局,首先在卡拉汉遇害的现场出现,以后
又多次尾随在达比的身后,与那些追杀达比的人混杂在一起,从
而令女主人公也令读者无法辨别。在卡迈尔即将实施再一次谋杀
的生死时刻,鲁珀特又突然从人群中出现,枪杀了卡迈尔,拯救了
达比。

　　由于作者把叙事的重心放在情节设计、悬念制造、疑阵布置
方面,人物塑造在《鹈鹕案卷》中相对而言就成了比较次要的部
分。对以市场畅销为目标、娱悦读者为指归的写作追求来说,这样
的安排当然无可厚非。但从小说诸元素的内在相关性来看,格里
森姆在开头把女主人公描画为一个身姿绰约、善解风情的天才大
学生,而在情节展开中又将这副美丽的肉身弃置不顾,这样的笔
法委实有些浪费。所幸的是,读者在小说之外还可以拥有另外一
个版本的达比·肖,那就是由小说改编而成的《塘鹅暗杀令》中的
那个达比·肖,那个由大嘴美人朱莉娅·罗伯茨现实地肉身化的达
比·肖。相对小说这种文字艺术来,影像中的女性魅力始终随着人
物的现身而直接在场。于是,在惊险曲折、跌宕起伏的情节让人呼
吸急促的间隙,我们还可以在银屏上尽情地凝视那个有着美丽肉
身的达比·肖。

　　比之于那个来不及拭泪的女主人公,我们这样的审美活动始
终来得及。

1

　　他压根儿不像是个还有本事兴风作浪的人，可是对于他所眼见的下面街上发生的情况，有一大部分，他却难辞其咎。真是妙得很。高龄 91 岁，一身束缚在轮椅里，还得戴上氧气罩。7 年前的又一次中风，他几乎告别人世，但是亚伯拉罕·罗森堡仍然活在世间，尽管鼻子里插着管子，他手中的法律大权却显得比另外 8 位更有威势。他是最高法院里硕果仅存的元老，单凭他一息尚存，就足以使下面聚集的人群中的大多数不得安宁。

　　最高法院大厦首要楼层的一间办公室，他坐在一架小轮椅上。喧嚷声响越来越大，他的双脚搭到窗沿，上身耸向外面。他极不愿看见警察，但是眼前窗下一行行密集整齐的警力却使他觉得有所宽慰。嘶喊着要拼命的闹事人群少说也有五万之众，警察却是岿然屹立，寸步不让。

　　"空前的人群！"罗森堡在窗口一声大叫。他的两耳几乎全聋。贾森·克兰，他的高级法律助手，站在他的身后。这一天是 10 月的第一个星期一，新的一届法庭开始之日，这样的场面也成了庆祝第一修正案的一项传统节目。非凡的庆祝。罗森堡只觉一阵战栗。在他看来，言论自由就是动乱自由。

　　"印第安人来了吗？"他大声问道。

　　贾森·克兰贴近他的右耳，"来了！"

　　"身上有作战彩画？"

　　"对啦！全副出征装束。"

　　"他们全都跳舞？"

　　"是的！"

印第安人，黑人，白人，棕色人，妇女，同性恋者，爱护树木的人，基督教徒，堕胎积极分子，雅利安分子，纳粹分子，无神论者，猎人，动物保护者，白人至上分子，黑人至上分子，捐税抗议分子，伐木工人，农户主人————一片抗议的汪洋大海。防暴警察攥紧了黑棍子。

"印第安人应该支持我!"

"我相信他们是支持你的。"克兰向着这个捏紧拳头的干瘪老头微笑点头。他的想法很简单：政府高于企业，个人高于政府，环境高于一切。印第安人要什么，就给他们什么。责难声，祷告声，唱歌声，诵吟声，以及嘶喊声，全都越来越响，防暴警察也一个个靠得更拢了。聚集的人众是近年来最多的，也最粗野。情况显得更加紧张。暴力已经司空见惯。流产诊所挨过炸弹。医生们受到袭击，挨过拳脚棍棒。彭萨科拉有一位医生遭到杀害，被塞住了嘴巴，捆绑成胎儿的姿态，还浇上强酸烧蚀。街头的斗殴每星期都有。教堂和牧师受到寻衅好斗的同性恋者的亵渎凌辱。白人至上分子结成了形形色色的或明或暗的半军事组织进行活动，更加肆无忌惮地袭击黑人、西班牙人和亚洲人。仇恨如今在美国成了流行的消遣。

最高法院自然也成了众矢之的。1990年以来，对大法官的严重威胁增加了10倍。最高法院的警力增加了3倍。每一位法官都有两名专门委派的联邦调查局的探员予以保护，另外还有50名探员为了调查恐吓威胁事件而奔忙。

"他们恨的是我，是不是?"他大声说道，眼睛盯着窗外。

"是的，有一些人是。"克兰告诉他，颇感有趣。

罗森堡喜欢这个回答。他露出笑容，深深吸气。80%的死亡威胁是针对他的。

"看得见标语牌吗?"他问道。他已经差不多是个瞎子。

"有那么一些。"

"上面说些什么?"

"老调子。罗森堡该死。罗森堡退休。拔掉氧气管子。"

"这老一套鬼口号他们已经挥舞多年。他们干吗不来点新的呢?"

助手默不作声。老亚伯早就该退休了。不过总有一天他们会用担架把他抬出去的。3个法律助手完成大量的研究工作,但是罗森堡总是坚持要自己动手写出他的意见,他用一枝海绵头的粗笔,在雪白的法律用笺簿上龙飞凤舞,活像一年级学生的书法作业。嫌慢?可是担任一个终生的职务,谁会计较时间快慢呢?秘书们仔细校对他的意见,绝少挑得出错儿。

罗森堡出声一笑。"我们应该把鲁尼恩抛给印第安人去撕咬。"他说的这位最高法院院长名叫约翰·鲁尼恩,是共和党总统任命的一个强硬保守分子,为印第安人和其他少数民族所痛恨。9名大法官中有7人是历届共和党总统任命的。罗森堡希望有一个民主党人入主白宫,已经等了15年。他想辞职,他需要辞职,但是他无论如何也容不得一个如鲁尼恩之流的右派轻取他所珍惜的这一个席位。

他可以等待。他可以坐在这儿,在轮椅里面,呼吸氧气,保护印第安人,黑人,妇女,穷人,残疾人,以及保护环境,直至他达到105岁的高龄。世界上没有任何人可以动他一根毫毛,除非杀了他。那也没有什么大不了。

这个大人物点了点头,又晃动一下,脑袋便倒向一边肩头。他又睡着了。克兰悄悄走开,回到图书室去做他的研究。一个半小时以后,他会再来,查看氧气,还让亚伯服药。

最高法院院长的办公室也在这层,比其他八位大法官的办公室更大,更气派。外面一间用来举行小型招待会和正式会见,里面的一间便是院长办公的地方。

里面的办公室房门关着,坐满了人,包括院长,他的3位法律

助手,最高法院的法警队长,3位联邦调查局的探员,还有联邦调查局的副局长 K.O.刘易斯。空气显得紧张严肃,还要努力保持这个严肃,才能充耳不闻楼下街上传来的喧闹。这可是难事。院长和刘易斯讨论最近的一批死亡威胁,别人都在洗耳恭听。助手们都写笔记。最近这 60 天来,调查局登记了两百多件威胁事件,这是一个新记录。这里面有见惯了的形形色色的"炸掉最高法院"的威胁,但是也有许多含有具体内容——人名、案件,事件和问题。

鲁尼恩无意掩饰他的焦虑。他正研究着一份联邦调查局的机密情况简报,读出了一批涉嫌威胁的个人和群体的名字。三 K 党,雅利安分子,纳粹分子,巴勒斯坦人,黑人分治分子,生命维护分子①,同性恋的冤家对手,甚至还有爱尔兰共和军。看起来人人都有嫌疑,除了扶轮社和童子军。一个受伊朗人支持的中东组织威胁要血洒美国大地,为德黑兰的两位司法部长的殒命复仇。绝对没有任何证据可以把那两起命案跟美国联系得上。一个新近出名的叫做地下军的国内恐怖团体搞了一次汽车爆炸,杀死一位得克萨斯州的联邦审判法官。尚未逮捕任何疑犯,但是地下军已经声明对此负责。它也在十多起美国民权联盟办事处的爆炸案中居于嫌疑榜首,但是它的行动都十分干净利落。

"这些个波多黎各恐怖分子怎么样?"鲁尼恩问道,头也没有抬起来。

"全是轻量级。我们不担心,"K.O. 刘易斯满不在乎地回答,"他们不断威胁已经 20 年了。"

"是的,也许现在是他们干点事儿的时候了。当前的气候对头,难道他们不会认为?"

"别记挂波多黎各人,首长。"鲁尼恩爱听人家称呼他首长。不是院长,也不是院长先生。而是一声"首长"。"他们发出威胁只是因为别人都在发出威胁。"

---

① 指反对堕胎的人。

"真有意思,"院长说道,并没有露出笑容。"真有意思。我可不能让什么团体被遗漏掉了。"鲁尼恩把文件扔在办公桌上,揉了揉太阳穴。"我们谈谈安全工作。"他闭上两眼。

K.O.刘易斯把他的一份简报放在院长的办公桌上。"是的,局长认为我们应该为每一位大法官布置4名探员,至少要保持到今后90天。上下班都要乘坐豪华轿车,有警卫车护送,还要由最高法院的警力提供支援并负责最高法院大厦的安全。"

"外出旅行呢?"

"恐怕不大好,至少是在目前。局长认为大法官们都得呆在首都地区,直到年底。"

"你疯了吗?他也疯了没有?如果我要求我的同事兄弟们遵守这一条要求,他们全体今晚便立即动身,外出旅行一个月。真是乱弹琴。"鲁尼恩对他的助手们皱紧双眉,他们也都摇头以示反感。确实是乱弹琴。

刘易斯毫不在意。这是他意料中的反应。"悉听尊便。这不过是提一条意见。"

"愚蠢的意见。"

"局长并不期望你们会对这一条予以合作。他只不过希望大法官们事先把旅行计划通知我们,好让我们安排安全措施。"

"你是说你们准备对每一位大法官每次离开本城都实行保护?"

"是的,首长。那是我们的计划。"

"办不到。这些先生们可受不了看管婴儿式的照料。"

"是啊,先生。他们也受不了跟踪保护。我们只不过是尽力设法保护您和您的同事兄弟们,先生。当然,没有谁说过我们该怎么干。我想,先生,是您叫我们来的。只要您愿意,我们可以马上离开。"

鲁尼恩坐在椅子上往前一耸,抓起一枚回形针,把它的弯头

拉平，还要使它成为直线。"就这儿，怎么样？"

刘易斯吐一口气，差不多露出笑容。"我们毫不担心这座大厦，首长。这儿是容易保护的。我们并不认为这儿会出事。"

"哪儿会出事呢？"

刘易斯向着窗口点一下头，外面声响更大了。"外边的什么地方。大街上有的是笨蛋、疯子和狂人。"

"难道他们都反对我们。"

"当然啦。听我说，首长，我们非常关切罗森堡大法官。他仍然拒绝让我们的人走进他家；他们只得通宵坐在街上的汽车里。他准许一个他喜欢的最高法院警官——叫什么名来着？费格森——坐在后门外面，只准从晚上 10 点到早上 6 点。除了罗森堡大法官和他的男护士，谁都不让进屋。那儿可是不安全。"

鲁尼恩用回形针挑剔手指甲，暗自微露笑容。罗森堡一命鸣呼，不论由于什么原因或什么手段，倒可使局势得到缓解。不，那可是一个天赐良机。院长非得身穿黑色礼服，发表一通颂扬死者的悼辞不可，而他跟他的法律助手们锁起房门就可以一展欢颜了。鲁尼恩想得美滋滋的。

"你有什么想法？"他问道。

"您可以跟他谈谈吗？"

"我跟他谈过。我给他解释过，他也许是全美国最受痛恨的人，天天都有无数的人民在诅咒他，大多数老百姓都盼望他死，他一个人收到的咒骂信比所有其他大法官收到的总数还多 3 倍，他是个百分之百的暗杀目标，也是个一碰就倒的目标。"

刘易斯还要知道下文。"后来呢？"

"他骂我一声舔屁眼，便睡着了。"

法官助手们都不失规矩地发出笑声，联邦调查局的人员因此得知，在这儿也是可以轻松幽默一下的，便也掺和进来，抓紧时间笑了一下。

"我们又该怎么办呢?"刘易斯问道,并不觉得快活。

"尽你们的力量把他保护好,写下工作记录,别的一切不用担心。他什么都不害怕,也不怕死,他自己都没吓出汗来,你们干吗要吓得出汗?"

"我们局长在出汗,所以我们也出汗,首长,道理很简单。你们随便哪一位出点事儿,调查局可受不了。"

院长在椅上突然一晃。外面的喧闹声叫人心神不宁。开会的时间拖得够长的了。"别提罗森堡了。他也许就会睡不醒。我更加担心的是詹森。"

"詹森是个问题。"刘易斯说道,赶快翻看文件。

"我知道他是个问题,"鲁尼恩说得慢慢的,"他可真会叫人难堪。这会儿他自命是个自由派。十有五次跟罗森堡一样投票。下个月,他又会变成白人至上主义者,赞成隔离办学。过一阵他又会跟印第安人去谈情说爱,要把蒙大拿州送给他们。真像是我们家里出了个长不大的孩子。"

"他正为精神抑郁接受治疗,您知道。"

"我知道,我知道。他经常跟我谈这件事。我都像成了他爸爸,是什么药?"

"普罗扎克。"

院长挑剔指甲的下面。"他以前常见面的增氧健身教师,现在怎么样了?她还同他来往吗?"

"不见得,首长。我觉得他好像不大欢喜女人。"刘易斯面露喜色。他知道的岂止这一点。他的眼光射向一位他的下属,把这一条逗人的小小珍秘确认一下。

鲁尼恩没有理会,他也不要听到这个。"他跟你们配合吗?"

"当然不会。在许多方面,他比罗森堡还坏。他只肯让我们护送到公寓大楼,然后就要我们在停车场坐到天亮。他在七楼上面,您知道。连楼下大厅都不许我们坐。免得招惹邻居讨厌,他说。另

外还有十来条进出大楼的通道,根本没法保护他。他还喜欢跟我们玩儿捉迷藏。他经常偷偷摸摸走进走出,我们连他是否在大楼里面都不知道。罗森堡那边我们至少知道他本人整晚都在家里。詹森可办不到。"

"是啊。如果你们都跟不住他,刺客又怎么能呢?"

刘易斯没料到有此一招。他也没有听懂这句玩笑。"局长非常关切詹森法官的安全。"

"他受到的威胁不怎么多。"

"名单上第6位,比您略少几次,院长阁下。"

"哦,那么我是第5名啦。"

"是的。恰好在曼宁法官的后面。他是很合作的。百分之百。"

"他连自己的影子都害怕,"院子说道,但立即便改口了,"我不该这么说。对不起。"

刘易斯没有理会。"事实上,除了罗森堡和詹森,合作的情况是够好的。斯通法官很有牢骚,但是他肯听我们的话。"

"他对谁都发牢骚,所以我们也都不介意。你们猜想詹森偷偷摸摸上哪儿去?"

刘易斯扫视了一眼他的部下。"毫无所知。"

闹事的人群中有一大批连成一气,齐声高喊口号,街上所有的人便都随声附和。院长这一下子可不能若无其事了。窗子都在震动。他站了起来,宣布会议结束。

格伦·詹森大法官的办公室在二楼上,不是临街的一面,也听不见嘈杂的人声。房间很宽敞,然而却是9套办公室中最小的一个。詹森是9个人中最年轻的,能够占有这么一个办公室也算他福星高照了。6年前,他42岁,得到任命,那时候人们都认为他对宪法和法律笃信不渝,而且有着根深蒂固的保守思想,跟那位任命他的总统不相上下。参议院为批准他的任命而争论得如同一场拳击赛。在司法委员会，詹森的表现一无可取。对于所有的敏感问题，他都是模棱两可，因此招来左右夹攻的拳脚。共和党进退维谷，民主党穷追不舍。总统使尽了压力才使双方偃旗息鼓，詹森得到任命，全靠十分勉强的一票的多数。

可是他总算得到了任命，终身职务。他任职6年以来，堪称失尽人心。任命听证使他深感受辱，起誓要发善心，施仁政。这就惹恼了共和党议员。当他隐隐约约透露出对罪犯的权利怀有同情的时候，他们便都有被人出卖之感。他不受什么意识形态的拘束，很快便与右派分子分手，成为一个中间派，接着又成了左派。然后，听从几个手捋一小撮山羊胡的法学家的主意，他摇身一变，回到右派阵营跟斯隆大法官联手，投了一次使他声名狼藉的反对妇女的反对票。詹森对妇女没有好感。对于学校里的祷告问题，他持中立态度，对言论自由保护怀疑，对税收问题上的反对派怀有同情，对印第安人不闻不问，对黑人担心害怕，对色情读物态度强硬，对罪犯心慈手软，对环境保护倒还体面地保持一贯的态度。对于曾经为了詹森的任命而浴血奋战的共和党来说，最令他们伤心的莫过于他居然对同性恋者的权利表现出使人难堪的同情。

根据他的要求，一件名叫杜蒙德的棘手案子交给他去审理了。罗纳德·杜蒙德跟他的男性情人同居了8年。他们曾经是一对幸福的情侣，两人相亲相爱，共度美满生活。他们曾想正式结婚，但是俄亥俄州的法律禁止这样的结合。不幸他的情人罹染了艾滋病，不治身亡，惨不忍睹。罗纳德本来可以一手办理丧葬，但是情人的家人出面干预，拒斥罗纳德，不得参与殡仪和葬礼。罗纳德怒不可遏，状告其家人，要求对他所受的感情与心理的伤害给予赔偿。案子在下面法院里折腾了6年之久，现在又突然间安放在詹森的办公桌上。

案子的焦点在于同性恋者的配偶的权利。杜蒙德已经成了同性恋活动分子的进军口号。单单提到一声杜蒙德就曾触发过街头

的恶斗。

这案子来到了詹森的手中。他的小办公室的房门关着。詹森和他的3位法律助手坐在会议桌的四周。他们为杜蒙德已讨论了两小时,毫无结果可言。他们也没有心思继续争论下去。一位助手,康奈尔大学出身的自由派,主张冠冕堂皇地宣告同性恋的伙伴拥有一切权利。詹森也作此想,但是还不准备公开承认。另外两位助手表示怀疑。他们知道,詹森也知道,如此判决,要得到5票赞成而以多数通过是不可能的。

话题转到别的事情。

"院长对你不高兴呐,格伦。"杜克大学出身的一个助手告诉他。关起门来,他们都直呼他的名字,"大法官"是个挺别扭的头衔。

格伦揉一下眼睛。"又有什么新鲜事儿?"

"他的一位助手告诉我说,院长和联邦调查局都担心你的安全。他说你不肯合作,院长很不放心。他要我把话传到。"样样事情都通过助理的关系网传递。

"他想加派两名调查局的人担任你的警卫,他们要进入你的公寓。联邦调查局要为你上下班开车。他们还要限制你旅行。"

"我已经听说过了。"

"是呀,我们知道。不过院长的助手说院长要我们劝说你跟联邦调查局合作,以便他们保护你的性命。"

"我知道。"

"所以我们才劝你务必合作。"

"多谢了。通过关系网告诉院长的助手,你们不但劝过我,并且还跟我闹得鸡犬不宁,不过尽管经过你们一番劝说和大闹一场,这一切都只是一只耳朵进,一只耳朵出。告诉他们格伦自己认为是个大人了。"

"没问题,格伦。你不害怕,是吗?"

"一点也不怕。"

2

托马斯·卡拉汉在图兰大学是一位很出名的教授,首先一条,就为了他不肯在早上 11 点钟以前排课。他的酒量不小,跟他的大多数门生一样,因此他需要每天早晨那几小时的睡眠。然后又需要时间清醒头脑。9 点和 10 点的课时岂不犯了他的大忌。他的出名还因为他不修边幅——退了色的牛仔裤,粗花呢上装,磨烂了的肘弯贴上两块皮补钉,不穿袜子,没系领带,一身的"自由派——潇洒——学者"风度。时年 45,一头黑发,玳瑁边眼镜,说他 35 岁亦无不可,他倒是不在乎看起来是老是少。他一星期刮一次胡子,要到他觉得开始发痒了才刮;到了天气凉快的时候他就留起胡子来,只不过新奥尔良少有这样的天气。他跟女弟子的亲密关系由来已久。

他的出名还由于他开的是宪法课,一门最不受欢迎的课程,然而是必修课。纯粹是由于他的过人才智和不修边幅,他倒果真使宪法课变得颇有趣味了。图兰大学里没有别人做得到这一点,也没有人想要这么做,确实,大学生都抢着来听卡拉汉的宪法课,早上 11 点,每周 3 次。

80 个学生坐在 6 排阶梯座位上,轻声交谈着,卡拉汉站在讲台前方,擦拭他的眼镜。准确的时间已是 11 点 05 分,他觉得这还是太早了点。

"有谁懂得罗森堡在纳什诉新泽西州案中的反对意见吗?"众学子都低下头去,整个教室寂然无声。一定是醉意未消,他的两眼都是红的。每当他一开始就提到罗森堡,这堂课一定不太平,谁都不答腔。纳什?卡拉汉慢慢地,一如惯常的规矩,扫视了整个教室,

等待着。一片死静。

门上的把手嗒的一声响得不轻,打破了紧张空气。门便立即打开,优雅地溜进一位穿了紧身水洗牛仔裤和棉纱套衫的迷人的年轻女生,几乎是顺着墙边摸到了第3排座位,身轻如燕地穿过坐满了人的座位,到达她的位子坐下。第4排的小子们都看得出了神。第5排的家伙则挺身引颈以图一睹芳容。在这两个乏味的寒窗年头中,法学院的少有的乐事之一便是在大厅、会场和教室里得见她的风采,修长的双腿和宽大的套衫。这一套装束告诉人们,那里面掩藏了一个妙不可言的身躯。她可不是个爱炫耀自家体态的人。她只要做个学生群中的一员,恪守法学院的着装规矩;牛仔裤、绒布衬衫、旧套衫,大尺寸的卡其衣服。要是她肯穿一条黑皮超短裙,男生们愿意付出任何代价。

她向身边位子上的小子飞闪一个微笑,卡拉汉和纳什问题立即被遗忘得一干二净。她的深色带红的头发长及双肩。她是那种十全十美的娇小的啦啦队长,十全十美的牙齿和十全十美的头发,每一个小伙子在中学时期都曾两次入迷的美人。也许在法学院至少要入迷一次。

卡拉汉对于闯入者不予理会。如果她是个一年级女生,又是个怕他的人,他也许已经大发雷霆,厉声申斥几下。"法院开庭可是不许迟到的!"就是一句被法学教授们嘶叫得死去活来的现成词儿。

但是卡拉汉此刻却无心嘶叫,达比·肖也不是怕他的人,在一闪念间他脑子里还产生过是否有人知道他常跟她睡觉的疑问。大概没有。她坚持要绝对保密。

"有谁看过了罗森堡在纳什诉新泽西案中的不同意见吗?"突然间,他又站在强光圈中了,又是一片死寂。谁要是举起手来就有可能受到严厉的诘问长达30分钟之久。没有人自愿答问。坐在后排的烟民点燃了香烟。80个人中的大多数都在法律拍纸簿上随意乱画。大家都低下头去。翻开案例教材寻找纳什,未免过于显眼,也太危险了,何况现在去找也太晚了。任何举动都只会引人注意。总有一个人要被逮住的。

纳什的案子还未收进案例教材。卡拉汉上星期匆匆带过提到了十多个小案子,其中就有它。现在他急于知道有谁读到过这个案子,他是以此出名的。他的大考题目涉及 1200 个案例,其中有 1000 个是案例教材中找不到的。这门考试成了一场噩梦,不过他可真是个有情人,慈悲为怀的给分,这门课考不及格的准是个天下少有的笨驴。

这会儿他可不想做个有情人。他在教室里四下寻找。这一回得有一个人受罪。"怎么样,塞林格先生?你能说明罗森堡的不同意见吗?"

塞林格立即从第 4 排回答:"不知道,先生。"

"好。是不是因为你没阅读过罗森堡的不同意见呢?"

"也许,是,先生。"

卡拉汉冲着他发作。发红的眼睛使得满脸的怒容更加显得咄咄逼人。不过也只有塞林格一个人看得见,因为别人的眼睛都盯在法律拍纸簿上。"为什么不读?"

"因为我有意不看不同意见。尤其是罗森堡的。"

笨蛋。笨蛋。笨蛋。塞林格居然胆敢还手,可是他又没有弹药。"有点儿反对罗森堡,塞林格先生?"

卡拉汉服膺罗森堡,崇拜他,阅读关于这个人及其见解的各种著作。研究他,甚至跟他吃过一餐饭。

塞林格胆战心惊。"哦,不是的,先生。我不过是不喜欢反对意见。"

塞林格的应答中本来是有点儿幽默的,可是没有一个人露出笑脸。往后的日子里,倒上一杯啤酒,他跟哥们儿一次又一次谈论起塞林格不欢喜反对意见,特别是罗森堡的,准会发出阵阵哄堂

大笑。但不是现在。

"我明白。你阅读多数意见吗？"

迟疑一下。塞林格不自量力的试探较量一番徒然是自取其辱。"是的，先生。读了许多。"

"好极了。那么，如果你愿意的话，请说明一下，纳什诉新泽西州案中的多数意见。"

塞林格从未听说过纳什，但从今以后他会在毕生的法律生涯中都记得它。"我不记得读过这个案子。"

"原先你说不看反对的意见，塞林格先生，我们现在又听说你也不在乎多数意见。你看些什么呢，塞林格先生，传奇小说，黄色小报？"

听得见几声极其轻微的笑声，发自第4排以后的座位，来自几位自觉有责任出声一笑的学生，可是同时又不愿让人注意到他们自己。

塞林格这时已经满脸通红，只能对卡拉汉干瞪眼。

"你为什么没有读过这件案子，塞林格先生？"卡拉汉追根究底。

"我不知道。我……呃……没有注意到它，我想。"

卡拉汉适可而止。"我不觉得意外。我上星期提到过它。上星期三，确切地说。大考要考的。我不明白你们为什么不留心一下大考会碰到的案子。"卡拉汉踱着方步，在讲台前面，眼睛盯着学生。"有谁费心读过它吗？"

沉默。卡拉汉瞧着地板，以便让沉默都渗透进去。所有的眼睛都向下，所有的墨水笔和铅笔都冻结固定。几缕轻烟在最后一排袅袅升起。

最后，达比·肖从她的第3排第4号座位上轻轻举手，全教室的人都同声舒了一口气。她又一次解救了大家。这几乎是对她的一个期待。全班第二名，和第一名几乎不相上下，凡是卡拉汉随口向他们吐出的几乎每一个案件,她都背得出全部案情、所有权、一致意见、不同意见和多数意见。她不会错过任何东西。这位十全十美的娇小的啦啦队长以优异成绩毕业,得过一个生物学的学位,她计划要以优异成绩毕业,再得一个法律学位,然后就要专门从事控告化学公司的糟蹋环境而使她自己过上舒适的生活。

卡拉汉看着她,好像是给懵住了似的。她在 3 个小时以前离开他的公寓,度过了一个醇酒加法律的长夜,但是他不曾向她提及纳什。

"很好,很好,肖女士。罗森堡为什么动肝火?"

"他认为新泽西州的法律违反了第二修正案。"她没有朝教授看。

"说得好。你给全班同学说一下,该州法律有何规定?"

"其中不许拥有半自动机关枪的规定。"

"好得很。再请说点趣闻吧,纳什先生在被捕的时候持有什么?"

"一枝 AK-47 冲锋枪。"

"后来怎样?"

"被判有罪,判处 3 年徒刑,他提出上诉。"她对案情了如指掌。

"纳什先生从事什么职业?"

"材料中没有具体说明,但是提及另一项控罪为贩毒。他在被捕的时候没有罪案的记录。"

"因此他是一个拥有一枝 AK-47 的毒品贩子。但是他得到罗森堡的同情,是吗?"

"确实是的。"现在她看着他。紧张空气已经缓和下来。大多数眼睛都看着他踱方步,他的眼光四下扫视,选择又一个倒霉的人。在大多数情况下,达比都在他的课堂上独占风光,而卡拉汉要求有更广泛的参与。

"你们为什么认为罗森堡怀有同情?"他问全班。

"他喜欢毒品贩子。"这是塞林格,他已受伤,仍想挽回面子。卡拉汉乐于提倡课堂讨论。他朝他的掌中猎物笑笑,好像欢迎他再受一次放血。

"你认为是这样,塞林格先生?"

"对了。毒品贩子,娈童癖者,军火走私贩子,恐怖分子。罗森堡对这些人一往情深。他们都是他的身体孱弱、备受苦楚的孩子,所以他必须保护他们。"塞林格尽力显出义愤填膺的样子。

"那么,照你的高见,塞林格先生,应该怎样处理这些人呢?"

"简单得很。他们应该受到公平的审讯,有一个好律师,还要有公平的、快捷的上诉,如果他们确实有罪就该受到处罚。"塞林格声色俱厉,活像一个高举法律与秩序大旗的右翼分子,在图兰大学法学院的学生眼中这是大逆不道。

卡拉汉两臂交叉。"请说下去。"

塞林格察觉这是圈套,但是他义无反顾。没有什么大不了的。"我的意思是,我们读到过一个又一个案例,表明罗森堡想要改写宪法,制造种种借口,使证据不能成立,以便听任一个个臭名昭著的有罪被告逍遥法外。简直是骇人听闻。他认为所有的监狱都是残酷的、天理难容的所在,所以,根据第八修正案,所有的服刑罪犯都应一律释放。谢天谢地,他现在成了少数派,日益缩小的少数派。"

"你欢喜最高法院的方针,是不是,塞林格先生?"卡拉汉的表情又是喜来又是恼。

"确实如此。"

"你是不是属于标准的、赤胆忠心、为国为民的美国人中的一分子,巴不得那个老杂种一觉睡去便长眠不起?"

教室里有几声轻轻的嘻笑。现在笑出声来可保平安无事。塞林格心里有数,这回可不能直言不讳。"我不能对任何人有这样的想法。"他说道,几乎觉得窘迫。

卡拉汉又在踱方步了。"很好,谢谢你,塞林格先生。我一向喜欢听到你的议论。你也一如既往地给我们提供了外行人的法律观点。"

笑声响得多了。塞林格两颊通红,缩在座位里。

卡拉汉没有露出笑容。"我倒是乐意把这次讨论的知识水平提高一步,可以吗?现在,肖女士,罗森堡为什么同情纳什?"

"第二修正案准许人民拥有和携带武器。罗森堡大法官认为,要按字面不折不扣地执行这条规定。任何武器都不可禁止。如果纳什想要有一枝 AK-47,或一枚手榴弹,或者一管火箭筒,新泽西州都不能通过一项法律予以禁止。"

"你同意他吗?"

"不,也不只我一个人不同意。这个决定是 8 票对 1 票通过的。没有一个人赞成他。"

"另外 8 个人持何理由?"

"那是显而易见的。各州都有迫不得已的原因禁止销售和拥有某些类型的武器。新泽西州的利益比纳什先生的第二修正案的权利重要得多。全社会不能允许个人拥有灵巧先进的武器。"

卡拉汉认真地看着她。迷人的法律女生在图兰大学是难得见到的,但是他只要发现了一个就会马上下手。以往的 8 年间,他倒是相当成功的。多数情况下都不费劲。进到法学院的女生都很解放,也很随便。达比却不一样。他头一次在图书馆里盯上她是在一年级下学期,可是花了一个月工夫才跟她吃上一顿饭。

"谁写的多数意见?"他问她。

"鲁尼恩。"

"你同意他吗?"

"是的。这是件简单的案子,说真的。"

"那么,罗森堡又怎么了?"

"我觉得他跟最高法院的其他法官不能相容。"

"因此他便投票反对。"

"常常是的。他的意见越来越站不住脚了。例如纳什案。在罗森堡这样的自由派看来，枪枝管理的问题再简单不过了。多数意见本来是应该由他写的，要是在 10 年前的话准是他的手笔。1977年的一件案子，福代斯诉俄勒冈州，他对第二修正案的解释还是严格得多。他的自相矛盾简直叫人难堪。"

卡拉汉忘掉了福代斯。"你的意思是不是说罗森堡已是老朽了？"

活像一个因为饱尝老拳而头脑晕眩的拳击手，塞林格又跌跌撞撞走进拳击场准备打最后一轮。"他已经神志不清，你也知道这一点。你无法为他辩解。"

"也不尽然，塞林格先生。至少他还安坐在最高法院。"

"他的身体坐在那里，他的脑子已经死亡。"

"他还在呼吸，塞林格先生。"

"是啊，靠机器呼吸。他们得把氧气泵进他的鼻子。"

"那就行了，塞林格先生。他是最后一位法学界的前辈大师，他还在呼吸。"

"你最好打电话去问一声。" 塞林格没等他话音消散便抢着开口。他说得够多了。不，他说得太多了。他低下头，教授睁大眼睛盯着他。他简直要躲到笔记簿底下去了，并且开始觉得奇怪，他干吗要说这些话。

卡拉汉盯得塞林格不敢和他对视，然后又踱起方步。昨晚的醉酒真难受。

3

　　不管怎么说,至少他看起来像个上了年纪的农家主人,头戴草帽,身穿干干净净的带前襟工装裤,熨烫得笔挺的卡其劳动衬衫,脚登长筒皮靴。他嘴里嚼着烟草,朝码头下面黝黑的海面吐口水。他的轻型运货车,虽然是最新的型号,却已显得久经风雨,浑身尘土。北卡罗来纳州的车号牌。它就停放在百码之外,码头另一端的沙地上面。

　　星期一半夜,这是 10 月份的头一个星期一,夜凉如水,一片漆黑,码头附近,行人绝迹,他得呆在这儿等上半个钟头。他倚伏在栏杆上,细嚼烟草,心情凝重,眼观海面,全神贯注。这儿就他一个人,他知道只会是他一个人在这儿。一切都是计划好的。此刻的码头向来人迹罕至。偶尔有一辆汽车的头灯闪烁着沿海岸线疾驶,但是在这个时辰头灯绝不会停下。

　　他观看着离海岸线远处的航道灯光,有红有蓝。他看了看手表,头也不动。天低云厚,如果不是来到码头的近边是看不见的。一切都是计划好的。

　　轻型运货车不是北卡罗来纳的车子,农户主人也不是那儿人。车号牌是从达勒姆附近一个废钢铁堆放场的破烂卡车上偷来的。轻型运货车是在巴吞鲁日偷来的。农户主人的来历不明,偷盗不是他的所为。他有他的本行,小偷小摸的脏活儿都别人去干。

　　20 分钟过去了,一个黑影朝码头的方向浮来。轻轻的、掩抑的引擎声变得响一点了。黑影显像是一条小船模样,一个伪装的黑影埋低了身体在摸弄马达。农户主人一动不动地迎候着。引擎声响停歇,黑色的橡皮筏停在宁静的水面,离码头 30 英尺。此

时海岸上已不见汽车头灯的亮光过往。

农户主人小心地拿一枝香烟放在嘴唇间,把它点燃,连抽两口,立即把它扔掉,落在与此筏之间的一半距离的水中。

"什么香烟?"水上的人朝上面问。他看得见栏杆上的农户主人的轮廓,但是看不见他的脸面。

"好彩牌。"农户主人回答。这两句接头暗号真够得上是蠢把戏。这么一个时辰,恰好在这么一个古旧码头上,能盼望到多少别的黑色筏子从大西洋上漂流进来?其蠢无比,不过,噢,又是多么重要。

"卢克?"船上发出的声音。

"萨姆。"农夫说。来者真名叫卡迈尔,不是萨姆,再有五分钟卡迈尔就可以停妥筏子。

卡迈尔没再答理。按照约定已经不需要了。他麻利地发动引擎,把筏子驾驶到通向海滩的码头边上。卢克在上面看着跟着。他们来到轻便货车上会合,连手都不握一下。卡迈尔把他的阿迪达斯运动包放在两个人的座位中间,小货车便沿着海岸线开走了。

卢克开车,卡迈尔吸烟,二人互不理睬对方,配合默契得天衣无缝。他们连眼光都不敢对视。卡迈尔胡须浓密,戴一副墨镜,穿黑色的高领套衫,一脸凶相,却又无从辨认。卢克根本不想看他。他在接受任务时就已听到吩咐,除了迎接这位海上来的陌生人之外,还必须避免正眼看他,这还不容易。此人是9个国家悬赏缉拿的人。

驶过曼托大桥,卢克又点燃一枝好彩牌,此时他可以肯定先前与此君见过一面。就他记忆所及,五六年前,在罗马机场曾经有过一次短暂而时间精确的晤面。没有任何介绍。地点是在厕所里。卢克当时穿一身精致的美国经理套装,把一只鳗鱼皮的公文包挨着洗脸盆的墙边放下,他慢腾腾把手浸入水中,一眨眼间皮包就不见了。他在镜子里看见一个人晃了一下——就是这个卡迈尔。

就在那一天，30 分钟过后，那只公文包便在英国驻尼日利亚大使的两腿之间爆炸。

卢克常常听到他的黑道兄弟在小心翼翼的耳语中说起这个卡迈尔。他有许多名字，许多相貌，讲多种语言，一个出手快速、来无影去无踪的刺客，一个四海为家、无迹可寻的登峰造极的杀手。他们在夜幕下向北疾驰，卢克低低地仰靠在车座上，草帽的宽檐快要遮住鼻子，手腕在方向盘上蠕动，他想起听到过的关于他身边这位乘客的令人拍案惊奇的恐怖杰作。1990 年 17 名以色列士兵被伏击已经算在卡迈尔的账上。在 1985 年的一件汽车炸弹谋杀案中，一位巨富的德国银行家全家遇害，卡迈尔是惟一的嫌疑人，传闻那一次行动的收费为 300 万现钞。大多数内行人士都相信 1981 年谋刺罗马教皇的行动是他主谋的。不过，话得说回来，几乎每一件侦破不了的恐怖袭击和暗杀事件都归罪于卡迈尔。之所以如此，是因为没有人确实知道他是何方神圣。

卢克觉得激动。卡迈尔行将在美国大地上有所行动。卢克不知道目标是谁，但是喷洒鲜血的人不会是寻常之辈。

拂晓时分，被偷的农场货车停靠在乔治城第 31 街和 M 大街的路口。卡迈尔抓起他的运动包，一声不吭便跳上了人行道。他向东走过几个街口，来到四季旅馆，在大厅里买了一份《华盛顿邮报》，若无其事地乘电梯上到 7 楼。7 点 15 分，他准时轻叩走廊尽头的一个房门。"是谁？"门内有人问道，声音透出惶恐不安。

"我找斯内勒先生。"卡迈尔说道，口音是无懈可击的全国通用的美国话，同时用拇指摁住了门上的窥视孔。

"斯内勒先生？"

"是的，埃德温·F.斯内勒。"

门把手没有转动，也没有响，门也不开。几秒钟后，门底下塞出来一个白信封。卡迈尔把它拾起。"行啦。"他说得够响的，好让

斯内勒听得见。

"隔壁房间，"斯内勒说道，"我等你的电话。"他说话像是美国人。他跟卢克不同，从未见到过卡迈尔，说真的，也不想见到他。卢克已经见到过他两次了，算他运气好，居然还活着。

卡迈尔的房间有两张床，靠窗口一张小桌。窗帘拉得紧紧的；透不进一丝阳光。他把运动包放在一张床上，紧挨着两个厚实的公文包。他走到窗口向外窥视一下，然后走向电话。

"是我，"他告诉斯内勒，"告诉我车子。"

"车停在街上。纯白的福特，康涅狄格州的车号牌。钥匙在桌上。"斯内勒说得很慢。

"偷来的吗？"

"当然，不过消过毒了。它是清清白白的。"

"我把它留在杜勒斯机场，午夜过后不久。我要求把它毁掉，行吗？"十足地道的英语。

"我接受的命令就是这样。是的。"斯内勒既恭敬又干练。

"这一点非常重要，知道吗？我想把枪留在车上。枪都会留下子弹，汽车都会有人看见，因此把汽车和车上的一切都毁灭干净，这是非常重要的。懂吗？"

"给我的命令就是这些。"斯内勒重复一遍。他不欣赏这一套说教。他不是头一回干这种杀人把戏。

卡迈尔坐在床沿。"400万已在一星期前收到，晚了一天，我得告诉你。我现在已经到了首都，我要求拿到另外300万。"

"中午以前汇到。这是协议好的。"

"是的，不过我怕协议靠不住。你们已经迟付一天了，还记得吧？"

这使斯内勒觉得恼火，既然杀手是在隔壁房间，而且不见得马上就会跑到门外，他也不妨露出一点不快。"那是银行的失误，不是我们。"

这使卡迈尔觉得恼火。"好得很。我要你们和你们的银行把另外 300 万电汇到苏黎世的账户，纽约的银行一开门就汇出。从现在起还有两个钟头。我会查问的。"

"OK。"

"OK，事情干完之后我也不想出什么问题。再过 24 小时我就在巴黎了，我从那儿直接去苏黎世。我要求在我到达的时候整笔款子就已在那儿等我。"

"款子准定不误，只要把事情办成。"

卡迈尔笑了一下。"今天半夜，斯内勒先生，事情准定干成。也就是说，只要你提供的情况准确无误。"

"到现在为止，情况都是准确无误。今天不见得会有什么变化。我们的人今天上街。你所要求的一切都装在两只公文包里，地图、时间表、工具以及其他物品。"

卡迈尔扭头看了一眼身后的公文包。他举起右手揉了揉眼睛。"我需要睡一觉，"他对电话咕哝，"我有 20 小时没睡觉了。"

斯内勒想不出什么话好说。反正有的是时间，如果卡迈尔想要睡觉，他当然可以睡上一觉。他们要付给他 1000 万。

"你不要吃点什么吗？"斯内勒问得有点尴尬。

"不要。过 3 个小时给我电话，10 点半整。"他把听筒放回电话上，便在床上倒下。

秋季开庭的第二天，街道上清净而安静。法官们一整天都在法庭上聆听一个个律师辩论那些复杂而又十分沉闷的案件。罗森堡多半时间都睡着了。来自得克萨斯州的检察长发言时他醒来片刻，检察长辩论说某些判处死刑的囚犯应该接受药物使其神志清醒，然后接受死刑注射。如果他的精神有病，怎能将他处决？罗森堡难以置信地质疑。来自得克萨斯州的检察长说，他的病症可以用药物控制，因此，只消先给他一针使他清醒，便可以再打一针把

他送终。这样做非常干净利落,完全符合宪法。罗森堡发出了声讨,可惜为时很短,便接不上气了。他的小小轮椅,比起他的同僚们的皮制的座位来,是过于低矮了。他显得相当渺小。想当年,他也曾经是一头猛虎,一个穷追猛打、令人丧胆的审案人,哪怕是最能言善辩的律师也被他驳得无言以对。无奈今非昔比。他先是口齿不清,继而便无言了。检察长对他讥笑了几句,又滔滔不绝地讲起来。

当天最后一场口头辩论的案子,是关于弗吉尼亚州的一件停止种族隔离的乏味案子,这时罗森堡发出鼾声。院长鲁尼恩从法官席上向下张望,罗森堡的高级助手贾森·克兰当即领会他的意思。他轻轻地把轮椅向后倒退,拖离法官席,然后推出法庭。他快步推着椅穿过后面的走廊。

大法官在办公室里清醒过来,吞下了药丸,便告知助手他要回家。克兰通知了联邦调查局,过了一会儿罗森堡便被推进了停在地下停车场的小货车的后车门。两名联邦调查局的探员在一旁看守,一名男护士弗雷德里克把轮椅拴牢在固定位置,最高法院的法警弗格森坐到货车的方向盘后。大法官不许联邦调查局的探员走近他的身边。他们可以自己开车跟随他,他们也可以在他市内住宅外面的街上守候,他们能够接近他到这个距离就算是造化了。他连警察都信不过,不用说,也信不过联邦调查局的探员。他不需要保护。

车子开到乔治城的沃尔塔街,便慢了下来,倒进一条短车道。弗雷德里克护士和弗格森把他轻轻推进屋去。两名探员则坐在停在街上的道奇牌亚里斯型政府公车里守候。市内住宅屋前的草地不大,他们的车子距离前门不过数英尺。此刻差不多是下午4点。

数分钟后,弗格森照规定退出,去跟探员说话。经过多次争论,罗森堡于一周前默认了准许弗格森每天下午到达他家后检查一遍楼上楼下的每一个房间。然后弗格森就必须离开,但是到晚上 10 点整可以回来,坐在后门外面,直到早晨 6 点整。只有弗格森一个人可以执行这一任务,他对加班的工作已经觉得不胜劳累。

"平安无事,"他对探员说,"我想晚上 10 点钟再来。"

"他还活着吗?"一个探员问道。例行公事的问话。

"恐怕还活着。"弗格森朝货车走去,神情疲乏。

弗雷德里克的面孔滚圆,体质虚弱,不过照料他的这个病人并不需要力气。他把枕头稍加摆弄,便把病人从轮椅上举起,小心地放在沙发上,病人在沙发上要呆上两个钟头,边打盹儿,边看有线新闻电视。弗雷德里克给自己夹了一份火腿三明治又装了一盆奶油酥饼,便在厨房餐桌上浏览一份《国民问询》周刊。罗森堡大声唠叨了几句,便用遥控器转换了频道。

7 点整,他的晚餐:鸡汁清汤、煮马铃薯,以及炖葱头——捣烂的食物——都已端端正正地放在桌上,弗雷德里克把他推到桌子旁边。他执拗地要自己吃饭,那模样很不雅观。弗雷德里克自顾自地看电视。他要过一会再去收拾烂摊子。

时近 9 点,护士已经给他沐浴完毕,穿好睡袍,把他送上床去掖盖得严严实实了。那是一张窄床,上身斜倚,床垫是硬的,有按钮操纵控制,床栏可以升降,而罗森堡坚决不许升起床栏。卧室就在厨房隔壁,他第一次中风之前的 30 年间,那儿曾经是他的小书房。如今它宛如一间诊所,里面弥漫冲鼻的消毒剂气味,死神隐约显现。靠他的床边是一张大桌子,上面有一盏台灯和至少 20 瓶药丸。这房间四周都是堆得整整齐齐的一摞摞厚厚的法律书。护士挨着桌边坐在一只旧躺椅上,拿起一份案卷开始朗读。他要朗读到他听见鼾声大作为止。他一字字地读得慢慢的。他僵卧着,一动不动,但是在听着。这份案卷的讼案要由他写出多数法官主张的意见。他认真听进了每一个字。

弗雷德里克朗读了一个小时,已经觉得累了,大法官也昏昏

欲睡。他轻轻抬一下手，便合上了眼睛。床上有个按钮，他把灯光转暗。房间几乎全黑了。弗雷德里克朝后一伸，躺椅便摊平了。他把案卷撂下地板，闭上双眼。罗森堡鼾声大作。

他的鼾声时间不会长了。

10 点刚过，房子里一片漆黑死寂，楼上一间卧室的盥洗室门略微开启，卡迈尔悄然而出。他的袖口、尼龙帽、跑步短裤都是品蓝颜色。他的长袖衬衫、短裤和锐步运动鞋一律都是品蓝镶边。颜色协调，无懈可击，俨然一身慢跑的装束。他的胡子刮得干干净净，尼龙帽下面的短头发现在成了浅色，简直是白色了。

卧室里面漆黑一片，跟门外的走廊一样。楼梯在运动鞋的压力下微微作响。他身长 5 英尺 10 英寸，体重不到 150 磅。他注意保持身体结实轻盈，以便做到行动快捷无声。楼梯下去便是门厅，离开大门不远。他知道停在路边的汽车里有两名探员，他们不见得在注意看着房子。他也知道弗格森已经在 7 分钟以前到达。他听得见后房里传来鼾声。还在盥洗室里等候的时候，他便想早一点动手，趁弗格森尚未到来时动手，那就可以不必要他丧命。当然，杀掉他不费吹灰之力，但是那样一来就多一具尸体要操心。不过他转念一想，认为弗格森上班的时候也许会跟男护士交代一声。如果那样的话，弗格森无疑就要发现室内的尸体，使得卡迈尔失去几个小时逃走的时间。所以他便等候到此刻。

他悄无声息地闪身穿过门厅。厨房里的排气机罩上一颗小灯照亮了厨柜的台面，使得情况显得略有危险。卡迈尔骂了自己一声该死，因为他不曾查看一下灯泡，并把它取下。诸如此类的错误都是不可原谅的。他伏低身子在窗口底下朝后院观看。他看不见弗格森，虽然他知道此公身高 7 英尺 4 英寸，高龄 61，患白内障，用他的 0.375 大号手枪射不中一座粮仓。

两个人都在打鼾。卡迈尔不觉会心一笑，便在门口蹲下身去，随即从围在腰际的爱思牌腰带中抽出 0.22 的自动手枪和消声器。他把 4 英寸长的管子旋上枪筒,闪身潜入房内。护士摊开的身体深深陷在躺椅里,两脚伸向空中,两手下垂,嘴巴大张。卡迈尔把消音器对准他的右边太阳穴,相距不过一寸,连放 3 枪。他两手一阵抽搐,双脚一阵疼挛,两眼仍是闭着的。卡迈尔立即伸长手臂瞄准亚伯拉罕·罗森堡大法官的布满皱纹、没有血色的头颅,射了 3 颗子弹进去。

这房间没有窗口,他注视着两人的身体,侧耳倾听,足足有一分钟。护士的脚后跟抽搐几下便不动了。两具尸体一动不动。

他要在房子里面干掉弗格森。现在是 10 点 11 分,正是一个邻居在上床睡觉以前最后一次出门遛狗的好时候。他踮着脚尖摸黑走到后门,看见法警正沿着 20 英尺开外的木栅栏慢步行走,与世无争。卡迈尔凭他的本能行事,推开后门,开亮门外的灯光,大声一喊"弗格森"。

他让后门开着,自己把身体掩藏在冰箱旁边的暗处。弗格森听见喊声便慢吞吞穿过小后院走进厨房。这种情形并不罕见。弗雷德里克常常在法官大人睡着以后喊他进去。他们一起喝杯咖啡,玩金罗美牌戏。

没有咖啡,弗雷德里克也不在等他。卡迈尔顶着他的后脑壳连开 3 枪,他便哐啷一声撞倒在厨房的桌子上了。

他关掉后院的灯光,旋下消音器。他再也用不着它了。消音器和手枪都一齐塞进了爱思牌腰带。卡迈尔朝前面窗外窥探。汽车的顶灯亮着,两个探员都在看书。他跨过了弗格森的身体,锁好后门,便在后门小草地的黑夜中消失了。他毫无声响地跳越了两道栅栏,来到街上。他开始小步慢跑。卡迈尔正在慢跑运动。

蒙特罗斯戏院的黑暗的楼厅上,格伦·詹森独自一人坐在那儿看着下边银幕上两个裸身而剧烈动作的男人。他从一个大纸盒

里拿出爆玉米花送进口里，除了银幕上的身体什么都没看见。他穿着十分保守，藏青羊毛衫、卡其裤、平底鞋。阔大的墨镜藏起了他的两眼，仿鹿皮卷边软帽盖住了他的脑袋。他天生一张让人见过就忘记的面孔，一经伪装，休想会有人认得出来。特别是在这半夜时分的一家几乎空无一人的同性恋色情戏院的无人光顾的楼厅上面。没有耳环，没有印花大手帕，没有金链条，没有珠宝饰物，没有任何东西表明他来到物色伴侣的市场。他只求没人看上他。

这已成为一场名副其实的挑战，跟联邦调查局和整个世界玩的这场捉迷藏。就在这个晚上，他们已经在他住的大楼外面的停车场上恪尽职守地设下了岗位。另外还有一对探员把车子停在离大楼后廊不远的出口处，而他却让他们坐守了四个半小时以后，方才经过一番乔装打扮，然后大模大样地走到大楼底层的停车库里，登上一辆朋友的车子开了出去。这大楼有的是进出口，可怜的调查局的探员们怎能看得住他。他可不是个没有同情心的人，可是他也得有他自己的生活要过。如果连调查局的探员都找不到他，一个杀手又能对他怎样呢？

戏院的楼厅分成3块，每块有3排座位。整个楼厅都很暗，惟一的亮光是后面放映机里射出来的深蓝色光柱。破损的坐椅和桌子都沿着外面的过道堆放。墙上的丝绒帷帘像碎布条似的掉落。这真是个绝妙的藏身之处。

他曾经十分担心被人逮住。参议院通过任命之后的几个月间，他害怕得心惊肉跳。他吃不得爆玉米花，不消说也看不进电影。他暗自盘算着，如果有人逮住他，或者认出他，或者万一曝了光，他干脆就承认是为了一件未决的淫秽案件做点调查研究。备审案件目录中总归有一件这类案子，这样的说词不见得就不能取信于人。这条理由站得住脚，他不断地如此思忖，他的胆子变大了。但是1990年的一天晚上，一家戏院失火，死了4个人。姓名都上了报纸，一大新闻。格伦·詹森大法官正好在厕所里，听见了嘶喊声,闻到了烟火气味。他冲到街上便不见人影了。死人全是在楼厅上发现的。其中一人是他的相识。他不看电影达两个月,后来便故态复萌。他需要再做研究,这是他想到的理由。

要是他被逮住了呢?他的任命是终身职务。投票的诸公不能要他解职回家。

他喜欢这家蒙特罗斯戏院,因为每个星期二晚上这儿都有通宵电影,而且看客总是不多。他喜欢吃爆玉米花,啤酒半美元一杯。

中间的座位上两个老头子摸摸搂搂。詹森有时斜眼看他们一下,不过他是一门心思在看电影。可悲啊,他心里想,都70岁的人了,已经是死到临头,还要提防艾滋病,竟还藏身在这破烂楼厅上找乐子。

这楼厅上马上来了第4个人和他们做伴。他看了一眼詹森和两个搂在一起的老人,便拿着一杯啤酒和一包爆玉米花悄悄走上中间的最后一排。放映室就在他的背后。他的右手朝下隔三排坐着大法官。他的正前方,两位迟暮之年的情人在热吻,在低语,在窃笑,把整个世界都抛到九霄云外去了。

他的衣着妥帖得体。紧身牛仔裤,黑色丝衬衫,耳环,角质架的墨镜,头发和胡子都修剪得整齐干净,地地道道像个同性恋。他就是卡迈尔。

他稍等了几分钟,然后轻轻移向右边,坐在靠过道的边上。没有被人瞧见。谁来管他什么位置呢?

到12点20分,两个老人玩够了。他们站起来,手臂挽着手臂,踮起脚尖出去,仍然在低语,在窃笑,詹森没有朝他们看。他全神贯注在看电影:狂风恶浪的大海,一艘颠簸震荡的游艇上,放浪形骸的狂欢淫乱。卡迈尔像一只猫一样溜过了过道,来到大法官背后相隔三排的一个座位上。他抿了一口啤酒。只剩下他们两个了。他等了一分钟,立即敏捷地移到下面一排。詹森和他相距8

英尺。

风势愈见猛烈,淫乱更加放肆。飓风的呼啸,寻欢作乐的嘶喊,在小戏院里响得震耳欲聋。卡迈尔把啤酒和爆玉米花放在地板上,从腰间抽出一根 3 英尺长的黄色尼龙滑雪绳。他利索地把绳子两头绕紧在双手,一步跨越他前面一排空椅。他的猎物呼吸沉重了。爆玉米花盒子在抖动。

他干得利索而残酷。卡迈尔把绳子刚好套在大法官的喉头下面,死劲把它勒紧。他把绳子往上猛拉,使大法官的脑袋翻倒在椅子背上,颈脖子折断得干干脆脆。他绞紧绳子,在大法官的头颈后面打了个结。他用一根 6 英寸长的钢条穿过绳结中的一个圈洞,转动那个致命的圈套,直到大法官的皮肉绽裂,鲜血直流。前后不过 10 秒钟。

突然间风势已过,又开始一场欢庆的作乐。詹森已经瘫倒在座位上。他的爆玉米花散布在他的鞋子四周。卡迈尔可不是个对他自己的手艺赞叹不已、流连不去的人。他离开了楼厅,不露声色地走过了大厅里的杂志架子和陈设,然后便消失在人行道上。

他驾驶那辆挂着康涅狄格州车号牌的普普通通的白色福特汽车来到杜勒斯机场,在一间盥洗室里换掉了衣服,焦急地等候着去巴黎的航班。

4

第一夫人在西海岸出席一次又一次的 5000 美元一盘的早餐会,那边的有钱人和喜爱炫耀的人都巴不得掏出钞票去吃一顿冷鸡蛋和廉价香槟,为的是有机会让别人看见他们跟女王在一起,或许还能跟女王一同拍照,这里说的女王乃是人所共知的她的雅号,因此,总统是在孤枕独眠的睡梦中听见电话铃声的。按照历任美国总统的伟大传统,前些年他也曾有过需要一位情妇的念头,但是如今这又显得跟共和党格格不入。何况,他已到了古稀之年,心有余而力不足了,所以,就是女王呆在白宫的时候他也常常是独自一人睡觉。

他睡得很熟。电话铃响了 12 次他才听见。他抓起电话,抬眼看钟。凌晨 4 点 40 分。他听见了说话,跳下了床,8 分钟后便已来到椭圆办公室。他不曾沐浴,没系领带。他两眼瞪着他的办公厅主任弗莱彻·科尔,安然在办公桌后就座。

科尔笑脸相对。他的漂亮牙齿和光秃头顶都在发亮。年龄不过 37 岁,他在 4 年前一手挽救了竞选的颓势,把他的老板送进了白宫。他惯会翻云覆雨,仗势欺人,在内层圈中撕咬拼杀,逐步得势,以至于有一人之下、万人之上的今天。许多人都把他看做是真正做主的人。下面的工作人员听到他的名字便会不寒而栗。

“出了什么事?”总统缓缓问道。

科尔在总统办公桌前慢步走动。“知道得不多。两个人都死了。两个联邦调查局的探员凌晨一点钟左右发现罗森堡死在床上。他的护士和一个最高法院的法警同遭暗杀。3 人都是头部中弹。干得不留痕迹。联邦调查局和首都警察正在现场复查的时候,

他们接到电话说发现詹森又死在一处同性恋的戏院里。他们发现他已经有几小时了。沃伊尔斯4点钟给我来电话,我立即给你打了电话。他和格明斯基马上就到。"

"格明斯基?"

"中央情报局应该参加,至少在目前。"

总统两手叉在脑后,舒展一下身子。"罗森堡死啦。"

"是的。我提议你在两三小时后向全国讲话。马布里已经动手起草一份初稿,我会搞出定稿。我们得等到天亮,至少等到7点钟。要不然,太早了我们也会失去许多听众。"

"新闻界……"

"是的。他们出动了。记者们拍摄了急救人员把詹森抬进停尸房。"

"我没听说他是个同性恋。"

"这一点现在是不成问题了。这是一场不折不扣的危机,总统先生。请考虑一下。这不是我们造成的。我们没有过错。谁都不能怪罪我们。全国都会因为震惊而达成某种程度的团结。这是集结在领袖周围的时刻。大好时机,不可泄气。"

总统喝了一口咖啡,瞧着办公桌上的文件。"我可以动手改组最高法院。"

"那是最有利的一点,最高法院会成为你的建树传给后任。我已经给司法部的杜瓦尔去电话,告诉他跟霍顿联系,准备初步的提名名单。霍顿昨晚在奥马哈发表演讲,不过现在快要飞回来了。我提议今天上午稍晚一点我们和他会面。"

总统点点头,对于科尔的提议他照例表示赞同。一切细节都让科尔去绞尽脑汁,他自己向来不为细节操心。"有可疑对象吗?"

"还没有。我不知道,说实话。我告诉沃伊尔斯,等他到这儿的时候,你会亲自听他汇报。"

"我听见有人说过,联邦调查局在保护最高法院。"

科尔笑颜大开，还笑出了声。"可不是。沃伊尔斯当众出丑。挺不好受的，真是。"

"好得很。我要沃伊尔斯承担应得的罪责。对报界下点功夫。我要他脸上无光。那样一来，我们就可以要他俯首听命了。"

此话正中科尔的下怀。他站定不走，在他的法律拍纸簿上记下一笔。一个安全警卫敲了敲门，把门推开。沃伊尔斯局长和格明斯基一同进来。4个人一通握手，空气顿时显得阴沉。进来的两位在总统的办公桌前就座，科尔则照例倚窗而立，靠近总统一边。他恨沃伊尔斯和格明斯基，他们也恨他。科尔是依仗心狠手辣而发迹的。他可以向总统进言，只要有这个条件就足够了。他可以在几分钟内保持沉默。有别人在场，就要让总统首先讲话，这一点很重要。

"我很抱歉，有劳你们到来，不过，我也感谢你们光临，"总统说道。两人心神不宁地点头，并且也对那明显的谎话表示感谢。"怎么回事？"

沃伊尔斯说话快捷，要言不烦。他描述了罗森堡家里发现3具尸体的现场。每天晚上子夜一点钟，弗格森警官照常规都要跟坐在街上的探员接一下头。到时候他没有露面，探员便去查看。凶手干得非常干净，非常内行。他也尽他所知说了詹森的情况。颈脖断了，窒息而死。楼厅上的另外一个人发现了他。显然没有任何人见到作案的经过。沃伊尔斯一改他的出言直率生硬的故态。调查局碰上个倒霉日子了，他已经感觉得到重压临头。不过他毕竟一生经历了5个总统，他不相信就斗不过眼前的这个白痴。

"两处杀人显然是有联系的。"总统说道，两眼直视沃伊尔斯。

"可能。当然，看起来是那样，不过——"

"对啊，局长。250年来，我们杀掉了4位总统，两三位候选人，五六个民权领袖，两三个州长，可是从来没杀过一个最高法院的大法官。现在倒好，一夜之间，不出两个小时就杀掉了两个。你

居然不相信二者是有联系的?"

"我没有那么说。二者之间一定有某种联系。只不过作案的方法如此不同,而且干得这么内行。千万要请记住,我们收到过数千件对最高法院的恐吓威胁。"

"好啊。请问涉嫌杀人的是谁?"

从来没有人盘问过 F. 登顿·沃伊尔斯。他对总统圆睁双眼。"现在要说有谁涉嫌还为时过早。我们正在收集证据呢。"

"凶手是怎么进入罗森堡家的?"

"没有人知道。我们没有看见他进去,明白吗?显然,他在那儿已经有些时候,也许藏匿在小暗室里或者楼顶上。其次,我们是不受欢迎的。罗森堡不许我们进他的屋。每天下午大法官下班回家的时候,弗格森照规定检查一遍整幢房子。现在除了 3 具尸体,别无其他证据。下午晚些时候,枪弹检验和验尸结果会出来的。"

"我要你接到报告马上送到这儿来给我。"

"是的,总统先生。"

"今天下午 5 点钟以前,我还要一份简短的疑犯名单,听明白了吗?"

"当然,总统先生。"

"我还要一份报告,关于你们的安全措施,什么地方出了漏洞。"

"您是假设它出了漏洞。"

"我们死了两名法官,两人都是受到联邦调查局保护的。我认为美国人民有权知道什么地方出了毛病,局长。是的,它是出了漏洞。"

"我该向您报告呢,还是向美国人民报告?"

"你向我报告。"

"然后您再发布新闻,向美国人民报告,对吗?"

"你害怕监督吗?局长。"

"一点儿也不怕。罗森堡和詹森不肯和我们合作,所以他们才会死的。另外 7 位法官都肯合作,他们都活得好好的。"

"就谈到这儿。"总统笑脸对着科尔,他正暗暗窃笑,或者几乎在讥笑沃伊尔斯。科尔认准现在是开口的时候了。"局长,你知不知道詹森经常光顾那一类地方?"

"他是个大人物,又担任一个终身职务。如果他决心要光屁股在桌子上跳舞,我们可没法禁止他。"

"是的,先生,"科尔客客气气地说,"可是你还没有回答我的问题。"

沃伊尔斯深深呼吸一下,移开了眼光。"是的。我们怀疑他是同性恋,我们知道他欢喜上某几家电影院。我们无权,也无意透露这一类事情。"

"今天下午我要看到有关的报告,"总统说道。沃伊尔斯看着一扇窗子,只是听着,不说话。总统的眼光转向格明斯基,中央情报局的局长。"鲍勃,我要一个直截了当的回答。"

格明斯基挺直身体,紧蹙眉头。"好的,总统,什么问题?"

"我要知道,这两起凶杀案是否与美国政府的任何机构、集团或什么别的有关。"

"什么,您当真这么问我,总统先生!简直荒唐。"格明斯基显得异常震惊,但是总统、科尔,甚至连沃伊尔斯也都明白,眼下的中央情报局没有什么事情干不出来。

"正经八百,鲍勃。"

"我也正经。我向你们保证,我们与此毫不相干。就连你们的这么个想法也叫我大吃一惊。荒谬!"

"查查看,鲍勃。我要求彻底弄清楚。罗森堡得罪了无数情报界的人士。你就查一下吧,行吗?"

"OK,OK。"

"我要求 5 点钟左右有一份报告。"

"一定。OK。不过这纯粹是浪费时间。"

弗莱彻·科尔挨近办公桌,站在总统身边。"我提议下午5点钟在这里会面,不知二位意下如何?"

两人点头起身。科尔把他们送到门口,不出一言。他把门关好了。

"你应付得恰到好处,"他对总统说道,"沃伊尔斯知道他处境不妙。我预感到他要垮台了。我们得利用报界揪住他。"

"罗森堡死了,"总统自言自语,"我简直无法相信。"

"我有个想法,上电视。"科尔又在慢步走动了,一副由我做主的神气。"我们要把整个事件造成的冲击波充分加以利用。你应该显得十分疲倦,仿佛你通宵未睡在处理事务。对不对?全国都会收看,等着你宣布详情使大家安心。我觉得你应该穿得暖和舒适。早上7点钟,穿上衣和打领带会使人觉得那是排练好的。我们应该随便一点。"

总统留神谛听,"穿件浴袍?"

"那倒不是。穿件羊毛衫和一条宽松裤怎么样?不要领带。白衬衫,领尖扣住的。像个老祖父的形象。"

"你要我在这个危机时刻穿一件羊毛衫向全国讲话?"

"不错。我认为这样好。穿件棕色毛衣和白衬衫。"

"我可不知道。"

"这个形象好。你瞧,总统,到下个月离开选举就是一年。这是我们难得遇到的一次危机,真是天赐的危机。人民需要看到你穿得有所不同,特别是在清晨7点钟。你必须显出一副无拘无束的家常风度,但是仍然执掌国家大政。这可以为你的支持率赚得5个百分点,也许10个百分点。相信我,总统。"

"我不喜欢羊毛衫。"

"你就相信我吧。"

"我不知道。"

5

天色还未大亮,达比·肖清晨醒来,醉意似乎没有消尽。在法学院度过 15 个月之后, 她的脑子停下来休息绝对不超过 6 个小时。她常常在破晓之前起床,因此她无法跟卡拉汉睡得安稳。性爱的欢乐是不在话下的,睡觉则经常是拿枕头和被单拉来抢去的拔河战。

她两眼望着天花板,不时听见他在威士忌酒招致的昏迷中发出鼾声,被单像绳子一样卷在他的膝盖上。她,身上毫无遮盖,不过她倒不觉得冷。10 月的新奥尔良天气仍然闷热。混浊的空气从下面多芬街上升,越过卧室外边的小阳台,从开着的落地长窗进来。初露的晨曦也跟随它一同进入室内。她站在门里边,披了件毛巾布的长袍。太阳正在升起,但是多芬街还是黑漆漆的。她觉得口干。

在楼下厨房里,达比煮了一壶浓浓的法国市场牌咖啡。微波炉上发出蓝色亮光的数字告诉她现在是 6 点差 10 分。像她这么一个酒量不大的人, 跟卡拉汉共同生活就是一场持续不断的斗争。她的最大酒量是 3 玻璃杯酒。她没有律师执照,也没有职业,每晚喝酒是负担不起的。她的体重是 120 磅,她下决心不让它高上去。

她灌下 3 杯冰水,然后倒满一杯咖啡。她开亮了电灯,走上楼梯,轻轻回到床上。她按动遥控器,开了电视,突然看见总统坐在办公桌后面,穿一件棕色羊毛衫,没系领带,看起来有点奇怪。这是全国广播公司的特别新闻报道。

"托马斯!"她拍拍他的肩头。没有动静。"托马斯!醒醒!"她揿

了一个按钮，音量大吼。总统说了声早安。

"托马斯!"她头朝着电视。卡拉汉脚踢被单，坐了起来，擦擦眼睛，使头脑清醒过来。她递给他咖啡。

总统有不幸的消息。他的眼睛疲惫，神情悲伤，但是丰满的男中音中显出了信心。他有讲稿，但并没有使用。他专注地看着镜头，向美国人民说明了昨天晚上发生的震撼人心的事件。

"天哪。"卡拉汉嘀咕。总统宣布了亚伯拉罕·罗森堡的死讯，并立即发表了辞藻华丽的悼词。泰山北斗，硕果仅存，他如此称颂他，总统用词有点牵强，但用真挚的感情去颂扬一位在美国最受人憎恨的人物的非凡的经历。

卡拉汉看着电视，目瞪口呆。达比张大眼睛，看得出神。"真叫人难受。"她说。她坐在床头，好像冻僵在那里一样。总统是根据联邦调查局和中央情报局的意见讲话，卡拉汉指出，它们两家都认为二人的遇害是有联系。总统已经下令立即彻底查究，惩治凶犯。

卡拉汉坐得笔直，被单盖在身上。他眨眨眼睛，用手指梳理了一头乱发。"罗森堡?遭暗杀?"他喃喃自语，两眼注视荧屏。他头脑里的迷雾立即廓清，头痛并没有消失，只是他已感觉不到。

"你瞧他的羊毛衫，"达比边说边喝咖啡，注视着总统化妆浓厚的橙黄面孔，光采照人的银发服帖得一丝不苟。他相貌不凡，嗓音悦耳动听，因此他能在政坛上飞黄腾达。他额头的皱纹攒成一堆，说到了他的亲密友人格伦·詹森大法官，他就更加显得悲戚了。

"蒙特罗斯戏院，半夜时候。"卡拉汉学着他说。

"它在哪儿?"她问道。卡拉汉在乔治城读完法学院。

"说不准。不过我想它是同性恋常去的地方。"

"他是同性恋吗?"

"我听到过传说。没问题。"两个人都坐在床头，腿上盖着被单。总统宣布命令，全国哀悼一周，降半旗。联邦政府机关明天一律停止办公。丧礼安排尚未就绪。他东拉西扯又说了几分钟,仍然是深感悲痛,甚至悲痛欲绝,很有人情味。讲话结束,照旧是一脸老祖父的笑容,那笑容表现出完全的信心、智慧和保证。

卡拉汉关掉了电视机,走到法国式落地窗口,清晨的空气显得深浓了。"没有嫌疑犯。"他咕哝道。

"我能想到的至少有 20 人。"达比说道。

"是啊,可是为什么他们二人同时遇害?罗森堡容易理解,那么詹森又是为了什么?岂不莫名其妙。"卡拉汉在近门的柳条椅上坐下,抓挠头发。

"我给你再来点咖啡。"达比说。

"不用,不用。我清醒了。"

"你的头痛呢?"

"只要我再睡上 3 个小时,就会好的。我想今天不去上课。心情不好,没法上课。"

"好极了。"

"见鬼。我没法相信。9 个人中有 7 个人是共和党选拔的。"

"他们首先要得到参议院同意。"

"10 年之后,宪法就会面目全非,我们再也认不得了,真不像话。"

"他们就是因此而被杀害的,托马斯。某一个人,或者某一个集团,需要有一个不同的最高法院,一个由保守派占绝对多数的最高法院,明年要大选。罗森堡是 91 岁,也许还不止。曼宁是 84 岁。扬特已经 80 出头。他们可能马上就死,也可能再活上 10 年。民主党的人也许会当选总统。干吗要碰运气?现在杀掉他们,离开大选还有一年。如果有谁作此想法,完全合情合理。"

"可是为什么杀死詹森?"

"他是个叫人难堪的角色。而且,显而易见,他是个容易下手的目标。"

"是的,他基本上是个温和派,偶尔会有左倾的冲动。而且,他还是共和党总统提名的。"

"你要一杯血玛丽酒吗?"

"好主意。等一分钟。我正在捉摸。"

达比斜倚在床上,喝着咖啡,眼看着阳光透进了阳台。"你想吧,托马斯。时机选得十分美妙。当选连任,两个大法官的提名,党派政治,等等。但是再想一想当前的暴力和激进派、狂热分子、生命维护分子和反同性恋分子、雅利安派和纳粹分子,想一想所有这些会动手杀人的派别,所有这些向最高法院发出的威胁,而某一个无人知晓、毫不惹眼的集团要把他们一下干掉,难道这不正是绝好时机。这件事确实可怕,但是时机的选择确是高明。"

"那么这个集团是谁?"

"谁知道呢。"

"地下军?"

"他们不见得是不惹眼的。他们已杀害了得克萨斯州的费尔南德斯法官。"

"他们不是用炸弹吗?"

"是啊,是使用塑料炸弹的专家。"

"把他们揪出来。"

"现在还不到揪出谁的时候。"达比站起来,重新束好睡袍。"好吧。我给你调一杯血玛丽。"

"除非你跟我一起喝。"

"托马斯,你是教授。你可以不想上课就不去上课。我是学生,而且——"

"我明白你的意思。"

"我不能再缺课了。"

"我要给你的宪法课一个不及格,如果你不再缺课,不跟我一同醉酒。我有一本罗森堡判决意见的书。我们一同读它,一同喝血玛丽酒,再喝别的酒,还有别的。我很想念他。"

"9点钟我有联邦程序课,我不能缺这堂课。"

"我想打电话给院长,把所有的课都停掉。你该肯和我喝酒了吧?"

"来吧,托马斯。"他跟随她下楼到厨房去,喝咖啡,喝酒。

6

在椭圆办公室里，弗莱彻·科尔没有把夹在肩头的电话听筒取下，又摁了一下电话机的另一个按钮。3条线路在闪光，都已接通。他一面在办公桌前踱来踱去听着电话，一面匆匆看一遍司法部长霍顿的两页报告，他没有理会总统。老人家正蹲伏在临窗处，两手戴着手套，紧捏一支轻击棒，先是眼睛紧盯着黄球，接着慢慢越过蓝色的地毯盯着10英尺开外的黄铜球洞。科尔朝听筒吼了几句。总统对他的话充耳不闻，只顾轻轻触击小球，看着它不歪不斜地滚进洞中。球洞喀哒一声，把球送了出来，它便朝边上滚开3英尺。总统两脚只穿袜子，向着下一枚球慢慢移去，头朝下对着它呼吸。这会儿是枚黄球。他出手轻击，它便笔直滚进洞中。连中8球。30球，进了27球。

"鲁尼恩院长来电话，"科尔说道，把听筒砰地放下，"他很生气。他要今天下午和你面谈。"

"告诉他先拿个号码。"

"我已经告诉他明天上午10点钟来这里。你10点半开内阁会议，11点半开国家安全会议。"

总统头也不抬，只顾捏紧轻击棒考虑下一枚球。"民意测验怎么样了？"他小心挥棒，眼随球动。

"我刚才和纳尔逊谈过。他连测了两次，从中午开始。计算机正在分析，不过他估计支持率会是52或53左右。"

玩高尔夫的人朝上看了一眼，露出笑容，马上又埋头玩球。"上星期是多少？"

"44。羊毛衫和不系领带起的作用。我说得一点不错。"

"我想是 45。"他一面说一面轻触黄球,看着它不偏不倚滚进洞去。

"你说得对。45。"

"那就是最高点了,多久——"

"11 个月。去年 11 月 402 航班事故以来我们一直不曾高过50 点。这次危机帮了大忙,总统。全国上下都震惊了,但许多人又因罗森堡死了而高兴。你处在整个事件的中心。真是好极了。"科尔摁下一个闪亮的按钮,拿起听筒。他没有说话便砰的一声放下。他拉直领带,扣好上衣。

"5 点 30 了,总统。沃伊尔斯和格明斯基已经在等着了。"

他轻轻一击,看着球滚。球向右偏了一寸,他表情尴尬。"让他们等着吧。我们明天上午 9 点钟举行一次新闻发布会。我要沃伊尔斯一同出席,但是我不会让他开口。叫他站在我背后。我在会上再说一点具体情节,回答几个问题。各电视网都实况直播,你觉得怎么样?"

"当然,好主意。我会安排好开会。"

他拉下手套,丢在一角。"让他们进来。"他小心地把球棒靠在墙边,双脚套进了他的巴利牌平底便鞋。跟平日一样,从早饭到现在他已经换了 6 次服装,现在穿一套苏格兰格子花呢双排钮扣套服,系一条红蓝双色的波尔卡圆点花领带,这是在办公室里的穿着。上衣挂在靠门的衣架上。他坐在办公桌后面,皱起眉头看几份文件。他朝沃伊尔斯和格明斯基点点头,但是既没有站起来,也没有握手的意思。他们坐在办公桌对面,科尔照老样子像是一个卫兵一样站着。总统搓捏鼻梁,好像一天的劳累招致了偏头痛。

"整天工作辛苦了,总统先生。"罗伯特·格明斯基开口打破冷场。沃伊尔斯朝窗子看。

科尔点点头,总统说道:"是的,鲍勃。今天工作特别多。我还请了好几位埃塞俄比亚人今天来晚餐,所以我们谈得简短一点。

你就先谈吧,鲍勃。谁杀了他们?"

"我不知道,总统先生。不过我向您保证我们与此毫无关系。"

"你向我保证吗,鲍勃?"他几乎是在祈祷。

格明斯基举起右手,手掌对着办公桌:"我发誓,在我母亲的墓上,我发誓。"

科尔乐滋滋地点头,好像他当真相信,也好像只要他点了头便一切都没有问题。

总统注视沃伊尔斯,他的胖身体塞满了椅子,而且还穿了一件肥大的风雨厚大衣。局长慢慢嚼着口香糖,暗自嘲笑总统。

"枪弹检验报告?尸体剖检报告?"

"带来了。"沃伊尔斯说着便打开了公文包。

"你就说给我听听。我以后再看。"

"手枪是小口径,多半是0.22。火药灼痕表明罗森堡和护士二人都是贴近开枪直射。弗格森比较难说,但是开枪的距离不会超过12英寸。每个人的头部都中了3枪。罗森堡的头部取出两颗子弹,枕头里又找到一颗。看样子他和护士都已睡着。同样的子弹,同一枝枪,同一个枪手。显然,完整的尸体剖检报告正在准备,不过不会有什么惊人的内容。死亡原因都是明摆着的。"

"指纹呢?"

"没有。我们仍在寻找,不过凶杀干得非常干净。看起来凶手只留下了子弹和尸体,别的什么都没留下。"

"他是怎么进入屋内的?"

"没有明显的进去的痕迹。罗森堡4点钟左右到家时弗格森检查了房子。例行程序。两小时后他交出了书面报告,报告中说他检查过楼上的两间卧室,一间浴室,3个储藏室,也查过了楼下每一个房间,当然什么也没发现。还说他查看了所有的门和窗。按照罗森堡的指示,我们的探员都守在户外,他们估计弗格森4点钟的检查花了3至4分钟。我怀疑在大法官回家和弗格森走遍楼上楼下的时候,凶手已经隐藏在那里。"

"为什么?"科尔盯住问。

沃伊尔斯的红眼睛看着总统,没有把他的打手当回事儿。"此人显然本领非凡。他杀了一位最高法院大法官——也许是两位——确实没有留下一点痕迹。我猜想该是一个职业杀手。进屋对他不是个问题。躲过弗格森的走马观花的检查也不成问题。他想必很有耐心。他不会在屋里有人外面还有警察的时候冒险进去。我想他是在下午什么时候进屋的,就在里面等着,大概躲在楼上一间储藏室里,或者也许在屋顶楼上。我们在可以收放的梯子下面找到两粒屋顶楼的隔热材料的小碎片,这表明那个楼梯新近有人用过。"

"他躲在什么地方其实无关紧要,"总统说道,"他没有被发现。"

"一点不错。人家不许我们检查他的房子,您明白?"

"我明白他死了。詹森是怎么回事?"

"他也死了。脖子断了,是用一根黄色尼龙绳勒死的,随便哪一家五金店都能买到的尼龙绳。医学检验人员不认为折断脖子是死因。他们都认为是绳子勒死的。没有指纹。没有目击证人。那种地方是不会有证人挺身而出的, 所以我不指望能找得到什么证人。死亡时间是夜里 12 点 30 分。两次作案相隔两小时。"

总统在记笔记。"詹森什么时候离开他的公寓的?"

"不知道,因为我们的人只能呆在停车场。我们跟随他到家是下午 6 点左右,在房子外面守候了 7 个小时,后来发现他被勒死在一个同性恋者出没的场所,他是开了一辆友人的车子偷偷离开房子的。汽车在离开下流场所两个街区的地方被找到了。"

科尔向前跨了两步,两手僵硬地攥紧在背后。"局长,你认为两个案子是一个凶手干的吗?"

"见鬼,谁知道。尸体都还是热的。让我们喘口气。现在还没有

丝毫证据。没有证人，没有指纹，没有任何东西留下，我们需要时间把所有的情况拼凑起来。也许是一个人，我说不清。下结论现在还太早。"

"你肯定已经有了一个大概的看法。"总统说道。

沃伊尔斯稍停一下，朝窗子看了一眼。"可能是同一个人，但他一定是个超人。或许是两个人或 3 个人，但是无论如何，他们必须得到大量的帮助。有人供给他们大量的情报。"

"什么情报？"

"例如詹森常常在什么时候去看电影，坐在什么地方，什么时候到达，自己一个人去，还是去跟朋友会面。再如罗森堡。一定要有人知道他的小房子里没有安全系统装置，知道我们的人被关在门外，知道弗格森 10 点钟到达，6 点钟离开，而且只能坐在后院，知道——"

"你知道所有这一切。"总统打断他说。

"当然我们知道。不过我向您保证不曾向任何人透露过。"总统心怀鬼胎地向科尔使个眼色，科尔摸摸下巴，正在深思。

沃伊尔斯向格明斯基笑笑，好像是说："我们就跟他们走着瞧吧。"

"你是说这是一场阴谋？"科尔是聪明人，他的眼眶很深。

"我什么意思也没有。我不过是向您，科尔先生，也向您，总统先生，说明有很多人计划杀掉他们。凶手可能不过只有一两个人，但是他们得到了大量的帮助。干得非常快，非常干净，有非常良好的组织。"

科尔显得满意。他站得笔挺，又把两手捏在背后。

"那么谁是主使呢？"总统问道，"你们知道谁是嫌疑犯呢？"

沃伊尔斯深深呼吸，好像坐定在椅子上了。他关好了公文包把它放在脚边。"此刻我们还找不出一个首要的嫌疑犯，只不过有几个可疑的人。这一点务必要保守秘密。"

科尔连忙向前走近一步。"当然这是机密,"他赶紧说道,"你们是在椭圆办公室里。"

"我先前也来过这里多次。说真的,当你还裹着尿布跑来跑去的时候,我便已到过这里,科尔先生。不论什么事情都有走漏风声的途径。"

"我想你自己也走漏过,。"科尔说道。

总统举起一只手。"这是机密,登顿。你接受我的保证。"科尔后退一步。

沃伊尔斯面对总统。"最高法院在星期一开庭,您是知道的,各种狂热派别聚集市内已有几天。最近两周以来,我们一直在注意观察各种活动。我们获悉至少有 11 个地下军的成员已经在首都地区逗留一周。今天我们找来两个人问话,已经把他们释放。我们知道这一批人有这个能力,也有这个欲望。眼下它最有可能涉嫌。也有可能明天会起变化。"

科尔毫无表情。地下军是人人都在议论的。

"我听说过他们。"总统说了一句蠢话。

"哦,是的。他们已经名气很大。我们相信他们杀死一位得克萨斯州的审判法官,不过,无法证实。他们对炸药很熟练。我们怀疑他们干了至少 100 次爆炸,被炸的有全国各地的流产诊所,美国民权联盟办事处,色情场所,同性恋俱乐部。他们正好是罗森堡和詹森的对头冤家。"

"别的嫌疑对象呢?"科尔问道。

"有一个雅利安团体叫做白色抵抗,我们已经注意了两年。他们都是从爱达荷州和俄勒冈州出来活动的。它的领袖上星期在西弗吉尼亚州做了一次演讲,并在那一带逗留了几天。星期一在最高法院外面的示威中我们发现有他,我们明天要找他谈话。"

"这些人是职业杀手吗?"科尔问道。

"他们并不刊登广告宣传自己,你知道。我不大相信有哪一个

团体真正动手杀人。他们只是雇用杀手,做些跑腿的工作。"

"那么谁是凶犯呢?"总统问道。

"我们可能永远不知道,说老实话。"

总统站起来伸展一下两腿。他朝办公桌对面的沃伊尔斯笑笑。"你担负了一件困难的任务。"这完全是老祖父的口气,充满了温暖与理解。"如果可能,我希望每天下午 5 点钟能得到一份两页隔行打字的关于调查进展的报告,每周 7 天都要。如果有什么突破,我希望你立即给我电话。"

沃伊尔斯点头不语。

"明天上午 9 点钟我要举行新闻发布会。希望你也来。"

沃伊尔斯点头不语。几秒钟过去了,谁也不说话。沃伊尔斯粗声粗气地站起身来,还把风雪大衣的腰带打个结。"好吧,我们该走了。您还有埃塞俄比亚人和别的事呐。"他把两份检验报告交给科尔,因为他知道总统是不会看的。

"谢谢你们来这儿,先生们。"总统热情地说道。科尔在他们走后把门关好,总统已经把轻击棒抓在手里了。"我不陪埃塞俄比亚人吃饭了。"他说,眼睛看着地毯和一枚球。

"我知道了。我已经为你向他们表示歉意。现在是严重的危机时刻,总统先生,你理应由你的顾问们陪守在这个办公室里,你重任在肩。"

他一下轻击,球儿准确地滚进了洞。"我要跟霍顿谈谈。这次的两个提名必须是理想的人选。"

"他已经送来一份 10 个人的名单。看起来提得很好。"

"我要的是反对堕胎,反对色情影视和读物,反对同性恋,反对枪支控制,反对种族定额,反对一切乌七八糟事情的年轻的保守的白人。"他打偏了一棒,便踢掉了鞋子。"我要的法官必须憎恨毒品和罪犯,还必须热心赞成死刑。明白吗?"

科尔在打电话,他一面按电话号码,一面向总统点头。他要选定提名人,然后说服总统深信不疑。

K.O.刘易斯和局长一同坐在毫无声响的豪华轿车的后座,车子开出了白宫,行驶在高峰时间的车流中。沃伊尔斯无话可说。此刻,惨剧已经发生,报纸都是不留情面的。至少有三个国会小组委员会已经宣布举行听证,对死亡事件进行调查。受害者尸骨未寒,而政客们已经头脑发热,为了地位你争我夺。一次言词激烈的声明引燃出另一通火爆的发言。俄亥俄州参议员拉金憎恨沃伊尔斯,沃伊尔斯憎恨俄亥俄州参议员拉金,参议员在 3 小时前举行新闻发布会,宣布他的小组委员会立即开始调查联邦调查局对两位惨死的大法官的保护工作。但是拉金有一个女朋友,年纪很轻,联邦调查局手中有几张照片,所以沃伊尔斯信心十足,可以使调查延宕下去。

"总统的态度怎样?"刘易斯问道。

"哪一个总统?"

"不是科尔。另外一位。"

"了不起。真是了不起。他为罗森堡伤心透了。"

"是的。"

他们沉默无言坐在车上驶向胡佛大厦,还要干一个通宵的工作。

"我们还有一个新的嫌疑对象。"刘易斯最后说。

"告诉我。"

"一个叫做纳尔逊·芒西的人。"

沃伊尔斯缓缓摇头。"没听说过。"

"说来话长。"

"给我长话短说。"

"芒西是佛罗里达州一个很有钱的工业家。16 年前他的外甥女被一个名叫巴克·蒂龙的非洲裔美国人施暴后杀害。女孩 12

岁。她被非常野蛮地施暴后杀害。我不给你说细节。芒西没有子女，十分珍爱外甥女。蒂龙在奥兰多受审，判了死刑，他被严加监禁。一家纽约大公司的几个犹太律师多次提出上诉，1984 年这案子到达最高法院。你猜想得到：罗森堡对蒂龙由怜生爱，炮制了一条荒谬的第五修正案的自我归罪的理由，不承认这个小流氓在被捕后一周写的一份供词。那是一篇蒂龙自己写成的 8 页供词。没有供词就没有案子。罗森堡写了一篇绕来弯去的 5 票对 4 票的意见推翻了定罪判决。一个极有争议的决定。蒂龙得以逍遥法外。可是，两年后他便消失不见了，从此没有再见到过他。谣传芒西出钱雇人把蒂龙阉割碎尸后喂了鲨鱼。纯属谣言，佛罗里达的当局宣称。后来在 1989 年，蒂龙案子的首席律师，名叫卡普兰，被一个暴徒枪杀在他的曼哈顿住所的门外。那么巧。"

"谁提供的消息？"

"两个小时前佛罗里达来的电话。他们深信不疑芒西花了大钱干掉蒂龙和他的律师。他们只不过是无法证实。他们搞到了一个吞吞吐吐的、不明身份的知情人，此人自称认识芒西，告诉了他们一点情况。他宣称芒西多年来一直声言要解决罗森堡。他们都说他的外甥女遇害以后他显得略有失常。"

"他拥有多大资财？"

"够多的，好几百万。没人说得清。他很诡秘。佛罗里达当局相信他办得到。"

"我们要查查清楚。听起来蛮有意思。"

"我今晚就办这件事。你当真需要 300 名探员侦办这个案子吗？"

沃伊尔斯点燃一枝雪茄，把窗子开了一条缝。"是啊，也许 400 个人。我们要赶在报纸把我们活活吃掉以前使这个案子真相大白。"

"那可不容易。除了 9 颗子弹和一条绳子，那些家伙什么东西都没有留下。"

　　沃伊尔斯把烟喷到窗外。"我知道凶手干得真是太干净了。"

7

院长没精打采地枯坐在办公桌后面，领带松开，面容枯槁。房间里还有他的 3 个大法官和五六个法律助手坐在那里压低了喉咙悄悄交谈。他们的震惊和疲乏都是一望可知的。贾森·克兰，罗森堡的高级助手，看来创痛尤甚。他坐在一只小沙发上，两眼看着地板，目光冷漠。这时候大法官阿奇博尔德·曼宁，如今的最高龄大法官，正在讲解丧仪礼节。詹森的母亲决定星期五在普罗维登斯市举行一次小规模的私人的主教派礼拜。罗森堡的儿子是个律师，已经给院长送来了一张单子，开列了已故的大法官的一条条遗嘱，都是大法官在第二次中风后拟具的，他要求在举行平民仪式之后即行火化，把骨灰散布在南达科他州的苏族印第安人保留地。罗森堡虽然是犹太人，却早已不信宗教而以不可知论自居。他要求和印第安人一同埋葬。鲁尼恩心里以为那是恰如其分的，不过并没有说出来。外面一间办公室里，6 个联邦调查局的探员在喝咖啡，神情不安地低声谈话。此刻已经天黑，快要到把留在人间的各位大法官护送回家的时候了。每一位都有 4 名探员充当保镖。

安德鲁·麦克道尔，61 岁，现在是最高法院的最年轻成员，站在窗下，吸着烟斗，观看来来去去的车子，要说最高法院里谁是詹森的朋友，那就要数麦克道尔。弗莱彻·科尔跟鲁尼恩说过总统不仅要出席詹森的丧礼并且还要宣读悼词。里间办公室里没有一个人赞成总统致词。院长请麦克道尔准备说几句话。麦克道尔一向不喜欢抛头露面，规避讲话，此时一只手捻弄领结，尽力想像他的朋友在楼厅里被一条绳子套住脖子的模样。真是太可怕了，叫人想都不敢想。一个最高法院的法官,他的杰出同事中的一员,9人中的一人,偷偷跑到那么个地方,观看那样的影片,落得这般骇人听闻的下场。可悲啊,难堪啊。他反顾自身,想到他一个人站在教堂人群的前边,面对詹森的老母和兄妹,而又明知人人头脑里想的是蒙特罗斯戏院。他们都要悄悄相互问询:"你知道他是同性恋吗?"就麦克道尔而言,他既不知情也不曾起过疑心。他不想在丧礼上讲话。

本·瑟罗法官,68岁,他关心安葬死者远不如关心抓住凶手。他早年是明尼苏达州的联邦检察官,按他的理论,嫌疑犯分为两类:为了仇恨或复仇而下手和谋求影响未来的决定而下手。他已经指示他的助手立即进行研究。

瑟罗在房间里踱来踱去。"我们有27名助手和7名法官,"他说给大家听,而不是说给哪一个人听。"老实说,未来几个星期里我们是干不成什么事的,一切决定都要等到法官完全足额之后才能表决。那得要几个月时间。我提议把我们的助手都投入到解决杀人凶案中去。"

"我们又不是警察。"曼宁不紧不慢地说。

"我们难道不能至少等到葬礼之后再来扮演警察吗?"麦克道尔说道,没有从窗口转过身来。

瑟罗也不理会他们,一如往常。"我来指导调查工作。你们把助手借给我两个星期,我相信我们能够排得出一份人数不多的实实在在的名单。"

"联邦调查局本事大着呐,本,"院长说,"他们可没有向我们求助。"

"我看还是少谈联邦调查局的好,"瑟罗说道。"我们可以哭丧着脸在这儿致哀两个星期,也可以着手破案揪出这些狗娘养的。"

"你有什么把握能够破这个案子?"曼宁问他。

"我并不是有把握能够破案,但是我觉得值得一试。我们的同

事惨遭谋害,一定是有原因的,而这原因一定和某个案件或某个问题直接有关,也许是我们最高法院已经判决的案件或做出决定的问题,也许是我们正在受理的案件或问题。每一个人都可能为了某种原因而恨我们。但是,如果这不是为了报复或出于仇恨,那么,也许是有人为了一项未来的决定而需要一个不同的最高法院。那就是此案的奥妙之所在。杀死亚伯和格伦的人是因为他们二位对某一个案件的投票,也许今年,也许明年,也许今后 5 年。这个人是谁呢? 我要助手们把下面 11 个巡回上诉法院中的待决案件一个个都调上来。"

麦克道尔法官连忙摇头。"你瞧,本——共有五千多个案子,其中的一小部分最后会来到我们这里。这岂不是无的放矢?"

曼宁也同样不以为然。"请听我说,同事们。我和亚伯·罗森堡共事了 31 年,我自己就常常恨不得一枪把他打死,但是我也把他当做一个可爱的老大哥。他的自由派思想在 60 年代和 70 年代是普遍被接受的,但是到 80 年代就显得陈旧了,如今到了 90 年代就受抵触。他成了我们国家里一切过失的象征。我相信他是被一个激进的右翼仇恨派别杀死的,这是一个报复行动,本。简单明了。"

"那么格伦呢?"瑟罗问道。

"当然我们的朋友有反常的不良癖性。外面一定有传闻,他就成了那种派别的一个明显的目标。他们恨同性恋,本。"

本还在踱来踱去,听不进他们的话。"他们恨我们全体,如果他出于仇恨而杀人,那么警察会逮住他们的。但是,如果他们为了左右最高法院而杀人呢?如果某一个派别利用这个动乱和暴力的时机消除了我们当中的两个人,从而改组最高法院呢?我想这是大有可能的。"

院长清了清喉咙。"我想还是要等到他们下葬以后,或者骨灰撒掉了以后再作考虑。我不是说不可以,本,不过得再等几天,得等到局面安定以后。我们大家现在都惊魂未定呢。"

瑟罗说声"早走一步"便出了房间。他的保镖尾随他走下长廊。

曼宁法官拄着手杖站着,对着院长说话:"我可去不了普罗维登斯。我不能坐飞机,也不能出席丧礼。我自己也快要有一次葬礼了,看一回样板没有什么可乐的。我会向他们的家属去信吊唁的。你见到他们的时候请代我表示歉意。我是个很老的人了。"他和一个助手一同离开了。

"我认为瑟罗法官有他的道理,"贾森·克兰说道,"我们至少需要检查一下手头有待审决的案件以及那些可能会从下级巡回上诉法庭送上来的案件。这好像是漫无目标,不过也许会碰上一点什么东西。"

"我同意,"院长说道,"只不过现在时机还不够成熟,你是否这样认为?"

"是的,不过我还是认为无论如何都得马上动手。"

"不。等到下星期一,我会把你分到瑟罗那里。"

克兰耸耸肩膀就告退了。两位助手随他来到罗森堡的办公室,他们坐在黑黑的房间里,喝着亚伯喝剩的一点白兰地。

在法学院图书馆的5楼,达比·肖在查看一份计算机打印出来的最高法院的案件摘要。她已经看了两次,虽然其中充满了争议,但她找不到一点有意思的内容。杜蒙德曾经引起骚乱。一件新泽西州的儿童色情案,一件肯塔基州的鸡奸案,十多件死刑上诉案,十多件各种各样的民权案件,以及一批惯见的税务、地区规划之类的案件。她从计算机里调出了每个案子的摘要,审阅了两次。她整理了一份可能的嫌疑犯名单,可是那些人又像是人人都知道的。她把那份名单扔进了垃圾桶。

卡拉汉认准了是雅利安分子,或者纳粹分子,或者三K党;

一批容易辨认的国内恐怖分子；一帮无法无天的团伙。一定是右翼分子，这一点是明摆着的，他觉得。达比不觉得这么有把握。那些仇恨集团都太明显了。他们发出的威胁太多了，扔的石块太多了，举行的示威太多了，发表的演讲太多了。他们需要有一个活的罗森堡，因为他是他们的憎恨的一个目标，他使他们的活动得以存在下去。她认为这个作案的人是一个更加阴险的人物。

他坐在卡纳尔街的一间酒吧里，此刻已经醉醺醺的。他还在等她到来，虽然她并没有答应过要来跟他会面。他决定宪法课停课一周；声言由于他心目中的英雄死了，他已无法上课。

10 点过了几分钟后，她到了图书馆 4 楼的计算机房，坐在显示屏前。房间里没有人。她在键盘上敲打起来，打印机便一份接一份地吐出分布在全国 11 处联邦上诉法庭的未判决上诉案件。一小时后，打印机停了，她拥有了足有 6 英寸厚的 11 处上诉法院的待审案件摘要。她把文件抱回到她的座位上，放在乱糟糟的书桌中央。已经过了 11 点钟，5 楼上已是人去楼空。从一扇狭长的窗子里可以看得见下面景色阴暗的停车场和树木。

她又把鞋子踢掉，审视了一下脚趾甲上的红油彩。她喝了一口暖人的弗雷斯咖啡，冷眼凝视下面的停车场。第一个假设是容易的——两处谋杀是同一群人出于同样的原因所为。如果不是这样，这一番查究就没有希望了。第二个假设就为难了——作案动机不是仇恨或报复，而是要操纵法院。第三个假设就要容易一点——这案件或问题涉及巨额的金钱。

答案不会在眼前印出的文件中找到。她翻阅这批摘要直到半夜，到图书馆关门才离开。

8

星期四中午,一位秘书拎了一只装满了三明治和葱头圈的纸袋,走进胡佛大厦5楼的一间湿气颇重的会议室。四方形会议室的中央,一张红木会议桌的两边各有20只椅子,围满了全国各地的联邦调查局的头头。所有的人的领带都松开了,所有的袖子都卷上去了。缕缕蓝烟汇成一片薄云,包围了高挂在会议桌上方5英尺处的枝形吊灯。

局长沃伊尔斯在讲话。他又累又气,已经在吸今天上午的第4枝雪茄烟,他在他这一头的桌子背后的屏风前面慢慢走动。一半人在听他讲话,另一半人拿起桌子当中的一叠报告在看,有尸体剖检报告,尼龙绳检验报告,以及关于纳尔逊·芒西的报告,还有另外几个要迅速调查的题目。这些报告都很单薄。

认真聆听又专心阅读的是特别专员埃里克·伊斯特,他只有10年资历,却是个才华出众的侦查干员。6小时前沃伊尔斯指定他负责这次调查。工作班子的其他成员都在今天上午选定,现在就是在开组建班子的会议。

伊斯特所听所闻的都是他已经知道了的。调查可能要耗时数周或数月。除了9枚枪弹、绳子以及用来收紧圈套的一节钢条,别无证物。蒙特罗斯戏院没有什么特别涉嫌的人。没有指纹,没有纤维,什么都没有。杀人如此彻底干净是一种非凡的才能,雇用具有这样才能的人需要大笔金钱。沃伊尔斯对于捉拿凶手不抱希望。他们必须集中全力去查明是谁雇用了凶手。

沃伊尔斯一边吸着烟,一边说:"桌上有一份材料介绍纳尔逊·芒西,他是百万富翁,佛罗里达州杰克逊维尔人,他曾经说过

威胁罗森堡的话。佛罗里达的当局深信他出了大钱指使人把一个强奸犯和他的律师杀掉。材料上都说了。我们有两个人今天上午跟芒西的律师谈过话,碰了大钉子。芒西出国去了,据他的律师讲,他当然无法知悉芒西何时回国。我已经派了20个人调查他。"

沃伊尔斯把雪茄再点燃,看着桌上的一张纸。"第4号是一个名叫白色抵抗的团体,一个由中年突击队员组成的小团体,我们已经观察了3年。你们都有一份材料,说实在的,嫌疑很小。他们爱干的是丢燃烧弹和烧十字架。没有多大的计谋。最重要的还是他们没有多少钱。我就不相信他们雇得起这么老练狡猾的枪手。不过我还是指派了20个人。"

伊斯特撕开一个沉甸甸的三明治的包袋,闻了一下,还是决定把它放下。葱头圈是冷的。他的胃口已经消失。他边听边记笔记。名单的第6号有点出奇。一个神经不正常的人名叫克林顿·莱恩,他向同性恋宣战。他的独子离开衣阿华州的家庭农场出走,在旧金山迷恋上同性恋的生活,很快便得了艾滋病一命呜呼。莱恩因此而精神崩溃,放火烧掉得梅因的同性恋同盟的房子。他被逮捕判刑4年,1989年越狱逃逸,从此便不见踪影。据材料上说,他搞起了一个庞大的可卡因走私网,赚了大钱。他把这笔钱用之于他个人发动的一场反对同性恋男女的小型战争。联邦调查局想逮捕他已有5年,但是据悉他是在墨西哥操纵他的组织。多年来他写信发泄对国会、最高法院和总统的仇恨。沃伊尔斯并不真把莱恩当做嫌疑犯。他是一颗散落在无人涉足的远处的果子,但是沃伊尔斯不能容许有一条漏网之鱼。他只指派了6名探员。

名单一共有10个名字。每个嫌疑犯都派出了6至20名最干练的特别探员去对付。每一个单位都选定一名头领。他们每天向伊斯特报告两次,伊斯特上下午都要和局长会面一次。还有百来名探员在城市街道和乡间搜寻线索。

沃伊尔斯谈到保密。新闻记者像猎狗一样紧追不舍,调查工作必须极端注意隐秘。只有他局长本人对报界发言,而他也要三缄其口。

他坐下了,K.O.刘易斯发表了一通谈话,谈到了葬礼、安全以及鲁尼恩院长帮助调查的要求。

埃里克·伊斯特喝着冷咖啡,凝视着名单。

34 年间,亚伯拉罕·罗森堡撰写的意见书不下 1200 篇。他的作品是一股长流不竭的源泉,每每使宪法学者惊讶不已。他有时候对枯燥的反托拉斯案件和纳税的申诉置之不理,但是如果有关的问题只要带点具有实质争论的味道, 他就会紧握双拳介入进来。他的意见书里包括对多数的赞同意见,还有许许多多的不同意见。他常常一人独持异议。34 年中每一场热点争论都容纳了罗森堡的一篇这样那样的意见。学者们和批评家们都爱他。他们出书和写文章来讨论他和他的工作。达比找出了 5 本各不相同的他的意见书的硬封面的汇编,都有编者按语和注释。有一本书除了收进他的精彩的不同意见外别的一概不收。

星期四她什么课都不上,独自坐在图书馆 5 楼的新闻记者座位下。计算机印出的纸整整齐齐地分摊在地板上。罗森堡的著作都打开着,夹上标记,一本一本堆成一摞。

整个这起杀人案有一个原因。如果只杀罗森堡一人,复仇和怨恨还说得通。但是加上一个詹森,复仇和怨恨就分量大减。他有可恨之处,这是不用说的,但是他不像扬特和曼宁那样有民愤。

她找不到任何对于格伦·詹森的文章含有批评意见的书。6 年之中,他撰写的多数意见书不过 28 篇,在全体大法官中是写得最少的。他写过很少几篇不同意见的意见书,也合写过很少几篇同意的意见书,他写文章实在慢得可怜。他的作品有时候明白流畅,有时候支离破碎,情调伤感。

她研究了詹森的意见书,他的思想一年年波动很大。保护犯

罪的被告的权利,一般说来他是始终一贯的,但还是有够多的例子足以使任何学者都觉得不可思议。在同类的 7 次表决中,他有 5 次为印第安人投票。他写过 3 篇意见书,强烈主张保护环境。他几乎百分之百支持一切抗议捐税的案件。

还是没有什么线索。詹森是个反复无常的人,不值得认真看待。和其他 8 位法官相比,他是个无足轻重的人。

她又喝完一杯热咖啡,暂时放下对詹森文章的笔记。她的手表掉在抽屉里找不到了。她不知道现在几点钟。看来卡拉汉现在已经清醒过来,他要在法国区的 B 先生餐馆里吃一顿深夜晚饭。她得给他去电话。

迪克·马布里,现任的总统讲话撰稿人和文笔奇才,坐在总统办公桌旁边的椅子上,眼看着弗莱彻·科尔和总统一同审读他草拟的詹森法官悼词的第三稿。科尔枪毙了头两稿,马布里还是弄不清他们到底要怎么写。科尔提议的是一个样子,总统所要的又是另一个样子。今天早些时候,科尔来电话说别提悼词的事儿了,总统不会出席葬礼。过一会儿总统来电话,要他准备几句话,因为詹森是个朋友,虽说他是同性恋,毕竟还是个朋友。

马布里知道詹森不是个朋友,不过他是个新遭杀害的大法官,会有一次备享哀荣的丧礼。

科尔过一会儿又来电话说总统是否出席还未定下来,不过还是得写点东西备用。马布里的办公室在白宫隔壁的老办公大楼里,在那一天,对于总统是否会出席一个众所皆知的同性恋者的丧礼一事,办公室里的人是三对一赌他不会去。

"好多了,迪克。"科尔说道,把纸折好。

"我也欢喜它。"总统说道。马布里注意到,总统经常都是等待科尔对他的文字表示赞许或者不快。

"我可以再试试。"马布里说道,站起来。

"不,不,"科尔接着说,"这就恰到好处了。很能打动人心。我喜欢它。"

他陪马布里走到门口,立即把门关紧。

"你觉得怎么样?"总统问道。

"我们还是取消此行吧。我的感觉告诉我不吉利。公众影响一定大,但是你对一个在同性恋色情戏院里发现的尸体说这么些好话,太冒险了。"

"是呀,我想你——"

"这是我们的危机,总统。支持率不断上升,我确实不敢走一步险招。"

"该派个人吗?"

"当然。副总统怎么样?"

"他在哪儿?"

"正从危地马拉飞回来。今天会到。"科尔突然自己觉得好笑。"这是副总统的好差使,您知道。同性恋的丧礼。"

总统莞尔一笑。"好极了。"

科尔收起笑容,开始在办公桌前踱来踱去。

"没什么问题。罗森堡的丧事星期六办,办丧事的地方离这儿只有8个街区。"

"我情愿去地狱里过一天。"

"我知道。但是你的缺席会引人注意的。"

"我可以住进沃尔特·里德医院治疗背部痉挛。以前这么干很灵。"

"不好,总统。明年就要竞选。你该离开医院远一点。"

总统双手拍在桌上站起来。"真该死,弗莱彻!我不能出席他的丧礼是因为我没法忍住不笑。90%的美国人恨他。我不去,他们便都爱我。"

"这是礼节,总统,要讲风度。要是你不去,报纸会对你狂轰滥

炸的。你去用不着说一句话，只要跟进去跟出来就行了，脸上要显出悲痛，让照相机都拍到好照片，要不了一小时就完了。"

总统已经抓起了球棒，蹲伏在一个黄球上面。"那我就也得去参加詹森的葬礼。"

"行。但是别提悼词。"

他轻击一棒。"我只见过他两次，你知道。"

"我知道。我们就静悄悄地出席两个丧礼，一句话不说，完事就走。"

他又轻击一下。"我想你是对的。"

9

　　托马斯·卡拉汉一人独睡,起床很晚。昨晚他早早上床,头脑清醒,一人独眠。他已一连三天取消上课。今天星期五,明天就是罗森堡的丧礼,为了对他的偶像表示敬意,他不可讲授宪法。直到亡灵安息妥贴。

　　他煮了咖啡,穿一件睡袍坐在阳台上。温度在华氏70度以下,入秋以来第一次寒流来了。下面是熙熙攘攘、生机勃勃的多芬街。他对街对面阳台上的一个不知名的老妇点点头。波旁街离开这里一个街区,旅人游客都已带着地图和相机走上街头。天亮的时候在法国区是见不到人的,但是时近10点,狭小的街道上便已车来车往一片繁忙了,有送货车,也有载客的小汽车。

　　像这样很晚起床的日子很多,在早晨这个时光卡拉汉特别珍惜他的自由。他从法学院出来已经20年,他的当年同窗大多数都束缚在压力沉重的法律工作里,每周苦熬70小时。他也曾在私人事务所里度过两年。首都地区一家有200名律师的大公司,在他甫出乔治城法学院的大门便雇用了他,让他写案情摘要,写了6个月。然后他又被安置了一个工作,专门答复关于子宫内避孕器的正式讯问,每天12小时,有时还得做到16小时。他还得到指点,如果能够在今后的10年里做完20年的工作,就有希望到了筋疲力尽的35岁时成为公司的合伙人。

　　卡拉汉想要活到50岁出头,所以便从私人律师事务所的苦役中告退。他熬得一个硕士学位,当上教授。他睡到日高三竿,每天工作5小时,偶尔写篇文章,大多数时间都让自己过得快乐逍遥。没有家室之累,他的7万元年薪负担一幢两层楼的矮檐住房、

一辆保时捷汽车以及美酒是绰绰有余了。如果死神提早光临的话,那是因为威士忌酒,而不是因为工作。

他是作出牺牲的。他的许多法学院出身的朋友都是大公司的合伙人,信纸上印着花里胡哨的头衔,一年挣上五六十万。他们和国际商用机器公司、德士古石油公司以及大保险公司的经理们平起平坐。他们跟参议员们拉拢结交。他们在东京和伦敦都有事务所。不过他并不羡慕他们。

他有一个同学好友名叫加文·维尔希克,也是从私人开业打退堂鼓而进入政府机关工作的。他先在司法部民权处工作,后来转入联邦调查局。现在他是局长特别顾问。卡拉汉星期一要到华盛顿去出席一次宪法教授会议。他和维尔希克约好了当天共进晚餐畅饮一番。

他得去个电话把他们的吃喝落实一下,并且从他的脑子里掏点儿什么。他不看本子就拨动电话。电话接通了又转,他花了5分钟才找到加文·维尔希克接电话。

"快说。"维尔希克说道。

"很高兴听见你说话。"卡拉汉说道。

"你好吗,托马斯?"

"现在是 10 点 30 分。我还没穿衣服。我坐在这儿的法国区喝咖啡,观看多芬街上的行人。你在干什么?"

"神仙生活。我这儿已经 11 点 30 分,自从星期二早上发现尸体以来我还没有离开过办公室。"

"我真受不了,加文。他会提名两个纳粹。"

"是吗,当然,我的地位不许我议论这样的事情。不过我猜想你是说对了。"

"猜想个屁。你早就见到提名名单了,是不是,加文?你们一伙人已经在核查出身背景,不是吗?说说看,加文,你可以告诉我。名单上有谁,我绝对不说出去。"

"我也不说出去,托马斯。不过我可以肯定告诉你——你的大名不在其内。"

"我可伤心啦。"

"姑娘怎么样?"

"哪一个?"

"说吧,托马斯。姑娘?"

"漂亮出众,温柔优雅——"

"说下去。"

"谁杀了他们,加文?我有权知道。我是纳税人,我有权知道是谁杀了他们。"

"这姑娘是什么名字?"

"达比。谁杀了他们,为什么?"

"你老爱挑剔名字,托马斯。我还记得你丢掉几个女人,是因为你不欢喜她们的名字。她们是漂亮火热的女人,就是名字不好听。达比,有点动人性感的味道,好名字。什么时候我可以见见她。"

"不知道。"

"她住进你家了吗?"

"不关你的屁事。加文,听我说。谁干的?"

"你没看报纸吗?我们还没有嫌疑犯,没有。"

"你们肯定知道作案的动机。"

"动机一大堆。恨他们的人多着呢,托马斯。局长已经下令要我们核查一遍所有待审的案件、最近的裁定、表决时投赞成票和反对票的名单等等。"

"真了不起,加文。全国的宪法学者现在都成了侦探,全力侦破谋杀案子。"

"你知道不?"

"不。我听见了消息便喝得大醉一场,不过现在已经清醒。姑

娘倒好,钻进书堆研究起来了,跟你们干的一样。她把我丢下不管了。"

"达比,好名字。哪儿人?"

"丹佛。我们星期一见面吗?"

"也许。沃伊尔斯要我们日夜不停直到计算机说出来是谁干的。不过,我打算跟你见个面。"

"谢谢。我想要的是完整的报告,加文。不是道听途说的东西。"

"托马斯,托马斯。你老是刺探消息。我呢,一如既往,无可奉告。"

"你喝醉了会说出来的,加文。你向来如此。"

"她多大年纪?19 岁?"

"24 岁。"

达比在拉斐特的联邦大厦的空荡荡的停车场上停好车子,走进一楼的助理人员的办公室。星期五的中午,法院里没有人审案子,廊厅也空无一人。她站在柜台前,从一个窗口朝里看,等候着。一位助理的助手,耽误了午饭时间,带有一点步姿,走到窗口。"我能帮助你吗?"她以一个低级公务员的口气说道。

达比把一张纸条塞进窗口。"我想看这份档案。"助手瞟了一眼案件的名字,便看着达比。"为什么?"她问道。

"我用不着解释。这是公开档案,不是吗?"

"半公开。"

达比拿起纸条,把它折起来。"你熟悉'知情权法'吗?"

"你是律师?"

"用不着是律师就能看这份档案。"

助手拉开柜台里一个抽屉,拿出一串钥匙。她点一下头,用额头指一下路。"跟我来。"

门上的牌子是"陪审员室",但房间里面没有桌子也没有椅子,只有靠墙排满了文件柜和箱盒。达比看了一下整个房间。

助手指指一面墙壁。"那就是,这边墙上。这里第一个档案柜里都是上诉和来信。其余的柜子里则有调查记录、证据,以及审判记录。"

"审判是什么时候?"

"今年夏天。进行了两个月。"

"上诉书在哪儿?"

"上诉期没有结束。截止日期是 11 月 1 日。你是记者还是什么?"

"不是。"

"好的。你当然明白,这些都是公开档案。但是审判法官规定了几条限制。首先我得记下你的名字和你到达和离开的时间。其次,不得带走本室内的任何东西。第三,上诉期结束前不得抄录档案中的任何部分。第四,你在室内取阅过的任何东西都必须放回原处。这是法官命令。"

达比朝档案柜的墙上看看。"为什么不允许我抄录?"

"你去问法官,好吗?请告诉我,你叫什么名字?"

"达比·肖。"

助手把姓名写在靠门口挂着的一块夹纸板上。"你要在室内停留多久?"

"我不知道。三四小时。"

"我们 5 点关门。你离开的时候到办公室找我。"她关门的时候露出假笑。达比拉开一个抽屉,里面都是起诉书、答辩书、辩护书,她开始翻阅档案,记下笔记。这件讼案进行了 7 年,原告一人,被告是 38 家财力雄厚的公司,它们集体雇过或停雇了法律事务所,前前后后不下 15 家,全国各地都有。都是大公司,许多都有好几百名律师,分布在十多个办事处里。

　　长达 7 年耗资巨大的官司,结果如何还未定。真是难解难分的官司。法庭的判决只是被告暂时胜利。原告提出重审的动议,声言判决是用钱买去的,或者用别的方法非法取得的。一箱箱的动议。指控与反指控。制裁与罚款的要求在讼案两方之间飞来飞去。一份又一份的书面陈述记载了律师和当事人的谎言和欺诈。有一个律师已经死了。

　　另一个律师自杀未遂,这是达比的一个同班同学说的,这个同学在庭审期间被休斯敦的一家大公司雇为暑期临时工,虽然不许知道案情,但也听到过一点风声。

　　达比拉开一张折椅,仔细观看档案柜。看完全部内容需要 5 个小时。

　　蒙特罗斯戏院的名声大噪反而对它不利。大多数顾客都是天黑以后戴上深色墨镜,显得来也匆匆,去也匆匆,现在倒好,一位美国最高法院的法官死在它的楼厅上面,这地方一下子出了名,好奇者开车经过都要指指点点,摄影留念。它的常客都去了别处。只有最勇敢的人在车辆行人稀少的时候才大胆进来。

　　这个人一下冲进门来,付了钱,眼睛也不朝收银员看一下,完全是一副常客的模样。

　　时已午夜。他登楼来到楼厅,想到詹森的脖子套了一个死结便禁不住喜上眉梢。门已锁上。他在中央一张座位上坐下,跟谁都不挨着。

　　他朝身后张一眼,小心地把手伸进皮夹克,拿出一个黑盒子,6 寸长、5 寸宽、3 寸厚,把它放在地板上,两腿的中间。他用一把小尖刀把隔壁座位的软垫小心割开,然后,朝四周偷看一下,便把黑盒子塞进其中。

　　他深深吸一口气。这个装置是一个真正的专业人员、一个微型炸弹方面的传奇式的天才制作的。

这是他今晚放置的第 3 枚,他还要再放一枚,上另一家电影院去,那儿是放映色情片的。他急着要上那儿去,那又是个叫他不舒服的地方。

不过他们是一个非暴力的团体,反对不加区别地杀戮无辜和无足轻重的普遍百姓。他们杀掉了少数非杀不可的对象。他们的特长是摧毁建筑物。他们挑选一些容易下手的目标 18 个月中没有一个人被逮住。

12 点 40 分。时间已到,他得马上离开,快步行走 4 个街区,从他的汽车里再拿一个黑盒子,到 6 个街区外面的猫咪电影院去,那里的关门时间是 1 点 30 分。猫咪影院在名单上不是 18 名就是 19 名,他记不准是第几名了,但是他知道得清清楚楚,再过 3 小时 20 分钟,所有首都地区的色情影院便要全部被炸个稀巴烂。

他正了正墨镜,看了最后一眼身边的座垫。根据地板上的纸杯和爆玉米花判断,这地方是一星期打扫一次。没有人会觉察到划破的织物中间难以看清的开关和管子。他格外小心地扳动开关,便离开了蒙特罗斯。

10

埃里克·伊斯特从未见过总统,也没到过白宫。他也从未见过弗莱彻·科尔,但是他知道自己不会对此人有好感。

星期六早上 7 点钟,他跟在沃伊尔斯和 K.O.刘易斯的背后走进椭圆办公室。没有笑脸,也没有握手。沃伊尔斯介绍了伊斯特。总统坐在办公桌后面点点头,并不站起来。科尔在阅读什么东西。

首都地区的 20 家色情场馆付之一炬,许多场馆还余烬未熄。他们从豪华汽车的后窗里看见了城市上空的黑烟。一家名叫安琪儿的藏污纳垢之地的一个看门人烧伤严重,性命难保。

一小时前他们得到消息,有一个不知姓名的人打电话给广播电台为地下军声明承担责任,他还声言为了庆祝罗森堡的死亡要有更多的同样行动。

总统头一个开口。伊斯特觉得他的精神疲劳。这么大早起来,实在难为他了。"一共有多少处炸弹爆炸?"

"这儿是 20 处,"沃伊尔斯回答,"巴尔的摩 17 处,亚特兰大大约有 15 处。看样子好像破坏事件都是精心配合的,因为所有的爆炸都发生在凌晨 4 点。"

科尔从文件上抬起头。"局长,你相信这是地下军干的吗?"

"到现在为止只有他们声称负责。此案看起来和他们的某些旧案相像。"沃伊尔斯对科尔说话的时候眼睛并不向他看。

"那么你几时动手抓人呢?"总统问道。

"只要我们知道了可能促使他们作案的原因,总统先生。那是法律规定,您明白。"

"我明白你认为这个组织是杀害罗森堡和詹森的头号嫌疑,

你确认它杀害了得克萨斯州的联邦审判法官，昨晚炸毁了52家淫秽场所的也像是它。我不明白为什么他们可以乱炸乱杀而不受惩罚。老天哪，局长，我们是处在包围之中了。"

沃伊尔斯的脖子红了，但是他不发一言。总统两眼盯着他，他只顾朝别处看。K.O.刘易斯清了一下喉咙。"总统先生，不知我该不该说，我们没有认为地下军跟杀害罗森堡和詹森有关。事实上，我们没有证据说明他们与此案有关。他们只是十多个嫌疑之一。我以前说过，杀害的手法极其干净，组织良好，很有专业水平，极高明的专业水平。"

科尔走上一步。"你是想说，刘易斯先生，你一点也不知道是谁杀了他们，你也许永远都不会知道。"

"不，我没有那么说。我们会查明的，不过需要时间。"

"多长时间？"总统问道。这是个没人能够回答的问题。总统问出这样的问题，伊斯特马上对他起反感。

"得几个月。"刘易斯说。

"几个月？"

"几个月。"

总统的眼珠转了几转，又摇摇头，一肚子不高兴，站了起来走到窗口。他对着窗口讲话。"我不相信昨天晚上发生的事跟死了的法官毫无关系。我弄不懂。也许我是个偏执狂。"

沃伊尔斯给刘易斯使了个眼色。偏执狂，不稳定，没有思路，笨蛋，智力缺陷。沃伊尔斯想到了许多。

总统仍在对着窗子思索，继续往下说。"我觉得心神不宁，杀人犯在我们这里肆无忌惮，四处爆炸。谁能怪罪我呢？我们这儿已经有30年不曾杀过一个总统了。"

"噢，我想你是安全的，总统先生。"沃伊尔斯说道，好像还带一点儿有趣的味道。"特工们完全控制局面。"

"好得很。那么为什么我还觉得好像在贝鲁特呢？"他几乎是

在对着窗子喃喃自语。

科尔察觉到局面尴尬,从办公桌上拿起一厚本文件。他手拿文件对沃伊尔斯说话,活像一个教授对全班讲课。

"这是一份人数不多的名单,供考虑的最高法院任命提名。一共 8 个人,每人都有小传。司法部提的人选。最初是 20 个人,总统、检察长霍顿和我一起把它减少到 8 个人,这些人当中谁都不知道他们自己已被考虑提名。"

沃伊尔斯还是没有朝他看。总统慢慢走回办公桌,拿起他的一份文件。科尔继续说道:

"其中有些人是有争议的,如果他们终于被提名的话,我们得打一场小规模的战争才能使他们被参议院批准。我们最好不要立即开始打仗。这个名单必须保密。"

沃伊尔斯突然转过脸两眼对着科尔。"你是白痴,科尔!这样的事我们干过,我可以向你担保,只要我一开始核查这些人,马上就会走漏风声。你要进行彻底的背景调查,而你又希望每一个接触到的人保守秘密。那可办不到,娃娃。"

科尔逼近沃伊尔斯一步。他的眼睛射出火光。"你得闭紧屁眼不让这些名字见报,直到有了正式提名。你负责办到,局长。你堵住一切漏洞,不让它登上报纸,懂吗?"

沃伊尔斯已经站起身来,指着科尔。"你听好了,臭屁眼,你要查清楚他们,你自己去查。别跟我来你那套童子军的命令。"

刘易斯站在他们当中,总统站在办公桌后面,有一两秒钟时间,谁都没有开口。科尔把文件放在办公桌上,退后几步,脸朝别处看,总统现在做和事佬。"坐下,登顿。坐下。"

沃伊尔斯回到座位,两眼还是盯着科尔。总统朝刘易斯笑笑,大家都坐了下来。"我们大家都感到压力很重。"总统热情地说。

刘易斯说话冷静沉着。"我们照你的名单作例行调查,总统先生,这次工作要严格遵守保密规定,可是,您知道,我们管不住我们谈过话的每一个人。"

"是的,刘易斯先生,我知道。但是我要求做到格外的谨慎。这些人都还年轻,在我们死后还会长期地一而再地改变我们的宪法。他们都是坚定的保守派,报界会把他们活活吃掉。他们绝对不可以有什么见不得人的家丑。不可以有吸毒者、私生子,没有参加过激进的学生活动,没有离过婚。懂吗?不要有什么意外。"

"是的,总统先生。但是我们不能保证在调查中绝对没有人走漏风声。"

"尽力去做,好吗?"

"是的,总统。"刘易斯把文件递给埃里克·伊斯特。

"没有别的事了吗?"沃伊尔斯问道。

总统斜眼看了科尔一下,他对谁都不理睬,站在窗前。"是的,登顿,就这件事。你们最好在 10 天后核查完毕。这件事要加快行动。"

沃伊尔斯已经站起来了。"10 天后会有结果。"

卡拉汉到达比的公寓去敲门的时候,心里觉得非常焦急。他心神不安,脑子里乱糟糟的,他有许多话要说,但是他也知道,这时候可不能跟她吵架,因为和他心头的大事相比,出点气不过是小事一桩。她已经有 4 天故意躲着他了,自顾自充当一名侦探,把自己禁闭在法学院图书馆里。她什么课都逃掉了,也不回他电话,在他陷于危机的时刻,把他一古脑儿给忘掉了。但是他也知道,只要她的门一开,他就会喜上眉梢,忘掉所受的冷落。

他手拎一升酒和一盒正宗的罗莎大娘馆子的烘馅饼。10 点已过。

星期六晚上,他敲了门,门里有链条声响了,他马上露出笑容。受到的冷落飞到九霄云外去了。

"是谁?"她在里边问。

"托马斯·卡拉汉,记得吗?我到你的门口来求你让我进去,让我们一起玩,做好朋友。"

门开了,卡拉汉走了进去。她接酒去,轻吻了一下他的脸颊。"我们还是朋友吗?"他问。

"是的,托马斯。我很忙。"他跟她走过杂乱的小书房进入厨房。一架计算机和一大堆厚本书摊满了桌子。

"我打了电话。你怎么不给我回电。"

"我出去了,"她说。她拉开抽屉取出一把开瓶器。

"你这儿有电话留言器。我留下话的。"

"你想吵架吗,托马斯?"

他看见她的裸腿。"不,我发誓我不生气。我向你保证。如果我显得心情不好,请原谅我。"

"住口。"

"我明天就要出门,所以就想今晚过来一下。"

达比正在打开烤馅饼的盒子。"看样子像是香肠和胡椒。"

"我们还能亲热一下吗?"

"也许晚一点。喝你的酒,我们谈谈。我们已经有一段时间未长谈了。"

"我可谈过。整个星期我都对你的留言器说话。"

他端起酒杯和酒瓶紧跟她走进小书房,她摁开了立体声。他们在沙发上歇息。

"你的飞机是几点钟?"她问道。

他已经喝下去一大口酒。"1 点 30。直飞华盛顿的国家机场。规定 5 点钟报到,8 点钟晚餐。然后就只有逛大街去求爱。"

她笑了。"好了,好了。我们过一分钟再亲热。不过我们先谈一会儿。"

卡拉汉一声叹息,放了心。"我可以谈 10 分钟,再谈下去我就要瘫掉。"

"星期一有些什么?"

"老规矩,8小时的空谈辩论,关于宪法第五修正案,然后由一个委员会起草一份谁都不赞成的会议报告。星期二继续讨论,又一份报告,也许会有一两处争论,然后是毫无结果地散会回家。"

"你干吗去开这样的会议?"

"我是会员,我又是教授,我们的身份就是要周游全国各地,去跟别的受过教育的白痴在一起开会,通过一份份没人要看的报告。如果我不去,院长就会认为我对学术环境没有贡献。"

达比慢慢地小口喝酒,看着他。音乐轻柔,灯光幽暗。

卡拉汉又喝了点酒,沉入沙发更深。"那么,肖女士,是谁干的?"

"职业杀手。你没见报上说吗?"

"当然看见。可是职业杀手背后有谁?"

"我不知道。从昨天晚上以后,一致意见认为是地下军。"

"但是你并不相信。"

"不相信。还没有人抓起来。我不能相信。"

"你已经找到了一个深藏不露的嫌疑犯,全美国都没人知道。"

"曾经有过,但是现在我又吃不准了。我花了3天时间追根寻源找出来的,用我的小计算机清清楚楚、干干净净地做了摘要,还印出了一份薄薄的案情摘要草稿,不过现在我又把它扔了。"

卡拉汉两眼瞪着她。"你是说你逃了3天课,对我不理不睬,没日没夜地扮演福尔摩斯,而你现在又把它扔掉了。"

"就在那边桌上。"

"我不能相信你这么说。我窝着一肚子气孤单单过了一个星期,我心想这是为了一个有价值的原因。我知道我受点儿苦对国家有好处,因为你会把洋葱一层层剥开,不是今晚就是明天要告

诉我谁干了这件事。"

"没办法,至少靠法律调查是不行的。找不到一个犯罪的模式,两起谋杀不在同一条线上。我在法学院差不多要对计算机破口大骂了。"

"好啊!我跟你说过。你忘了,亲爱的,我是宪法方面的天才,我当时就知道罗森堡和詹森没有任何共同之处,除了他们的黑袍和他们受到的威胁。是纳粹分子或雅利安分子或三 K 党或黑手党或什么别的团体杀死了他们,因为罗森堡是罗森堡,而詹森则是个最容易下手的目标,还可以使当局有点难堪。"

"是啊,你干吗不打电话给联邦调查局,跟他们分享你的高见?我知道他们肯定等在电话机旁。"

"别生气。对不起,请原谅我。"

"你是狗屁,托马斯。"

"是的,但是你爱我,不是吗?"

"我不知道。"

"我们还可以一起睡觉吗?你可是答应了的。"

"再说吧。"

卡拉汉把眼镜放在桌上,便要动手。"你瞧,宝贝。我要看你的案情摘要,好吧。然后我们一起讨论,好吧。但是我现在脑子是昏的,我要活不成了,除非你握住我的瘫软而颤抖的手,带我上你的床。"

"忘掉我的案情摘要。"

"求你,赶快,达比,求你。"

她搂住他的脖子,把他拖过去。他们吻得很久,很热烈,一个喝醉了酒的,几乎是暴烈的热吻。

11

　　警察的拇指摁住格雷·格兰瑟姆这个姓名下面的按钮，足足有 20 秒钟。停了一下。接着又是 20 秒钟。停。20 秒。停。20 秒。他觉得真是滑稽，因为格兰瑟姆是个夜猫子，也许睡着了还不到三四个小时，现在他家门厅里会如此铃声大作，久久不息。他再一次摁铃，看一眼他的巡逻车，街灯下面，违法停靠路边。现在已快天亮，星期天，街上空无一人。20 秒。停。20 秒。

　　也许格兰瑟姆已经死了。要不然就是在市里寻欢作乐到深夜，酩酊大醉，昏迷不醒。也许他把某某人的女人带上楼去，根本不想理会门铃。停。二十秒。

　　麦克风响了几声。"谁在门口？"

　　"警察！"警察回答道，他是黑人，特别把个"警"字加重，觉得开心。

　　"干什么？"格兰瑟姆质问。

　　"也许我还有一张逮捕状哩。"警察快要笑出来了。

　　格兰瑟姆的口气缓和下来，好像受了委屈。"是克利夫吗？"

　　"是的。"

　　"几点钟了，克利夫？"

　　"快 5 点半了。"

　　"准是好事情吧。"

　　"不知道。萨吉不说，这你知道。他只说把你叫醒，他有话跟你说。"

　　"为什么他老是太阳没出来就有话要说？"

　　"蠢话，格兰瑟姆。"

稍停一下。"是啊,我想没错。我估计他要马上跟我说话。"

"不。再过 30 分钟。他说 6 点钟会面。"

"什么地方?"

"第 14 街靠近特立尼达运动场有家小咖啡馆,里面光线暗,安全,萨吉欢喜那地方。"

"他在哪儿找到这样的地方?"

"你知道,像你这样当记者的人也会问些大笨蛋的问题。那店家的名字是格伦达,我劝你马上走路,免得迟到。"

"你也去吗?"

"我会顺便进去一下,保证你们平安无事。"

"我以为你说过那地方是安全的。"

"在本市那一带地方,这地方就算安全了。你找得到吗?"

"没问题。我会尽快赶到。"

"祝你今天快乐,格兰瑟姆。"

　　萨吉老人,肤色漆黑,一头光亮的银发。他戴一副厚墨镜,只要不是睡着了,总是不取下的,他在白宫西厅工作,他的大多数同事都以为他是个半瞎。他的头总是歪向一边,笑容可掬。他在倾倒垃圾桶和擦拭家具的时候有时会撞上门和桌子。他走路又慢又小心,好像在数步子似的。他做工作很有耐心,永远带有微笑,不论什么人,只要给他一句好话,他总有一句好话回报。大多数时候人们对他都是视而不见,不屑一顾,只以为他不过是个和气的老人,身带残障的看门黑人。

　　萨吉看得见各处转弯角落。他的地盘是西厅,在那里做清洁工作已经 30 年。他在一些炙手可热的权势人物的背后听他们说话,他们都太忙了,来不及注意他们的说话,特别是在可怜的老萨吉的面前。

　　他知道哪几道门总是开着的,哪里墙壁是薄的,哪几处通风口传出声音。他可以在一眨眼间隐身不见，立即又在阴影中重新露面，而大人物都看不见他。

他听见了些什么，绝大多数只有他自己知道。但也有过那么几次，他运气特好，居然有一条油水十足的消息落进他的耳朵，跟另一条消息凑合成又一条新闻，这时候萨吉就要打电话作个判断，把这条消息复述一遍。他可是非常谨慎的人。他再做3年就要退休，可不能掉以轻心。

谁都不曾怀疑过萨吉向报界泄漏消息。世界上任何一处白宫这样的地方，其内部都有一批大嘴巴，互相推诿泄漏消息的责任。真是热闹得很。萨吉把消息捅给《华盛顿邮报》的格兰瑟姆，他便激动地等着报上刊登出来，接下去便会有人头落地，从地下室传来哀号声。

他是个绝对可靠的新闻来源，他也只对格兰瑟姆一个人透露。他的儿子克利夫当警察，他和格兰瑟姆的会面都由克利夫安排，总是在半夜或凌晨，找个没有人注意的地方。萨吉戴着他的墨镜。格兰瑟姆也戴墨镜，还戴一顶呢帽或便帽。克利夫通常都陪着他们，注意外人。

6点过了几分，格兰瑟姆到达格伦达咖啡馆，走到最里面的包间。另外还有3个顾客。格伦达在收钱柜旁边的灶上煎鸡蛋。克利夫坐在圆凳上看着她。

他们握手，此前已经为格兰瑟姆倒好一杯咖啡。

"对不起，我来晚了。"他说道。

"没问题，我的朋友。高兴看见你。"萨吉的喉咙像破锣，很难压低声音成为耳语。没有人在听他们讲话。

格兰瑟姆喝一大口咖啡。"白宫里面忙了一星期。"

"算你说对了。那么激动。那么快活。"

"那还用说。"格兰瑟姆在会面时不能作笔记。别让人看出来，这是萨吉老早给他宣布过的基本守则。

"是的。总统和他的心腹对罗森堡法官的消息高兴极了。它使他们非常快活。"

"那么詹森法官呢?"

"对了,就像你们报上已经说过的,总统出席了追思礼拜,但是没有讲话。他原来准备要致悼词,后来又变卦了,以免让人认为他给一个同性恋的家伙说好话。"

"谁写的悼词?"

"讲话撰稿人。主要是马布里,他在星期日写了一整天,后来总统变卦了。"

"他也出席了罗森堡的礼拜?"

"是的,他去了。可是他并不想去。他说情愿到地狱去呆上一天。可是到最后,他不得不乖乖听话,还是去了。罗森堡被人谋杀,他是很高兴的。星期三一天那里面几乎是一种节日的气氛。命运发给他一手难得的好牌。他现在可以放手改组最高法院,这才真叫他高兴哩。"

格兰瑟姆认真地听。萨吉继续往下说。

"有一份人数不多的被提名人名单。原来有 20 来名,后来削减为 8 名。"

"谁削减的?"

"你想是谁?总统和弗莱彻·科尔。他们最害怕这会儿走漏风声。那上面显然除了年轻的保守派没有别的人,大多数是默默无闻的。"

"知道名字吗?"

"只知道两个。有一个爱达荷州叫普赖斯的,有一个佛蒙特州叫麦克劳伦斯的。我就知道这两个名字。我想他们都是联邦法官。别的都不知道。"

"谋杀调查呢?"

"没听见什么,不过我总归要留心注意的。好像没有多大名堂。"

"还有别的吗?"

"没有。你们几时登报?"

"今天上午。"

"那就有好看了。"

"谢谢,萨吉。"

太阳已经出来,咖啡馆也热闹了。克利夫踱过来坐在他父亲一边。"你们快完了吗?"

"我们完了。"萨吉说道。

克利夫朝四面看看。"我想我们得走了。格兰瑟姆先走,我跟着走,爸爸留下来,随便他呆多久。"

"你太好了。"萨吉说。

"多谢了,好朋友。"格兰瑟姆边说边朝门口走去。

12

维尔希克照例迟到。他们结交至今 23 年,他从未一次准时,也从来不是迟到几分钟而已。他没有时间观念。他戴一只手表,从不看它一眼。维尔希克迟到起来至少一小时,有时两小时,尤其是等他的人是一个朋友,知道他要迟到,并且会原谅他的时候。

因此卡拉汉便在吧台上坐了一小时,这是他求之不得的事。在 8 小时的学院式的辩论之后,他把宪法和教授宪法的人都不当一回事了。他的血管里需要有芝华士威士忌,两杯加冰块的酒下了肚,他便觉得舒服些了。他注视着成排的酒瓶子后面的镜子,等候着加文·维尔希克的出现。难怪他的朋友在私人执业中混不下去,那里面的生活完全取决于钟点。

约好的晚上 7 点钟已经过了 1 小时 11 分,这时,维尔希克走到了吧台边,要了一罐鹿头牌啤酒。

"对不起,来晚了,"他一面握手一面说道,"我知道,你特别欢喜有点额外时间一个人享用你的芝华士。"

"你好像很累,"卡拉汉打量了一番说道。维尔希克老得多了,也发胖了。他的苍白肤色也突出了他眼睛下面沉重的圆圈。"你的体重怎样?"

"不关你事。"他说,喝了一大口喝。

"你从办公室来吗?"

"我现在住在办公室。局长每周至少工作 100 小时,直到案子搞出点名堂。我告诉我老婆圣诞节回家。"

"她怎么样?"

"好。是个很有耐心的太太。我住在办公室,我们相处要好得多。她是 17 年中的第 3 号夫人。"

"我想见她。"

"不行,你不必见她。我头两次结婚都是为了性爱,我跟这位结婚是为了钱,她不好看,你不会看得上眼。"他把罐里的啤酒喝完。"我不知道能不能一起过下去,直到她死。"

卡拉汉格格笑了两声,小口喝他的酒。"她有多少钱?"

"不像我原来想的那么多。我并不真正清楚。大约五百万左右,我想。"

"加文,当年在法学院里,你总是对神经质和抑郁型的女人有兴趣。"

"她们也对我有兴趣。"他把啤酒罐举起,一口干掉半罐。"我们为什么老上这家馆子吃饭?"

"不知道。这儿有那么一点传统。它给人一些法学院的美好回忆。"

"我们当时就恨法学院,托马斯。如今人人都恨法学院。人人都恨律师。"

"你的心情真好。"

"对不起。自从他们发现尸体以来,我只睡了 6 个小时。局长每天至少对我大吼五六次。我也对下面的每一个人大吼。我们那儿整个乱了套。"

"喝掉它,大孩子。我们的桌子订好了。我们边喝,边吃,边谈,好好享用我们相聚的这短短几小时。"

"我爱你超过爱我老婆,托马斯。你知道吗?"

"你说的一点都不过分。"

"你说对了。"

他们跟随领班来到角落里的一张小桌,他们向来都要求预订这同一张小桌。卡拉汉吩咐服务员先给两人来酒,还告诉他说他们并不忙着要吃。

"你见到《邮报》上那条该死的新闻了吗?"维尔希克问题。

"看见了。谁泄漏的?"

"谁知道。局长星期六上午收到总统本人亲手交给他的那份小名单,还清清楚楚地交代绝对要保守秘密。周末他也没有把名单给谁看过,今天上午的这条新闻就点出了普赖斯和麦克劳伦斯两个名字。沃伊尔斯一见报纸就大发雷霆,没过几分钟总统来电话。他赶往白宫,好一场破口大骂。沃伊尔斯要揍弗莱彻·科尔,幸亏 K.O.刘易斯把他挡住了。全乱了套了。"

卡拉汉把每一个字都听进去了。"真是妙极了。"

"对了。我现在告诉你这件事是因为,过一会儿你再有几杯酒下肚,你就要我告诉你名单上还有别的什么人,那我可办不到。我是要尽一个朋友的本分,托马斯。"

"说下去。"

"总而言之,泄密的不是我们这边。不可能。只能是白宫泄露出去的。那里面有的是不满科尔的人,漏洞多得像锈烂的落水管一样。"

"科尔或许会泄漏它。"

"也许是的。他是个不要脸的狗杂种,有一种说法认为他透露普顿斯和麦克劳伦斯是为了吓唬人,以后再宣布两个显得温和点的被提名人。这倒像是他干的事。"

"我从未听说过普赖斯和麦克劳伦斯。"

"我们大家都没听说。他们二人都很年轻,40 出头,当法官的经验少得很。我们还没有查清楚他们,不过他们似乎是激进的保守派。"

"名单上的别人呢?"

"你问得岂不快了点?两瓶啤酒下去,你便爆出这么个问题。"

酒来了。"我要一个蘑菇塞蟹肉,"维尔希克告诉服务员,"得先吃上一点。我饿坏了。"

卡拉汉把他的空杯子递过去。"给我也再来一杯。"

"别再问了，托马斯。就算再过3小时你得把我从这里扛出去，我也不会说。你知道这一点。我们可以这么说，普赖斯和麦克劳伦斯反映了整个名单。"

"所有不知其名的人？"

"基本上，是的。"

卡拉汉慢慢地小口喝着威士忌，摇头。维尔希克脱掉上衣，松开领带。"我们谈女人。"

"不。"

"她多大年纪？"

"24，不过很成熟。"

"你可以做她父亲。"

"也许。谁知道呢？"

"她是哪儿人？"

"丹佛。我告诉过你。"

"我爱西部的姑娘。她们都很独立不羁，她们也爱穿牛仔裤，有两条长腿。我也许会娶一个。她有钱吗？"

"不。她父亲4年前死于坠机事故，她母亲得到的赔偿很不错。"

"那么她有钱啰。"

"可以舒舒服服过日子。"

"我敢打赌她很舒服。你有她的照片吗？"

"没有。"

"你干吗不带张照片呢？"

"我会要她寄给你一张。你为什么对这个大感兴趣？"

"大喜讯。大老倌托马斯·卡拉汉，以前对女人爱一个丢一个，现在居然从一而终了。"

"我可没有。"

"这也是一个记录了。你们保持稳定关系都快一年了，是不是？"

"8个月零3个星期，不过别跟任何人说，加文，我得来不容易。"

"我绝对保密。详详细细告诉我，她的身高？"

"5英尺8英寸，120磅，长腿，穿紧身牛仔裤，为人独立不羁，是你心目中的典型西部女郎。"

"我一定也要去找一个。你要跟她结婚吗？"

"当然不！把你的酒喝完。"

"你现在搞一夫一妻制了吗？"

维尔希克的头伸过了半张桌子看着他，一脸傻笑。

"别嚷嚷。"卡拉汉说道，看看周围。

"回答我。"

"说出名单上还有谁，我就会告诉你。"

维尔希克缩了回去。"好手段。我知道是这么回事。我知道你爱上了这姑娘，只是没有勇气承认。我知道她已经抓住你的脾性了。"

"好了，你说得对。你舒服了吗？"

"是啊，舒服多了。我什么时候能跟她见面？"

"我什么时候能见你老婆？"

"你搞错了，托马斯。这儿有个根本的区别。你并不想要会见我的老婆，但是我想要会见达比。你瞧。我向你保证他们是迥然不同的人。"

卡拉汉微笑着，喝着酒。维尔希克放开了手脚，叉起两条腿伸在过道上。他把绿酒瓶翘起来凑到嘴唇上。

"你醉了，老兄。"卡拉汉说。

"对不起。我喝得快。"

蘑菇是用小煎锅滚烫地端上来的。维尔希克一口塞进两枚大嚼起来。卡拉汉看着他。

"谁杀了他们,加文?"

他咀嚼了一分钟,然后费劲地咽下去。"就算我知道,我也不能说。但是我发誓,我根本不知道。真是神了,杀手们都不见了,一点痕迹都没有。这个案子计划得万无一失,实行得天衣无缝。没有任何线索。"

"为什么杀掉这两个人?"

他又塞一枚到口里去。"很简单。简单得容易被人忽略。他们两位都是自然不过的目标。罗森堡的市内住宅没有安全装置。作孽的詹森老呆在那些地方半夜不归。他们都是没有戒备的。时候一到便都死于非命,其他7位最高法官都有联邦调查局探员在他们家里,所以这两个人被选中了。他们都是死于愚蠢。"

"那么是谁选中了他们?"

"是很有钱的人。作案的都是职业杀手,很可能作案之后几小时内便远走高飞到国外去了。我们估计有3个人,也许更多。罗森堡家里的血案可能是一个人独立犯下的。我们估计对詹森下手的至少两个人。一个人用绳子结果他的性命,至少另有一个望风。尽管那是一处下流场所,毕竟是向公众开放的,风险很大。他们都是高手,都是高手。"

"我读到过一种独行刺客的说法。"

"别提了。一个人杀死他们两个是不可能的。"

"这些杀手要拿多少报酬?"

"好几百万。策划整个凶案也得花一大笔钱。"

"你毫无所知?"

"你瞧,托马斯,我根本不参加调查工作,所以你得去问他们。我相信他们知道的情况比我多得多。我不过是个低级的政府律师。"

"是啊,偏偏又是个跟最高法院院长呼名不道姓的律师。"

"他偶尔有电话来。谈这些事情没意思。我们还是再谈谈女人吧。我最不要听律师讲话。"

"你新近跟他谈过话吗？"

"托马斯，你老是要打听。是的，今天早上我们还闲扯了几句。他把全部 27 名法律助手都用来查联邦法庭的待审案件，寻找线索。不会有结果的，我告诉他说。每一件到达最高法院的案件至少都有当事的双方。如果有一名、二名、三名法官消失了，代之以另外一名、二名、三名法官，而这些新法官又是对于涉讼双方中的某一方的要求更为同情，那么，任何一个案件的双方中必有一方因此得益。最终会到达最高法院的上诉案件成千上万，你可不能挑出其中的一件案子说'就是这件！这件案子造成他们的血案'。真是荒谬。"

"他怎么说呢？"

"当然他同意我的精辟分析。我想他是看了《邮报》上的新闻后打电话给我的，看看是否能从我这里挤出点什么东西。你能相信我的吹牛吗？"

服务员向他们递上菜单。

维尔希克斜看了一眼菜单便把它合上，递还给他。"烤箭鱼，蓝干酪，不要蔬菜。"

"我还是吃蘑菇。"卡拉汉说。服务员走开了。

卡拉汉一手伸进上衣口袋取出一个信封。他把信封放在桌上鹿头牌啤酒空罐的旁边。"你有时间的话请看一下。"

"什么东西？"

"就算是案情摘要吧。"

"我讨厌摘要，托马斯。说真的，我讨厌法律，也讨厌律师，除你以外，我恨法律教授。"

"达比写的。"

"我今晚就看。写些什么？"

"我想我告诉过你。她是个聪明过人、很不安分的学生。她写的东西比大多数学生要好。她所热爱的,除我之外,就是宪法。"

"可怜的小家伙。"

"她上星期耗了4天时间,把我和外边世界一古脑儿都忘掉了,搞出了一套她自己的说法,现在她又把这一套扔掉了。不过还是值得一看。写得挺动人的。"

维尔希克把信封塞进挂在椅背上的上衣。"她有什么说法?"

"有点意想不到。但是值得一看。我的意思是没有坏处,是不是?你们需要得到帮助。"

"我会看的,因为这是她写的。"

13

电话响了 4 次,录音器已经咔的一声开通,录音带的回话响彻了整间公寓,没有留言。它又响了 4 次,同样的声响,还是没有留言。一分钟后它又响了,格雷·格兰瑟姆从床上抓起听筒。他坐在枕头上,尽力清醒起来。

"你是谁?"他问得很吃力。窗外没有亮光进来。

另外一头的声音又低又不敢直说。"你是《华盛顿邮报》的格雷·格兰瑟姆吗?"

"我是。你是谁?"

说得慢慢的,"我不能告诉你我的名字。"

他马上就清醒起来,看清了时钟。5 点 40 分。"好吧,别提名字了。你来电话是为了什么?"

"我看见了你昨天的报道,关于白宫和被提名的人。"

"那好啊。你为什么要在这么个倒霉时候来电话呢?"

"对不起。我在上班的路上,用付费电话给你打的。我不能从家里或者办公室打电话。"

讲话的声音清楚,发音准确,显然他是个很有头脑的人。"什么办公室?"

"我是一个律师。"

好得很。华盛顿是 50 万名律师的基地。"私人还是政府?"

稍有迟疑。"呃,不说为好。"

"好了。听着,我还要睡觉。你究竟为什么打电话来?"

"我也许知道一点有关罗森堡和詹森的情况。"

格兰瑟姆坐在床沿上。"请说。"

停顿了更久。"你在录音吗?"

"不。我该录下来吗?"

"不知道。我很害怕,也很不明白,格兰瑟姆先生。这一次就不要录吧。也许下一次,好吗?"

"随你的便。我在听着呢。"

"这个电话会查出来吗?"

"我想有可能,可是你在用付费电话,对吗?查出来又怎么样呢?"

"我不知道。我只是害怕。"

"没关系。我发誓我不录音,我也发誓不去查你的电话。好了,你想说什么呢?"

"好了,我想或许我知道谁杀了他们。"

格兰瑟姆站起来了。"那可是很值钱的消息啊。"

"它也可以送掉我的命。你想他们会不会对我盯梢?"

"什么人?什么人要对你盯梢?"

"我不知道。"声音轻了下去。他好像在回头朝身后观看。

格兰瑟姆在床头踱来踱去。"放心好了。你为什么不告诉我你的名字呢?没关系,我发誓为你保密。"

"加西亚。"

"这不是真名字,是吧?"

"当然不是,但是我只能如此。"

"好的,加西亚。跟我说吧。"

"我不是很有把握,但是我觉得我在办公室里撞到了一点我不该看的东西。"

"你有一份复印件吗?"

"也许。"

"好了,加西亚。你给我来了电话,是吧。你想说呢,还是不说?"

"我说不准。如果我告诉你是怎么回事,你要怎么办?"

"把它彻底查清楚。如果我们要指控某人暗杀了两位最高法院法官,请相信我,这个新闻要处理得很小心。"

很长一段时间的沉默。格兰瑟姆坐在摇椅边上,一动不动,等待着。"加西亚。你还在吗?"

"是啊。我们以后再谈好吗?"

"当然可以,现在也可以谈。"

"我还得再想想。我吃不下睡不着已经一个星期了,我也没法清清楚楚地思考。我会再给你打电话的。"

"可以,可以。那样也好。你可以在我上班的时候打电话——"

"不。我不会上班时给你打电话。对不起,吵醒你了。"

他挂掉了电话。格兰瑟姆看着电话上的一行数字,揿了7个数字,等一下,又揿了6个,接着再揿4个。他在电话旁边的薄子上写下一个数字,便挂掉电话。付费电话是在五角大楼城的第15大街。

加文·维尔希克睡了4个小时,醒来的时候酒醉未消。一小时后到达胡佛大厦,酒精是消失了,酒后的难受却乘虚而入。他咒骂他自己,也咒骂卡拉汉,他无疑可以睡到中午,一觉醒来,精神焕发,便可以马上登机飞回新奥尔良去。昨晚他们在饭店里坐到午夜关门的时候,后来又接连再上几家酒吧,他们开玩笑说还要再看一两场裸体影片,但是他们常去的影院已经炸毁,只得作罢。他们一起饮酒直到三四点钟。

11点钟他要和沃伊尔斯局长见面,到时候非要显得头脑清醒、精力充沛不可。然而这是不可能的。他告诉他的秘书把门关上,他说染上了讨厌的病毒,也许是感冒,只得单独一人办公,除非有什么不得了的大事。

她转身出去把门关上。他锁上了门。为了不让卡拉汉独自享福,便拨电话到他的房间,但是无人应接。

什么世道。他最要好的朋友,薪金跟他相差不多,但是工作 30 小时,便算一个星期,还挑选了比他年轻 20 岁的称心如意小姐。

一阵恶心在他胸口泛起,直上他的食道,他立即在地板上躺下不动。他作深呼吸,只觉得头顶心受到槌打似的。3 分钟后,他知道不会呕吐了,至少现在不会。

他的公文包就在够得着的地方,他小心地把它拉到身边。他找到了公文包里的信封和当天的早报。他打开信封,翻开案情摘要,两手拿着,离开脸孔 6 英寸。

一共 13 页信纸大小的计算机纸,双行间隔打字,边上空白很宽。他看得清楚。空边上有手写的注解,有几处成块的标上横线以示重要。顶端是"第一稿"3 个用粗头笔写的字。她的名字、住址、电话号码都打印在封面上。

他先睡在地板上花几分钟看个大概,然后便可以坐到办公室桌旁,俨然摆出一副政府律师的架子,照章行事。他想到了沃伊尔斯,头顶的撞击更加沉重。

她的文字写得很漂亮,标准的、学究气的法律文笔,长句子里面充满了大字眼。但是她写得清楚明白。她摆脱了大多数学生拼命追求的那种模棱两可的法律行话。她写文章永远不会像一个美国政府任用的律师。

加文从来没有听说过她所点名的涉嫌人士,而且确实知道此人没有上过任何人的名单。在技术上说来,这不是一份案情摘要,而是一篇关于路易斯安那州的一桩讼案的报道。她要言不烦地叙述了事实,还说得趣味盎然,娓娓动人。

事实部分占了 4 页,接下去是涉讼各方面的简要介绍,写满 3 页。这里写得有点拖沓,但他还是往下看。这份摘要的第 8 页上概括说明了庭审过程。第 9 页说的是上诉,而最后 3 页则提出了

一条把罗森堡和詹森从最高法院扫地出门的令人难以置信的线索。卡拉汉说她已经抛弃这个说法，她的结尾部分似乎草草收场。

但是它十分引人入胜。在这片刻时间里他忘掉了当前遭受的痛苦，看完了一个法律学生的 13 页案情摘要。这时候他也有着无数件事情要做，而人却睡在一块脏地毯上。

一声轻柔的敲门。他慢慢坐了起来，战战兢兢站起来，走到门边。门外是秘书。"我不愿打搅您。可是局长要您过 10 分钟上他的办公室去。"

维尔希克拉开门。"什么？"

"是的，先生。10 分钟。"

他擦着眼睛，呼吸急促。"干什么？"

"我问这样的问题要降级的，先生。"

"你有漱口剂没有？"

"我想有的，你想要吗？"

"如果我不想要我就不会问你了。拿给我。你有口香糖吗？"

"口香糖？"

"口香糖。"

"有的，先生，您也要吗？"

"把漱口剂和口香糖给我拿一点来，还要点阿司匹林，如果你有的话。"他走向办公桌坐下，两手捧头，揉擦太阳穴。他听见她开关抽屉的声音，接着她便把东西送到他面前。

"谢谢。对不起，我说话太急。"他指着近门处椅子上的那份案情摘要。"把那份摘要送给埃里克·伊斯特，他在 4 楼。写一张我给他的条子，请他花上一分钟时间看一下。"

她拿走了案情摘要。

弗莱彻·科尔拉开椭圆办公室的门，板着脸对 K.O.刘易斯和埃里克·伊斯特说话。总统去了波多黎各视察飓风灾害，沃伊尔斯现在拒绝和科尔单独会面。他派手下人来。

科尔挥手招呼他们到沙发上坐下,他在茶几对面坐下,他的上衣扣上,领带笔直。他从不随便马虎。伊斯特听到过关于他的行为习惯的故事。他每天工作 20 小时,每周工作 7 天,只喝清水,吃饭多数是从地下室的卖饭机器买来。他像计算机一样阅读,每天都花上许多个小时审阅公文、报告、书信和山一样高的议会审议中的议案。他的记性特好。一个星期来他们把联邦调查局的每日侦查报告送到椭圆办公室交给科尔,他把材料都吃了下去,下一次会面的时候都能一一记起。如果他们说错了一点东西,他可要吓得他们灵魂出窍。他受人憎恨,但是不可能对他不尊敬。他比他们更精明,他也比他们工作更勤奋。他知道这一点。

他在空无一人的椭圆办公室里很有春风得意之感。他的老板远在外地对着镜头搔首弄姿,但是真正的权力仍然留在椭圆办公室里。

K.O.刘易斯把一摞 4 英寸厚的最新材料放在桌上。

"有什么新情况?"科尔问道。

"可能有一些吧。法国当局在例行检查巴黎机场安检处摄像机的录像时,认出了一个面容。他们把这张脸孔跟同一个大厅中其他摄像机从不同角度摄下的形象对照之后,立即向国际刑警总部报告。面部是经过伪装的,但是国际刑警相信此人就是恐怖分子卡迈尔。我相信你一定听说过……"

"听到过。"

"他们仔细研究了录像,几乎可以确定他是搭乘一架上星期三从杜勒斯机场直飞巴黎的飞机,他下机出来的时间大约是詹森的尸体被发现之后 10 小时。"

"协和飞机?"

"不,联合航空公司的飞机。根据时间和摄像机的安设位置,他们有办法确定出口和航班。"

"国际刑警告知了中央情报局?"

"是的。今天下午一点钟左右他们跟格明斯基谈过。"

科尔的脸上毫无表情。"他们有多少把握?"

"80%。他是个伪装大师,以这样一副样子出外旅行对他而言是很不平常的,所以此事仍有可以怀疑的余地。我们已准备了照片和一份简报供总统审阅。说句老实话,我研究了这些照片,我可什么意见也提不出来,但是国际刑警认识他。"

"他有许多年不曾自愿拍过照片了吧,是吗?"

"据我们的情报所知,他没有拍过照片。有谣言说他经常动手术,隔两三年就换一次面孔。"

科尔对此略加沉思。"是啊。就算他是卡迈尔,又怎么样?如果卡迈尔确是此案中人,又怎么样?对我们说来有何意义?"

"那就是说我们永远找不到他了。至少有 9 个国家,包括以色列在内,现在都对他紧追不舍。这个情况说明这儿有人出大钱雇用了他。我们一直在说这个凶手或这几个凶手都是职业杀手,被害人的尸体还没有变冷就已经远走高飞。"

"所以这个情况没有什么意义。"

"可以这么说。"

"好的,还有什么别的情况。"

刘易斯看了埃里克·伊斯特一眼。"是的,我们还照常有每日简报。"

"近来它们都是显得单调枯燥。"

"对,是这样,我们派了 380 名探员,每天工作 12 小时,昨天他们在 30 个州里找了 160 个人谈话,我们还——"

科尔举手叫停。"免了。我会看简报。也许说一句毫无新情况,大概错不了。"

"或许有一点新情况。"刘易斯看着埃里克·伊斯特,他拿着一份案情摘要。

"是什么?"科尔问道。

伊斯特扭动一下身体,似有不安之感。这份案情摘要逐步向上传阅了一天,到得沃伊尔斯手里,他看了觉得很好。他把它当做一发乱枪,不值得认真看待,但是摘要中说到了总统,他存心要叫科尔和他的主子吓出一身汗。他吩咐刘易斯和伊斯特把摘要交到科尔手里,还要把它说成是一个重要的看法,调查局正在认真考虑。沃伊尔斯在一个星期中首次露出微笑。他谈到椭圆办公室里的两个白痴读了这份摘要会急忙要找掩护。沃伊尔斯说道,把它吹得大一点,告诉他们我们打算用20名探员追查。

"这个说法是过去24小时中出现的,沃伊尔斯为它伤透脑筋。他担心它对总统会有伤害。"

科尔的脸孔像石雕一般不露声色。"那是怎么回事?"

伊斯特把摘要放在桌上。"全部在这报告里。"

科尔眼睛扫它一眼,接着便对伊斯特的话捉摸一番。"很好。我会看的。就这些吗?"

刘易斯站起来,扣好上衣。"是的,我们得走了。"

科尔陪他们走到门边。

10点过了几分,"空军一号"在安德鲁斯机场着陆,没有盛大欢迎场面。第一夫人在外地筹款,总统脚步轻快地走下飞机,一头钻进他们的豪华汽车,既无朋友也无家人迎接。科尔等在那儿。总统陷进汽车沙发。"没想到你来了。"他说。

"对不起。我们必须谈一下。"汽车立即开走,向白宫疾驰而去。

"时间已晚,我也累了。"

"飓风的灾情怎样?"

"够惨的,吹倒了一百万间棚屋和纸板房,现在我们急需20来亿,建造新住房和电力厂。每隔5年就有一场大飓风。"

"我已经把宣布灾情的讲稿准备好了。"

"很好,还有什么重要事情?"

科尔交给他一份现在已被称之为鹈鹕案卷的文件。

"我现在不想看,"总统说,"给我说说吧。"

"沃伊尔斯和他那一班人碰巧撞上一个嫌疑对象,到现在为止还没有谁提到过的一个对象。这是一个最不受人注意的人;也不像真是嫌疑犯。图兰大学的一个心比天高的法律学生写的这篇混账东西,不知走什么门路通到了沃伊尔斯的手里,他看了之后认为它不无道理。请别忘了,他们都在豁出命去找嫌疑犯。这一套说法过于牵强附会,难以置信,从表面看来,不必挂虑。但是沃伊尔斯使我担心,他已经决定要一鼓作气予以彻查,新闻界注视着他的一举一动。他还可能泄露消息。"

"我们不能干涉他的调查工作。"

"我们有手段可以对付它。格明斯基在白宫等我们……"

"格明斯基!"

"放心,总统。3 小时前我亲手交给他这份文件,要他宣誓保守秘密。他的能力不怎么样,保守秘密还是可以的。我对他的信任远远胜过沃伊尔斯。"

"我对他们两个都不放心。"

科尔听见总统这么说,心中暗暗高兴。他要求总统对谁都不信任,只信任他一个人。"我认为你得要求中央情报局立即调查此事。我希望在沃伊尔斯动手深挖之前就知道一切情况。他们两家都得不到什么结果的,但是只要我们比沃伊尔斯多知道一点,你就可以要他乖乖地把手缩回去。这一招高明,总统。"

总统可犯难了。"这是国内问题。中央情报局用不着越俎代庖。那可是非法的。"

"在技术上这是非法的。但是格明斯基能为你办得到,他能迅速办成,神不知鬼不觉,而且干得比联邦调查局还要彻底。"

JOHN
GRISHAM

"这是非法的啊。"

"以前也这么办过,总统,许多次。"

总统看着路上的车辆。他的两眼鼓胀、发红,并非因为疲倦。他在飞机上睡过 3 个小时。但是他整天都需要显得伤心,又要提防着摄像机,这就难以使它立即消失了。

他拿住摘要把它扔在身旁的空位子上。"这个人我们认识吗?"

"认识。"

14

新奥尔良是不夜之城,醒来得慢。天亮以后好久全城还是静悄悄的,然后它的街市蠕动起来,早晨也款款来到。除了通往郊区的大路以及市中心的热闹街道之外, 看不到清晨的繁忙交通。这一点在所有的大城市都是一样的。但是此刻的法国区,新奥尔良的灵魂之所在,昨晚的威士忌和什锦烩饭和烤鲑鱼的气味都还没有在空荡荡的街面上散尽,除非到了太阳露面的时候。再过一两小时之后, 那种气味便为法国市场的咖啡和油煎饼的香气所代替,而在这前后人行道上才勉为其难地显示出生命的迹象。

达比蜷曲在小阳台的椅子里,喝着咖啡,等候太阳出来。卡拉汉和她相距数尺,隔一道开着的落地长窗,仍然裹着被单,尚未知觉这醒来的世界。好像有一丝微风的凉意,到中午便又是闷湿天气。她把他的睡袍拉紧围住脖子,吸入了他的香水的浓烈气味。她想起了她的父亲,以及她父亲的肥大的棉布衬衫,她十多岁的时候父亲曾经让她穿过。她把袖子紧紧卷到肘弯,让下摆挂到膝盖,在她同几个好友同逛商场时,她脑子里坚定不移地以为没有人比她更加潇洒。她父亲是她的朋友。到她中学毕业的时候,她就可以从他的壁柜里要什么拿什么,只消把用过的衣服洗好,烫平放回衣挂上就好了。如今她还闻得到他每天喷洒在脸上的格雷·弗兰内尔香水。

如果他还活着的话,应该比托马斯年长 4 岁。她母亲再度结婚迁往博伊西去了。达比有一个哥哥在德国。3 个人很少交谈。她父亲本来是一个互不关连的家庭中的黏合剂,他一死便完全散开了。

她父亲是在空难中丧生的,这次飞机坠落另外还有 20 个人丧生,丧葬未毕,律师们便已纷纷打来电话。这是她首次真正接触法律世界,真不是好味道。他们的家庭律师对诉讼的门道一窍不通。一个专门紧跟在救护车后面专门打意外事故官司的滑头家伙找上了她的哥哥,说服全家立即起诉。他的名字是赫谢尔,这案子在他手里拖延时日,他一骗再骗、草率从事,全家人跟着受罪足足有两年之久。法院开庭前的一星期,此事以 50 万元的赔偿协议解决,在赫谢尔敲去一笔之后,达比分得 10 万元。

她决心要做一个律师。像赫谢尔这样的跳梁小丑都能干得了,那她更干得了,她干是为了一个更加高尚的目标。她常常想到赫谢尔。等她通过律师执业考试,她的第一张诉状就是要告赫谢尔,告他一个营私渎职罪。她想为一家专门从事环境保护的公司工作。她知道要找个工作不成问题。

10 万美元还分文未动。她母亲的新丈夫是一家纸张公司的主管,年纪稍老一点,家道富裕得多,他们婚后不久便把她的一份赔偿金平分给达比和她哥哥。她说这笔钱使她想起已故的丈夫,此举也是一个象征性的姿态。虽然她仍然爱着他们的父亲,但是她已经在一个新的城市有了新的生活,有了新的丈夫,他 5 年后退休,钞票多得花不完。何谓象征性的姿态,达比百思不解,但是她对此深表感激,收受了这笔钱。

10 万元翻了一番。她把大部分存入共同基金,但是她存钱的基金都不拥有化学公司和石油公司的股份。她买了一辆雅阁汽车,俭省度日。她的衣柜里面都是最普通的法学院衣着,购自工厂自营的销售商店。她和卡拉汉二人喜欢问津本市较好的饭馆,从来不第二次光顾同一家馆子。永远是饭钱分开自付。

他很少关心钱财,从来也不追问她的事情。她比一般的法学院学生富有,但是图兰大学还有更富有的一批富家儿。

他们在一同上床之前约会了有一个月的时间。她定下了基本

规则,不许有别的女人,二人的交往必须十分谨慎,他还必须节制酒量,而他则心急火燎地一概接受。

他遵守了头两条,而饮酒保持不变。

她吻他的面颊,帮他盖好被子。他的衣服都整齐地放在椅子上。她走到门外,轻轻地锁上身后的前门。

3小时后她有一节课。一星期后要交一篇模拟法庭的受理上诉的案情摘要。她的法律评论的案件笔记已经积上厚厚的灰尘。两门功课布置的作业都落下来了。现在该是恢复学生生活的时候了。她浪费4天的时间去扮演一个侦探,她为此而骂自己该死。

她的雅阁停在路口转角。

他们监视着她,大饱眼福。紧身牛仔裤,肥大的运动衫,长腿,墨镜遮住了眼睛,不施粉黛,长发披肩,深红颜色。他们看着她关门,在罗亚尔街上快步行走,到街口转弯不见了。

就是她。

他拿着一个牛皮纸小袋,里面装了午餐,找到一张公园椅子,背朝新罕布什尔大街。

他看一下手表,剥掉一根香蕉。他看见了他的接头对象穿过人群而来。他们眼光相遇,点头,来人在椅子上挨他身旁坐下。他的名字是布克,中央情报局的人。遇到通讯线路纠缠不清话音模糊,他们的上司需要听到实在的话语,而又不能让别人听见的时候,他们偶尔在此会面。

布克没带午餐。他开始剥花生,把花生壳丢在圆圈形的椅子下面。"沃伊尔斯好吗?"

"讨厌得要死。老样子。"

他把花生丢进口里。"格明斯基昨晚在白宫呆到半夜。"布克说道。

对此没有反应。沃伊尔斯知道这个。

布克继续说下去。"里面已经惊惶失措了。这个小小的鹅鹕玩意儿吓坏了他们。我们也已看过,你知道,我们大致有把握,你们这些人是不会把它当回事的,但是不知为了什么原因,科尔见到它便大惊失色,他把总统也搞得坐立不安。我们估计你们方面只不过是跟科尔和他的老板开个小小的玩笑,因为摘要里提到总统和那张照片,我们估计你们看了觉得有趣。你懂我的意思吗?"

他咬了一口香蕉,不发一言。

"无论如何,这不关我们的事,也不该是我们管的事,要不是因为现在总统要我们在你们动手之前抢先秘密调查这个鹅鹕案件。他相信我们会什么都找不到,他就是要知道此事纯属子虚乌有,好让他去说服沃伊尔斯把手缩回去。"

"子虚乌有。"

布克看见一个醉汉朝喷水池里撒尿。警察骑马走开到阳光中去。"所以沃伊尔斯是在开玩笑,对吗?"

"我们追查一切线索。"

"可是没有具体的嫌疑犯?"

"没有。"香蕉已经彻底消灭。"为什么他们要如此害怕我们调查这么一个小东西?"

布克咬破一个带壳的小花生。"是啊,在他们看来这个问题很简单。提名普赖斯和麦克劳伦斯的事情泄漏出去,他们对沃伊尔斯不信任到了极点。如果你们方面动手深挖鹅鹕讼案,他们害怕新闻界马上听到风声,总统就得挨一顿揍。连任竞选就在明年,扯淡,扯淡,扯淡。"

"格明斯基跟总统怎么说的?"

"他说他不想干扰联邦调查局的调查,我们手头急需要做的事情有许许多多,这可是一件万万做不得的非法行动。但是因为总统苦苦哀求,科尔又百般威胁,我们也不得不做。所以我现在来告诉你。"

"沃伊尔斯深表感谢。"

"我们今天开始深挖,但是这件事完全是无稽之谈。我们会照章办事走过场,置身事外,个把星期以后去告诉总统,整个文件是无的放矢乱弹琴。"

他把牛皮纸袋的封口折了下去,站起来:"好的,我向沃伊尔斯报告。谢谢。"他向康涅狄格大街走去,马上就消失不见了。

监视屏在新闻室中央的一张乱糟糟的桌上,房间里是一片乱哄哄的喧嚷声,格雷·格兰瑟姆两眼瞪着荧屏。文字还不出来,他坐在那里干瞪眼。电话响了。他揿下按钮,抓起电话,眼睛没有离开荧屏。"格雷·格兰瑟姆。"

"我是加西亚。"

他忘掉了荧屏。"是啊,现在怎么啦?"

"我有两个问题。第一,这些电话你都录音吗,第二,你查得出从哪里打的吗?"

"也不,也是。除非得到许可,我们是不录音的,我们能够查得到从哪儿打来的电话,但是我们不查。我还以为你说过,我工作的时候你不会来电话。"

"你要我挂掉吗?"

"不。这很好。我情愿下午3点钟在办公室里接电话,不愿上午6点在床上接。"

"对不起。我只是因为害怕,没有别的。只要我信得过你,我就会跟你谈,但是如果你骗我一次的话,我就不跟你谈。"

"一言为定。你几时开始谈呢?"

"我现在不能谈。我是在市中心区打的付费电话,我马上就要走。"

"你说过有一份什么东西。"

"不,我说过也许会有一份什么东西。我们再谈吧。"

"好的。那么你几时再来电话?"

"我还得跟你约好吗?"

"不用。不过我老是进进出出的。"

"明天中饭时间我会给你电话。"

"我就在这儿等着。"

加西亚走了。格兰瑟姆揿了 7 个数字,接着又揿 6 个,然后 4 个。他写下了数字,然后他翻遍了黄纸电话簿,直到他找到了付费电话公司。付费机地点栏内开列的这个号码是在宾夕法尼亚大街,离司法部不远。

15

争吵是在用甜点的时候开始的,一顿饭吃到这时候,卡拉汉宁愿以饮代食。她客客气气地扳指头说出他这一顿饭已经下肚的酒类饮料:他们坐上餐桌等待招呼的时候,便已两杯双份威士忌下肚,点菜之前又来一杯,吃鱼的时候两瓶葡萄酒,她只喝了其中两杯。他喝得太快,已经醉了,到她一笔一笔算完这笔账时他已怒气冲冲。他点了德兰布伊酒当甜点,因为这是他喜欢的酒,也因为突然间这成了一个原则问题。他一口喝干,又要一杯,这就使她发火了。

达比只顾搅动咖啡,不理睬他。穆顿饭店里坐满了顾客,她只想离开饭馆不要发生争吵,独自回到公寓里去。

他们出了饭馆走在人行道上,争吵便不好收拾了。他从口袋里拉出保时捷汽车的钥匙,她告诉他喝得太醉了不能开车,要他把钥匙给她。他紧捏住钥匙,跌跌撞撞朝相距还有 3 个街区的停车场走去。她说她要走路回去。那就好好走吧,他说。她在他背后跟了几步,看到她前面这个趔趔趄趄的模样,心里真不是滋味。他还是法律教授哩,真见鬼。他会撞死人的。他向前冲得更快,走到街沿的边上,看了怕人,又歪歪斜斜向前走去。他还扭过头来高声叫喊,大概是说喝醉开车也比她清醒开车更好。她落在后面了。以前有一次她坐在车上,他也是醉成这个样子,所以知道一个醉汉开一辆保时捷是怎么回事。

他胡乱穿过街道,两手深深插入口袋,仿佛深夜里一次随便的散步似的。他看不准街沿石,一脚踩下去,着地的是脚尖而不是脚跟,顿时就手脚张开趴在人行道上,破口大骂。她还没有够得着他，他便已一骨碌爬了起来。别管我，见鬼去，他这么对她说。把钥匙给我吧，她求他，不然我就走路回去。他把她推开，一路平安，他说，还带笑声。她从未见他如此烂醉。

停车场隔壁是一间邋遢的小酒吧，霓虹灯啤酒招牌遮盖了窗口。她朝开着的门里面张望，想找人帮忙，可是又一想，不对，真蠢，那里面全是醉鬼。

他正在走近保时捷，她对他大声叫喊："托马斯！求你！让我开车！"她站在人行道上，不能再向前了。

他歪歪斜斜向前走，挥手要她走开，喃喃自言自语。他开了车门锁，身体挤进了车。引擎发动了，他开大油门，车子发出吼声。

达比靠在一幢房子的侧墙上，离开停车场出口不过数英尺。

她打算看他开车走了，然后叫一辆出租车，然后一个星期不睬他。至少一星期。一路平安，她对自己重复这句话。他再次加大油门，轮胎发出刺耳声。

一声爆炸把她摔倒在人行道上。她全身趴在地上，面孔朝下，失去知觉，不过立即感觉到一股热浪和炽热的小粒碎屑散落街面。她惊吓得张开嘴朝停车场看去。保时捷凌空而起整整翻了个筋斗，车顶朝下落在地上。车胎、车轮、车门、挡泥板，四散分离。车身成了光彩夺目的火球，轰然作响，顿时便被烈焰吞噬。

达比朝它走去，嘶叫着找他。碎屑在她四周掉落，热浪使她难以前进。她在 10 码之外站住，双手围在口边嘶喊。

接着第二次爆炸又把汽车高高抛起，将她冲了开去。她的脚底一滑，头部重重地倒在另一辆车子的保险杠上，她的脸觉得地面是热的。

邋遢酒吧里空无一人，街上到处是醉汉。他们站在人行道张望。有两个人想近前去看，但是热气熏红了他们的脸使他们前进不得。火球喷发出浓重的黑烟，不过几秒钟时间便又有两辆车子着火。呐喊声，吆喝声，响成一片。

"这是谁的车!"

"电话911!"

"车里有人吗?"

"电话911!"

他们拉住她的肘臂拖回到人行道,来到人丛中央。她重复叫喊托马斯的名字。他们从酒吧里拿来一块冷湿布盖在她的额头。

人群增多了,街上车来人往。她醒来时听见远远近近的警报声。她的头背后是个硬块,脸上是冷的。她的口是干的。"托马斯,托马斯。"她一次又一次叫着。

"好了,好了,"说话的是一张黑面孔,对着她的面孔。他小心地托住她的头,轻拍她的手臂。其他的面孔都向下注视。他们都点头同意。"现在好了。"

现在前前后后都响起了警报。她轻轻拉开湿布,她的眼睛也看得清了。红光蓝光在街上闪亮。警报声震耳欲聋。她坐起来。他们把她靠在墙脚,在霓虹灯啤酒招牌下面。他让开一点,小心地观察她。

"你没事吗,小姐?"男黑人问她。

她回答不出,不想回答。她觉得头破开了。"托马斯在哪里?"她问道,眼睛看着人行道上的一道裂缝。

他们面面相觑。第一辆救火车发出尖叫声停在20英尺外,人群散开。救火员跳下车四面分散。

"托马斯在哪里?"她又问。

"小姐,托马斯是谁?"黑人问她。

"托马斯·卡拉汉。"她柔声说道,好像人人都认识他似的。

"他在车上吗?"

她点头,立即闭上眼睛。警报哀叫,响一阵停一阵,间歇中她听得见人们的急切叫喊声,火团的爆裂声。她闻到了燃烧的焦味。

第二辆和第三辆救火车从不同的方向呼啸而来。一个警察拨

开人群走过来。"警察。让路。警察。"他又推又拨,直到他找到了
她。他双膝着地亮出一个证件在她鼻子下挥动。"太太,鲁珀特警
官,新奥尔良警察局。"

达比听到了,但是脑子里没有反应。他都顶到她的脸了,这个
鲁珀特满头浓发,戴一顶棒球帽子,穿众圣足球队的黑色和金色
的上衣。她呆呆地望着他。

"那是你的车子吗,太太?有人说它是你的车。"她摇头。不是。

鲁珀特抓住她的两肘拖了起来。他还跟她说话,问她是不是
好过,同时又把她往上拖,使她痛得要死。头像破裂了,分开了,爆
炸了,她痛得休克了,而这个畜生却毫不在意。她双脚立地。她的
膝盖不能固定,她的腿是瘸的。他不停地问她是不是好过,黑人看
着鲁珀特,好像觉得此人是个疯子。

还好,两条腿活过来了,她和鲁珀特一同穿过人群,经过一辆
救火车的车尾,又绕过一辆,走到一辆没有标志的警车。她低下
头,不愿再朝停车场看。鲁珀特不停地闲聊。他拉开前车门,小心
翼翼地把她扶上空座位上坐好。

另一名警察趴在车门上开始问话。他穿牛仔裤和尖头牛仔
靴。达比俯身向前两手捧头。"我想我需要急救。"她说。

"没错,太太。急救车已经在路上了。不多,几个问题。你的姓
名?"

"达比·肖。我想我是休克了。头昏极了,我就要呕吐了。"

"救护车马上就到。那边的车子是你的吗?"

"不是。"

又来一辆警车,有警标,有文字,有警灯,尖叫着停在鲁珀特
的车头前面。鲁珀特走开一下。牛仔警察突然把她的车门一关,只
剩下她一个人关在车里。她向前靠去,吐了出来,朝两条腿中间。
她开始哭泣。她觉得冷。她慢慢地把头搁在驾驶座位上,身体蜷成
一团。无声无息。一片黑暗。

有人敲打她头顶上的窗子。她张开眼睛，一个穿警服的男人，帽子上有警徽。门是锁着的。

"开门，夫人！"他大声喊道。

她坐起来开了门。"你醉了吗，夫人？"

"没有。"她拼了全身力气说道。

他把门开大。"这是你的车？"

她擦擦眼睛。她得想一下。

"夫人，这是你的车吗？"

"不！"她瞪眼看他。"不是。是鲁珀特的车。"

"好的。谁是鲁珀特啊？"

还剩下一辆救火车，人群中大多数都走掉了。门上的这个人一望而知是警察。"鲁珀特警官。你们的人。"她说道。

这句话把他说火了。"马上下车，夫人。"

达比从右面位置下了车，站在人行道上。远处有一个救火员手拿水管喷浇烧残的保时捷车的车身架子。

又有一个穿制服的警察和先前那位会合，他们在人行道上跟她说话。头一个警察问她："你叫什么名字？"

"达比·肖。"

"你为什么在车上昏倒？"

她看了一下车子。"我不知道。我受伤了，鲁珀特把我放进车子。鲁珀特在哪里？"

两个警察你看我，我看你。"谁是鲁珀特？"头一个警察问她。

这一下又把她给触怒了，一通发火反而扫清了误解和猜疑。

"鲁珀特说他是警察。"

第二个警察问她，"你是怎么受伤的？"

达比注视着他。她指向街对面的停车场。"我本该坐上那辆车。可是我没有上去，所以我现在就在这里听你们这些蠢问题。鲁珀特在哪儿?"

他们只能干瞪眼睛。第一个警察说道:"你呆在这儿。"他自己走到街对面,那儿有另一辆警车停着,一个穿套装的男人在跟一小群人说话。他们低声说了几句,第一个警察就把穿套装的人带回到达比这边人行道上来。穿套装的人说:"我是奥尔森警官,新奥尔良警察局的。你认识那辆车上的人吗?"他指着停车场。

她的双膝发软,便咬住了嘴唇,点一点头。

"他叫什么名字?"

"托马斯·卡拉汉。"

奥尔森看着第一个警察,"计算机说的就是这个名字。那么,这个鲁珀特是什么人?"

达比大喊一声:"他说他是警察!"

奥尔森显得同情。"对不起。没有名叫鲁珀特的警察。"

她大声抽泣。奥尔森扶她走到鲁珀特的车子的车头盖旁,他仍扶住她的双肩,她的哭泣逐渐止歇,她尽力重新控制她的情绪。

"查一查车牌上的号码。"奥尔森告诉第二个警察,他赶快记下鲁珀特的车号,打电话给局里。

奥尔森双手轻轻扶住她的双肩,看着她的眼睛,"你刚才跟卡拉汉在一起吗?"

她点头,还是在哭,不过声音小多了。奥尔森看了第一个警察一眼。

"你怎么进到车里去的?"奥尔森问得又慢又轻。

她用手指擦眼睛,看着奥尔森。"鲁珀特这个家伙,他说他是警察,到那边去找到了我,把我带到这里来。他把我送进车里,另外还有一个穿着牛仔皮靴的警察开始问我话。又有一辆警车开来停下,他们便走开了。后来我就昏过去。我不知道。我想得看个医生。"

"把我的车开来。"奥尔森对第一个警察说。

第二个警察回来,满脸的迷惑。"计算机上没有这个车牌号码的记录。一定是假车牌。"

奥尔森把住她的手臂领她上他的车。他一口气告诉两个警察。"我送她上博爱医院。你们把这儿的事情结束后到那里去找我。扣押这辆车子。我们以后再把它查明。"

她坐在奥尔森的车里,听着无线电的嘈杂声响,看着停车场。烧毁的车子有4辆。居中是车底朝天的保时捷,除了翘曲的车架,什么都不剩了。五六个消防员和其他的急救人员还在忙个不停。一个警察用黄色的带子把那罪案现场圈起来。

她摸一下后脑勺的硬块。没有血。泪珠儿从她的下巴掉落。

奥尔森砰的一声关上门,他们慢慢穿过停着的那些汽车,便朝圣查尔斯大街开去。他开亮了蓝灯,但没有响起警报。

"你想说话吗?"他问道。

他们已经走在圣查尔斯大街上。"我猜想,"她说,"他已经死了,是不是?"

"是的,达比。我觉得难过。我估计车上只有他一个人。"

"是的。"

"你是怎么受伤的?"

他给她一块手帕,她擦干眼睛。"我大概是跌倒了。有两次爆炸,我想是第二次爆炸把我冲倒。我不能全都记得清楚。请你告诉我鲁珀特是谁。"

"我不知道。我不知道有个名叫鲁珀特的警察,这里也没有穿牛仔靴的警察。"

她考虑了一个半街区的行驶时间。

"卡拉汉做什么工作谋生?"

"图兰大学的法律教授。我是那里的学生。"

"谁要杀死他?"

她眼睛看着红绿灯,摇摇头。"你确实相信这是故意杀人?"

“毫无疑问。用的是烈性炸药。我们在 80 英尺远的钢丝网眼栅栏上找到一个脚部的残片。我很难过，真的。他是被谋杀的。”

“也许有人认错了车子。”

“这种可能性永远会有。我们会把一切都查清楚。我估计你本来是要跟他一同在车上的。”

她想说话，但是她无法不让眼泪涌出。她把脸捂在手帕里。

他把车停在博爱医院急救门附近两辆救护车的中间，让蓝灯亮着。他扶着她急忙走进一个脏乱的房间，里面坐着五十来个人，伤病轻重程度各不相同。她在饮水器的旁边找到一个座位。

奥尔森在她面前蹲下。“稍等几分钟。坐在这里不要动。我去把车子移动一下，马上就回来。你觉得可以说话吗？”

“可以，当然。”

他走了。她又试摸一下，还是没有血。双扇的门开得大大的，两个怒冲冲的护士来揪住一个临产的妇女。她们像是把她拖走似的，又从那门口出去，在走廊里远去。

达比立即跟了出去，她拐一个弯，看见一个“出口”的标志，出了这道门，又是一个走廊，这儿要静得多，又出一道门，便是一个装货的平台。小巷里有灯光。坚强一点。没有问题。没有人看住我。她已经走在街上，脚步轻快，清凉的空气使她眼睛明亮。她坚决不哭。

奥尔森不慌不忙地移动汽车，当他回到原处时，会以为她已经进去治疗了。治疗完毕，她会回来的。他会等着，一直等着。

她转了几个弯，看见兰巴特大街了。法国区马上就要到了。到那里就不怕有人认出她。罗亚尔街行人较多，形形色色的旅游客沿街漫步。她觉得安全得多。她走进假日旅馆，用信用卡付了钱，租下 5 楼一个房间。她把房门插上门销，挂上链条，开亮所有的灯，抱腿坐在床上。

维尔希克太太从床中心滚动肥胖的屁股,拿起电话。"你的电话,加文!"她朝卫生间叫喊。加文走了出来,剃须膏涂满半个脸孔,从他妻子手里接过话筒,她便向床里深深钻进去,好像母猪拱烂泥,他想。

"喂,"他答应了一声。

电话里是一个女性声音,他从未听到过的。"我是达比·肖,你知道我是谁吗?"

"是的。我知道,我们有一个共同的朋友。"

"你见过我写的一篇小小的案件分析吗?"

"噢,看过。我们现在管它叫鹈鹕案卷。"

"我们是谁啊?"

维尔希克在床头柜旁边的椅子上坐下。这不是一次社交问候电话。"你为什么打来电话啊,达比?"

"我需要一个答案,维尔希克先生。我吓得要死。"

"叫我加文,好吗?"

"加文。案情摘要现在哪儿?"

"管它在哪儿。出什么事了吗?"

"我马上给你说。请你告诉我你把这份摘要送到哪儿去了。"

"好啊,我看了它,把它送给另一个处,调查局内部的几个人看过它,然后送到沃伊尔斯局长那儿,他还有点儿喜欢它。"

"它传到联邦调查局外面去没有?"

"这个我不能回答,达比。"

"那我就不能告诉你托马斯碰到了什么事情。"

维尔希克考虑了好长一会儿。她耐心地等待。"好吧。是的,它已经传到联邦调查局外面去了。谁看过它,多少人看过它,我不知道。"

"他死了,加文,昨晚 10 点左右被谋杀了。有人放置了汽车炸弹想把我们两人炸死。我侥幸未死,但是现在他们要干掉我了。"

维尔希克俯身对着电话,写下笔记。"你受伤了吗?"

"身体上还没问题。"

"你在哪儿?"

"新奥尔良。"

"见鬼,谁要杀掉他呢?"

"我已经见到过两个人了。"

"你怎么——"

"说来话长。谁看过了摘要,加文?托马斯星期一晚上把它交给你。它经过几次转手,48小时之后他就死了,而且有人还要我跟他一起死。文章落到了不该落的人手里去了,你说不是吗?"

"你安全吗?"

"谁知道?"

"你呆在什么地方?你的电话号码?"

"别急,加文。我慢慢跟你谈。我是打的付费电话,不好谈重要事情。"

"这样吧,达比,你别催我。托马斯·卡拉汉是我的最好朋友。你一定得出面。"

"那是什么意思?"

"你瞧,达比,给我15分钟,我们会有十多个探员找到你。我要搭上一班飞机,中午前到达你那里,你不能老在街头。"

"为什么,加文?谁要杀掉我?告诉我,加文。"

"我到了你那里就跟你说。"

"我不知道。托马斯死了,因为他跟你谈过。我现在并不急着要跟你见面。"

"达比,你瞧,我不知道是谁,也不知道为什么,但是我可以确实告诉你,你的处境非常危险。我们能够保护你。"

"也许过些时候。"

他深深呼吸,在床沿坐下。"你可以信任我,达比。"

"好的,我信任你。可是另外那些人又怎么样?这件事很不简单,加文。我的小小案情摘要大大触犯了某一个人,难道你不觉得吗?"

"他受苦了吗?"

她踌躇不语。"我想没有。"心碎的声音。

"两小时后再来电话,好吗?打到办公室。我给你一个内部电话号码。"

"给我电话号码,我要再作考虑。"

炸弹爆炸的消息,星期四早晨版的《新奥尔良时代花絮报》来不及报道。达比在旅馆房间里匆匆翻了一遍。一个字都没有。她看电视,有了,一个现场转播的镜头,烧得精光的保时捷,仍然置身在停车场里一堆烧剩的灰烬之中,那地方整个儿都用黄带子清清楚楚地圈了起来。警察把它当做杀人案件处理。嫌疑犯不明。托马斯·卡拉汉的名字出现了,年龄45,图兰大学知名的法律教授。法学院长突然出现,面前有一只麦克风,说的是卡拉汉教授以及他对此次事件感到的震惊。

此次事件使达比感到震惊、疲劳、恐惧和痛苦,她把头埋进了枕头。她只在这会儿哭它一回,以后决不再哭。悲痛只会使她送命。

16

　　这是一次天赐的危机,使他的支持率上升。罗森堡死掉,使他的形象一干二净,明亮闪光,全美国都感觉良好,因为有了他的好领导,民主党人都四散逃奔,去找个藏身之地,明年的当选连任已是囊中之物,尽管如此,他还是厌恶这次危机,厌恶一次次折磨人的天不亮就召开的会议。他厌恶自以为是和桀骜不驯的 F.登顿·沃伊尔斯,讨厌又矮又胖的沃伊尔斯穿一件皱巴巴的风雪大衣坐在他办公桌的对面,胆敢在跟合众国总统讲话的时候朝窗外张望。他一分钟后就要来这里会面,这是又一次紧张的交锋,沃伊尔斯照例只肯说出一部分他所知道的情况。

　　他恨透了被蒙在鼓里,只得到一点沃伊尔斯乐意吐出的情况。格明斯基也会扔给他一点。跟他们比起来,他什么都不知道。他总算有个科尔把他们送来的东西仔细看一遍,全都记住,管住他们老老实实。

　　其实他也恨科尔,恨他办事周到完美,恨他的才华过人,工作起来不要睡觉。这个科尔还要把当天的破烂装满一皮包带回家去,看它一遍,推敲一遍。科尔累了的时候会睡上 5 小时,一般都是三四小时。他每天晚上 11 点离开他在白宫西厅的办公室,坐在豪华汽车的后排,回家的一路上都在看文件。他认为凌晨 5 点以后到达他的办公室便是一条罪过。如果他可以每周工作 120 小时,别人就应该至少工作 80 小时。他要求 80 小时。3 年过去了,当今总统主政之下的白宫里没有人能记得起因为每周工作不满80 小时而被弗莱彻·科尔踢开的人一共有多少。这样的事情至少每月 3 次。

情况极其紧张,一次难对付的会议即将举行,碰到这样的早晨,科尔的心情特别愉快。一周来跟沃伊尔斯玩的这场斗法已经使他笑脸常开。两个秘书忙进忙出,总统正在浏览《华盛顿邮报》,他便站在办公桌的旁边阅读函件。

总统看他一眼,他穿一身一尘不沾的笔挺黑色套装,白衬衫,系一条红色真丝领带,头发剪到耳朵上面,头油稍嫌重了一点。总统已经对他产生厌恶之心,但是这种心情很快就会过去,只消这场危机结束,他一回到高尔夫球上,科尔便会鞠躬尽瘁,料理一切。

科尔打了一个榧子,眼睛朝两个秘书看看,她们知趣地溜出了椭圆办公室。

"他还说只要我在这里他就不来。真是滑稽。"科尔显然是觉得挺逗。

"我想他不欢喜你。"总统说道。

"他喜欢他能够踩在脚下的人。"

"我捉摸我得对他客气一点。"

"给他戴高帽子,总统。一定要他住手。这一套说法根本站不住脚,简直可笑,但是拿在他的手里就有危险性。"

"法学院学生是怎么回事?"

"我们在查。她不像是有坏心眼。"

总统站起来,伸一下懒腰。科尔理好文件。一个秘书在传话器里通报沃伊尔斯来到。

"我走开。"科尔说道。他会藏在角落里偷听和偷看。因为他的坚持,椭圆办公室里装置了3架闭路摄像机。监视器安放在白宫西厅的一个锁上的小房间里。只有一把钥匙,在他手里。萨吉知道有这么个房间,不过还不曾进去过。话得说回来,3架摄像机都是看不见的,这被当做是绝大的秘密。

总统觉得放心一点,因为他知道科尔至少可以偷看。他到门口去迎接沃伊尔斯,热情握手,然后领他在沙发上坐下,作一次亲热的、友好的闲谈。沃伊尔斯并不领情。他知道科尔要偷听,还要偷看。

但是为了符合此刻的气氛,沃伊尔斯脱下了他的风雪大衣,端端正正放在椅子上。他不喝咖啡。

总统架起腿。他穿一件棕色羊毛衫。

"登顿,"他庄重地说,"我要弗莱彻·科尔向你道歉。他不懂处世之道。"

沃伊尔斯微微点头。"他够得上是头蠢驴,是不是?"沃伊尔斯咕噜道。

"是的,够得上。我真得好好看住他。他非常聪明,干劲也大,不过有时候会做得过头。"

"他是个狗杂种,我可以当面对他这样说。"沃伊尔斯看了一眼托马斯·杰斐逊画像上头的一个通口,那里面有一个镜头正对着下面整个房间。

"是的,好的,我不许他干扰你,直到这件事情了结。"

"就这么办。"

总统慢慢地小口喝咖啡,思索着下面该说什么。沃伊尔斯不是以擅长言谈而知名的人。

"请你帮个忙。"

沃伊尔斯两眼睁定,一眨不眨。"是的,总统。"

"我得把这份鹈鹕案情摘要扣下来。真是胡思乱想,但是,见鬼,它还提到了我。难道你真把它当一回事?"

哦,这才有趣了。沃伊尔斯强忍住不笑出来。这招果真起作用。总统先生和科尔先生手忙脚乱就是为了这个鹈鹕案卷。星期二很晚他们收到它,星期三为它伤了一天脑筋,现在才到星期四一大早醒来的时候,他们便已下跪乞求。

"我们已经进行调查,总统先生。"这是谎话,可是他又怎能知

道呢?"我们要追查一切线索,一切涉嫌的人。如果我不是认真对待的话我就不会把它送过来了。"沃伊尔斯的晒成棕色的额头上皱纹攒成一簇,他心里只想要笑。

"你们知道多少?"

"不多,我们才开始。我们收到这份材料还不到48小时,我派了新奥尔良的14名探员开始深挖。完全是照章办事。"这一通谎话说得活龙活现,他几乎听得见科尔喘不过气了。

14个人!这一下吓得他非同小可,他立即坐直了身体,把咖啡放在桌上。14名特工在那边出动,亮出证件,叫人回答问题,把这件事情捅出去只不过是个时间问题。

"你刚才说14人,听起来好像是挺认真的。"

沃伊尔斯寸步不让。"我们非常认真,总统先生。死者遇害已经一个星期,凶犯的踪迹也变冷变淡了。我们尽快追查一切线索。我手下的人日夜不停地工作。"

"这一切我都明白,这个鹈鹕的说法到底有多么严重呢?"

见鬼,这是说着玩的。案情摘要还没有送到新奥尔良去。事实上还没有跟新奥尔良联系过。他交代了埃里克·伊斯特邮寄一份复印件给那里的办事处,命令他们不要声张,问几个问题。这是一条死线,跟他们正在追查的上百条其他线索一样。

"我不相信真会有什么结果,总统先生,但是我们得把它查清楚。"

"我不用跟你明说,登顿,如果新闻界知道了,这样的胡说八道会有多大害处。"

"我们进行侦查并不跟新闻界商量。"

"我知道。我们不用多谈那个了。我只希望你不要再碰这件事。我是说,活见鬼,荒唐,我可能挨一下烫。你知道我说什么吗?"

沃伊尔斯不留情面。"你是要我放过一个嫌疑犯吗,总统先生?"

科尔的上身更加靠近荧屏。不,我是要你忘了这份鹈鹕案情摘要!他几乎大声说出来了。他完全可以把这件事跟沃伊尔斯说得一清二楚。他可以把话说得明明白白,如果这个矮胖的小混蛋胆敢放刁的话还要给他一巴掌。但是他现在藏身在斗室之内,并不在现场。而且,至少是在此刻,他知道他只能呆在这里。

总统挪动了一下, 把膝盖上的两条腿互相交换一下。"是啰,登顿,你知道我的意思。池里还有大鱼。新闻界都在注视调查工作,想要探听出谁是嫌疑犯。你知道他们的脾气。我用不着告诉你我跟新闻界没有什么交情。连我自己的新闻秘书都不欢喜我。哈,哈,哈。不妨暂时忘掉它。腾出手去追踪真正的嫌疑犯。这份东西是开玩笑,但是它要使我窘得无处容身。"

登顿死瞪着他看。毫不手软。

总统又挪动一下,"这个卡迈尔的情况怎么样?看起来很不错吗,嗯?"

"可能是。"

"是啊。我们刚才谈到了人数。你指派在卡迈尔方面有多少人?"

沃伊尔斯说:"15 人。"他差一点笑出来。总统不觉张大了嘴。给这场把戏中最热门的嫌疑犯派了 15 个人,给这份见鬼的鹈鹕案情摘要派了 14 个人。

科尔笑了,摇摇头。沃伊尔斯因为自己说谎而被逮住了。星期三的报告第 4 页最末一行,埃里克·伊斯特和 K.O.刘易斯开出的人数是 30,不是 15。放心吧,总统,科尔轻声对荧屏说道。他在拿你寻开心。

总统可是绝对不觉得有什么可以放心的。"我的天哪,登顿。怎么只有 15 个人?我还以为这是一个重要突破。"

"也许稍多几个。我掌握这个调查,总统先生。"

"我知道。你做得很好。我不来插手。我只不过希望你考虑一

下把时间花在别处。就这个要求。我在看鹈鹕案情摘要的时候差一点要呕出来了。如果新闻界看见了它并且刨根究底起来的话，我就得上十字架钉死了。"

"所以你要求我住手？"

总统俯身向前，狠狠看着沃伊尔斯。"我不是要求，登顿。我告诉你别理睬它。把它搁在一旁一两个星期，把时间用在别处。如果它再次露出火头，再看住它。这儿还是由我做主，记得吗？"

沃伊尔斯这才软了下来，还露出一丝笑容。"我可以跟你有个协议。你的打手科尔让我在新闻界面前出了丑，他们抓住我们对罗森堡和詹森提供的安全措施大做文章。"

总统庄重地点头。

"你别让那头狼狗盯住我的屁股，不许他靠近我身边，如果做到这一点，我就不提鹈鹕案卷。"

"我不跟人讲条件。"

沃伊尔斯心里骂了一声，但是表面上不动声色。"好啊，我明天就派 50 个人去新奥尔良。然后再去 50 人。我们在全城亮出证件，使出浑身解数去引起人们注意。"

总统顿时站起身来，走到开向玫瑰园的窗口。沃伊尔斯坐在那里，一动不动，等着。

"好说，好说。一言为定。我把弗莱彻·科尔管住。"

沃伊尔斯站起来，慢慢走近办公桌。"我不信任他，如果在这个调查中我再一次察觉有他插手，协议立即作废，我要投入全部力量去调查这个鹈鹕案卷。"

总统抬起双手，笑容满面。"一言为定。"

沃伊尔斯笑了，总统笑了，内阁中会议室旁边的一个小房间里，弗莱彻·科尔对着荧屏笑了。打手、狼狗，他欢喜，这样的称呼可以扬名后世。

他关掉了荧屏走出小房间，锁好房门。他们会再谈上 10 分钟,关于被提名人的背景调查,他可以到他的办公室去听,那里有音响设备,没有影像设备。他9点钟要开工作人员会议。10点钟要开除一名员工。他还要用一下打字机。他的大多数通知都是对着机器口授,把录音带交给秘书。也有偶一为之的情况,他觉得需要采用一下无头告示的手法。这种书面通告总归是在白宫西厅广泛分发,而且总归引起火爆的争论,并且经常会流传到报纸上去。这样的通告都没有具名,几乎每一个办公桌上都发了一份,科尔会大声呵叱。为了这种无头告示的通告他还开除过人,其实它们全是从他的打字机里出来的。

一张公文纸,一共4段,单行间隔,概括叙述了他所知道的卡迈尔以及他新近飞离华盛顿的情况,还有闪烁其词的跟利比亚人和巴勒斯坦人的联系。科尔对它不胜赞赏。《华盛顿邮报》或《纽约时报》要过多久才会报道呢?他还自己跟自己下过小小的赌注,看哪一家报纸首先刊登。

局长到白宫去了,从那儿飞往纽约,明天回来。加文守候在K.O.刘易斯的办公室外面,直到房门开出一条小缝。他便乘机而入。

刘易斯觉得不高兴,不过他总是彬彬有礼。"你好像吓坏了。"

"我失去了最好的朋友。"

刘易斯等他说下去。

"他名叫托马斯·卡拉汉。他就是从图兰大学来的那个人,给我带来了鹈鹕案情摘要,它在这儿传阅了一通就送到白宫去了,不知道还送往别处去没有,现在他已经死了。昨晚在新奥尔良一枚汽车炸弹把他炸得粉身碎骨。这是谋杀。"

"我很难过。"

"这可不是个难过的问题。这枚炸弹显然是针对卡拉汉和他的学生的,写鹈鹕案情摘要的学生,一个名叫达比·肖的姑娘。"

"我见过这个名字,在摘要上。"

"对了。他们正在约会,爆炸的时候本来是应该一同在汽车里的,但是她命不该死,今天早上5点钟我接到这个电话,她打来的。吓得我要死。"

刘易斯听着,但是已经决心一推了之。"你不见得确实知道这是炸弹吧。"

"她说这是炸弹,是的,轰隆一声!全都炸得精光,是的。我确实知道他死了。"

"你认为他的死和这篇文章有关?"

加文是个律师,侦查技术方面是外行,他不愿被人家看成容易轻信上当。"可能有关。我想是的,难道你不相信?"

"没关系,加文。我刚才挂掉跟局长通的电话。鹈鹕案件不查了。我不清楚它是否曾经列入调查范围,但是我们不再为它花时间了。"

"但是我的朋友给汽车炸弹杀死了。"

"我觉得难过。我相信那边的当局一定在调查。"

"听我说,刘易斯,我求你帮个忙。"

"听我说,加文。我实在无能为力。我们现在要追的案子够多了,局长叫停,我们就停。你完全可以自己找他谈。我劝你还是不要找他。"

"也许我的做法不对。我以为你会听我说话,至少会表示关心。"

刘易斯绕过办公桌走来。"加文,你面色不好,今天不要上班。"

"不。我回办公室去,等一个小时,再到这儿来,再作一次努力。我们可以在一小时后再试一次吗?"

"不。沃伊尔斯说得清清楚楚。"

"还有姑娘呢,刘易斯,他已经死了,她现在还躲在新奥尔良,心惊胆战,有人跟踪她,她向我们求救,而我们却是太忙了,顾不过来。"

"我觉得难过。"

"不,你不要觉得难过。是我不好,我要是把那份东西扔进垃圾桶就好了。"

"它是为了一个有价值的目的,加文。"刘易斯把手搁上他的肩头,仿佛是说就到此为止,他已经厌烦这一套胡说八道。加文转身朝门口走去。

"是啊,它给了你们这些人一点好玩的东西,我早把它烧掉就好了。"

"那是一篇好文章,烧不得,加文。"

"我不罢休。过一小时我再来,我们重新谈。这一次谈得不对头。"维尔希克出去,砰的一声把门关上。

她从卡纳尔街进入鲁宾斯坦兄弟公司,消失在男子衬衫架格之间。没有人跟踪进来。她很快挑选了一件男式小号的深蓝色风雪大衣、一副不分性别的飞行员太阳眼镜,以及一顶英国的驾车帽子,也是男式小号,大小正好。她用信用卡付钱。售货员办理信用卡手续的时候,她把风雪大衣的价格标牌扯掉,便穿上身去。大衣很宽大,好像是她穿了上课堂的服装一样。售货员客客气气地看着她。她向马加津街走去,消失在人丛中。

回到卡纳尔街。从一辆大车子下来的旅客拥进喜来登饭店,她便混在他们当中。她走到装了一排电话的墙边,查到了号码,接通了她的隔壁邻居陈太太,问她看见过或听到什么人来过没有?对方说,一大早,听见一声敲门。天还未亮,把他们敲醒了,但没看见什么人,只听见敲门声。她的车子仍旧停在街上。

她看着旅客们,摁动了加文·维尔希克的内部号码。

"你在哪儿?"他问。

"听我解释一下。在这个时候,我不能告诉你或任何人我在什么地方。所以,你不要问。"

"好的。我想一切都听你的。"

"谢谢你。沃伊尔斯先生说什么了?"

"沃伊尔斯先生上白宫去了,我找不到他。我设法今天晚些时候跟他谈。"

"太差劲了,加文。你在办公室里差不多 4 小时了,没干一点儿事情。我期望的不只如此。"

"需要耐心,达比。"

"耐心要送掉我的性命。他们要抓住我,是不是,加文?"

"我不知道。"

"如果你知道人家要杀死你,而要杀死你的人已经暗杀了两位最高法院大法官,还干掉了一位清白无辜的法律教授,他们拥有上百亿美元,而且他们显然是不惜用这笔钱去杀人的,这时你该怎么办,加文?"

"去找联邦调查局。"

"托马斯去过联邦调查局,他已经死了。"

"谢谢,达比。那样说不公平。"

"我现在担心的不是公平不公平,高兴不高兴,我更关心的是要活到中午。"

"别上你的公寓去。"

"我不是笨蛋。他们已经到我家去过了。我相信他们还监视着他的公寓。"

"他的家人在什么地方?"

"他的父母住在佛罗里达州那不勒斯。我猜想校方会跟他们联系的。他有一个兄弟在莫比尔,我想到过给他电话,跟他说明整个情况。"

她看见了一张面孔。他在旅客登记处的前面的一群游客中走动,拿着一份折好的报纸,企图显得跟其他旅客一样平常普通,但是他走路不大自然,眼睛在搜索寻找。他瘦长面孔,圆眼镜,额头闪亮。

"加文,听我说。写下来。我看见了一个不久前见到过的人。也许一小时前见过。6英尺2英寸左右,瘦个儿,30岁,戴眼镜,谢顶,深肤色。他走了。他已经走掉了。"

"这鬼家伙是谁?"

"我们没见过面,谁知道!"

"他看见你了吗?你在什么鬼地方?"

"在一家旅馆大厅。我不知道他是否看见我了。我得走了。"

"达比!听我说,不论你干什么,跟我保持联系,好吗?"

"我争取。"

厕所在转弯角上,她走到最后一个便位,锁上门,在里面呆了一小时。

17

摄影记者克罗夫特在《华盛顿邮报》干了 7 年,直至他第 3 次因毒品罪而被关了 9 个月,现在假释在外。他宣称自己是自由开业的艺术师,在电话簿上刊登了这样的广告。电话难得一响。这一行业务他做得不多;他干的是给那些不知道自己成了靶子的人们拍照。他的许多顾客都是办离婚的律师,他们需要一点对方的脏东西拿上法庭。干了两年自由开业之后,他又掌握了几手把戏,现在便自命是个三脚猫的私家侦探了。如果有人请他的话,收费每小时 40 美元。

他有一个顾客是格雷·格兰瑟姆,他在报馆工作时的老友。格兰瑟姆是个严肃的、讲职业道德的记者,不过,当他需要一点肮脏玩意儿时,就来电话。克罗夫特欢喜格兰瑟姆,因为此人能直说自己需要的不光彩的东西,不像别人装出一副圣人面孔。

他坐在格兰瑟姆的沃尔沃汽车里面,因为这辆车上有电话。时已正午,他正在过他的中午大麻烟瘾,他把所有的窗玻璃都放下了,不知气味是否还会留在车内。他的最好作品都是在半醒半醉的时候产生的。一个人如果为了谋生而去守候汽车旅馆的话,他是需要沉醉的。

微风习习,从汽车右边窗口吹进来,把气味送到宾夕法尼亚大街上去。他是非法停车,又吸毒品,但他并不真正担心。

电话亭子在相距一个半街区的前方,在人行道上,但是那儿已经不是大街。他使用一架望远镜,可以看清挂在架子上的电话簿。这事情太简单了。一个肥大的女人在里面,把亭子塞得满满的,说话时两手动个不停。克罗夫特深吸一口,注视着反光镜里有没有警察,这儿是要把非法停车拖走的地段。宾夕法尼亚大街上交通繁忙。

12 点 20 分,胖女人艰难地挪出亭子,不知从哪儿出来一个青年男子,穿一身漂亮套装,走了进去把门关上。克罗夫特端起尼康相机,镜头搁在驾驶盘上。天气晴冷,人行道上匆忙来去的都是赶午饭的行人。喀嚓,喀嚓。对象正在摁电话按钮,又向周围扫视。这就是他要找的人。他正在说话。克罗夫特接连按动快门。能拍多少就拍多少,格兰瑟姆跟他这么说的。喀嚓、喀嚓。克罗夫特两分钟就拍完了 36 张的一卷,接着便抓起另一只尼康。他把镜头旋进去,等候着人群走过。

这个对象是个言语不多的男子。他挂上电话。四周张望,开门,四周张望,朝克罗夫特走来。喀嚓,喀嚓,喀嚓,喀嚓,拍下整个面孔,整个身体,他走得更快,走得更近,好得很,好得很。克罗夫特狂热地工作,直到最后把尼康相机放下为止,那个人已在身旁走过,消失在一群人中。

加西亚疑虑重重,犹豫不决。他有一妻一子,他说,他吓得要死。他有事情要说,但是就是下不了决心。他对任何人都信不过。

照片拍得很妙。克罗夫特并不是他最欢喜雇用的人。他常常是大麻吸得晕乎乎的,从他拍的照片里都看得出来。但是克罗夫特一副倒霉相,不惹人注意,熟知报馆工作的门道,并且又可以招之即来。他挑选出 12 张,放大成 5×7 英寸,全部刮刮叫。右侧面,左侧面,正面贴着话筒,正面看着镜头,正面全身距离不到 20 英尺。

加西亚是个律师,年纪不到 30 岁,眉清目秀,一表人才,深色短发,深色眼睛。他可能是西班牙人的后裔,但不是深肤色。他衣着昂贵,藏青套装,大概是毛料,不带条子,也无花样。普通的小方领白衬衫,丝领带。普通的黑色或深棕色尖头皮鞋,光可鉴人。没

有一只公文包,这令人费解。不过,这是午饭时间,他大概是从办公室里跑出来打电话的,马上就要回办公室去。这儿距离司法部一个街区。

格兰瑟姆研究了一番照片,眼睛不停地注意门口。萨吉从不迟到。天色已黑,俱乐部也客满了。这一带3个街区之内格兰瑟姆是惟一的白人面孔。

首都地区的成千上万名政府律师中,他见到过几个懂得衣着的人,但是为数不多,特别是较年轻的人中,加西亚是重视服装的,他太年轻,太讲究衣着,不会是政府律师。所以他是私人律师,看来在一家公司里面已有三四年了,收入大约在8万以下。这就把调查范围缩小了。

门开了,一个警察走进来。通过弥漫的香烟和水气,他看得出来是克利夫。这是一家规矩的酒店,没有骰子,也没有娼妓,所以一个警察的出现也没有人大惊小怪。他坐在小包间里格兰瑟姆的对面。

"是你选的这个地方吗?"格兰瑟姆问他。

"是啊。你喜欢吗?"

"我这么跟你说吧,我们必须不引人注意,对吧?我在这儿接受一个白宫雇工的秘密消息。可不是一件小事。现在你告诉我,克利夫,我这么个大白人坐在这儿是不是引人注意?"

"格兰瑟姆,你并不像你自己以为的那样出名。你瞧那些坐在吧柜边的人。"他的目光朝向坐满建筑工人的吧柜。"如果那边的任何一个人曾经看过一份《华盛顿邮报》,曾经听到过格雷·格兰瑟姆这个名字,或者会关心一下白宫里发生了什么事情,那么我把自己的工资输给你。"

"算了。算了。萨吉在哪儿?"

"萨吉觉得不舒服,他叫我给你传个话。"

这可不成。他可以把萨吉作为一个消息来源,但不能让萨吉的儿子或任何别的跟萨吉说过话的人来传递消息。"他得了什么病？"

"人老了。他今晚不想说话，但是这件事情很重要，他说。"

格兰瑟姆听着，等着。

"我的车子里有一个信封，密封得严严实实的，萨吉交给我们的时候说得毫不含糊，告诉我不许打开。只管交给格兰瑟姆先生。我想这是重要东西。"

"我们走。"

他们穿过人群走到门口。巡逻车非法停在街沿。克利夫拉开右车门，取出信封。"他在白宫西厅拿到的。"

格兰瑟姆把它塞进口袋。萨吉不是偷东西的人，在他们的交往中从来不曾提供过一份文件。

"谢谢，克利夫。"

"他不肯告诉我这是什么东西，只说等着读报纸上的消息。"

"告诉萨吉我爱他。"

"我相信这准会使他激动。"

巡逻车开走了，格兰瑟姆急忙赶回他的沃尔沃车，他关上车门，开亮车顶灯，撕开信封。这明明白白是一份白宫的内部通报，有关一个名叫卡迈尔的刺客。

他飞驶过市区。出了布赖特伍德街，进入第16大街，向南朝着华盛顿市中心驶去。快7点半了，如果他在一小时内赶写出报道的话，它就来得及登上迟出的本市版，10点半钟报纸就会从卷筒机里出来。幸亏他的小车中有电话，当初买它的时候他还很舍不得。他打通了电话，负责调查的助理总编辑史密斯·基恩，还在5楼的新闻编辑室里。他又打电话给国外部的一个朋友，请他把一切有关卡迈尔的东西都调出来。

他对这张通报觉得可疑。如此敏感的词语不该写在纸上，在

办公室乱扔。也许有某一个人,或许就是弗莱彻·科尔,想使全世界都知道卡迈尔这么个嫌疑犯,有关此人的种种情况:他是个阿拉伯人,他和利比亚、伊朗和伊拉克等几个仇恨美国的国家都有瓜葛。大笨蛋的白宫里面有人想把这条新闻登上头版。

然而这可是一条惊人新闻,它也是头版消息。他和史密斯·基恩两个人到 9 点钟就把它写成了。他们找出两张旧照片,照片上的人被广泛地认为是卡迈尔,但是两个人又极不相像,倒像是两个不同的人。基恩说两张全登。关于卡迈尔的档案内容简略得很。多的是谣言传说,很少实在的东西。现在,根据来自白宫的秘密来源,一个最可靠的信得过的来源,卡迈尔是杀害罗森堡和詹森两位大法官的嫌疑犯。

亡命街头 24 小时后,她还活在人间。此刻,她已疲倦。她在马里奥特饭店 15 楼的一间客房里,门栓上了,灯都亮着,一罐强力的梅氏催泪气横在床罩上面。她的浓密的深红头发现在装进了一个纸袋放在壁柜里。上一次剪掉头发是在她一岁的时候,是她母亲剪掉了她的辫子。她又花上两个小时把它染成黑色。她本可以把它漂白,成为一个金发女郎,但是那会显得太惹眼。

她累得要死,又不敢睡觉。白天里她没有看见喜来登的那个人,但是她在外面走动的时间越长,她见到的相同的面孔就越多。他就在外面,她知道。他还有同伙。如果他们连罗森堡和詹森都暗杀得了,还结果了托马斯·卡拉汉,干掉她还不容易。

她不可走近她的汽车,她也不想租车。租车会留记录,他们大概会注意到。她可以飞走,但是他们守候在机场。乘长途汽车,她又从来没有买过一张车票,也从来没有上过一辆灰狗汽车。

既然发现她已失踪,他们一定知道她要出逃。她不过是一个小小的女大学生,眼看她的情人炸得粉身碎骨、烟飞灰灭而伤心断肠。她会找个地方孤注一掷,冲出城去,他们就可以把她掐掉。

　　这时她对这个城市颇有好感了。它有一百万个旅馆房间，有差不多同样数目的小弄堂、小酒店和酒吧，还有波旁街、沙特街、多芬街、罗亚尔街，街上永远有人群往来行走。她熟知这个城市，她可以在一家家的旅馆里过上几天，到什么时候为止呢？她不知道可以住到什么时候。她也不知道为何如此。她只知道在目前情况下不断迁移是聪明做法。她可以早晨不上街去，那时就好睡觉，她要换掉衣帽和墨镜。她要开始吸烟，口里叼一枝。她要不停地换地方，直到她没有力气为止，而到那时就要离开这座城市了。吓得要死，这还是可以忍受的。她得不断地动脑子。她得活下去。

　　她想到过打电话给警察，但是现在还不能打。他们要写下名字，保存记录，这些都是有危险性的。她想到过打电话给托马斯在莫比尔的兄弟，但是在这个时刻那个伤心的男人不可能做任何一件事情给她帮助。她想到过打电话给院长，但她怎么解释得清楚那份案情摘要、加文·维尔希克、联邦调查局、汽车炸弹、罗森堡和詹森、她自己的逃亡，并且使别人听起来觉得可信。别提院长了，她根本不欢喜他。她想到过打电话给几个法学院的同学，但是到处都有人谈论，到处都有人偷听，他们也可能混在人群中偷听别人议论可怜的卡拉汉。她想要跟她最要好的朋友艾丽斯·斯塔克谈。艾丽斯为她担心，艾丽斯会去找警察，告诉他们她的好朋友达比·肖失踪了。她明天要给艾丽斯去电话。

　　她打电话要餐厅把饭菜送到房间里来，她要了墨西哥生菜和一瓶红葡萄酒。她要把酒喝光，然后拿着一根狼牙棒坐在椅子上，看着房门，直到她睡着。

18

格明斯基的豪华汽车在卡纳尔街上来了一个放肆的大掉头，好像这条街道归它所有，然后在喜来登饭店门前来了个急刹车。后座的两边车门同时飞开。格明斯基头一个出来，他的 3 个助手紧跟而出，都拎着公文包快步随行。

时间将近凌晨两点，局长显然有急事在身。他没有在正门的接待桌前停步，而是直趋电梯，助手们跟着他跑。他们乘电梯上了 6 楼，谁都不开口说话。

他的 3 个探员等候在一个僻静的房间里。其中的一个人开了门，格明斯基只顾朝里面闯而不打一声招呼。助手们把包丢在床上。局长脱掉上衣丢在椅子上。

"她在哪儿?"他突然向一个名叫胡滕的探员发问。另一个名叫斯旺克的拉开了窗帘，格明斯基走到窗前。

斯旺克指向马里奥特饭店，街道对面，相距一个街区。"她在 15 楼，离开街面的第 3 个房间，灯光还亮着。"

格明斯基朝马里奥特看着。"你能肯定吗?"

"是的。我们看见她进去的，她用信用卡付的钱。"

"可怜的孩子，"格明斯基说道，离开窗口。"她昨晚在什么地方?"

"在罗亚尔街的假日旅馆，用信用卡付的钱。"

"你们看到有人跟踪她没有?"局长问道。

"没有。"

"我要点水。"他跟一个助手说，助手立即奔向冰桶搅响了冰块。

格明斯基在床沿坐下,捏紧手指头,每一个指节都捏出了响声。"你觉得怎么样?"他问胡滕,3 个探员中最年长的一个。

"他们在追寻她。他们连石头缝里都要找。她在使用信用卡。她活不了 48 小时。"

"她可不见得那么蠢。"斯旺克插话,"她剪短了头发,把它染成黑色。她不断迁移。看得出来,她不打算马上离开本市。我相信 72 小时内他们还找不到她。"

格明斯基小口喝水。"这就表明她的小小摘要命中了要害。这也表明我们的朋友现在是个垂死挣扎的人。他在哪儿?"

胡滕立即回答:"我们毫无所知。"

"我们必须找到他。"

"他没有露面已经 3 个星期了。"

格明斯基把玻璃杯放在桌上,拿起一把房门钥匙。"你想该怎么办?"他问胡滕。

"我们要逮住她吗?"胡滕问他。

"这可不容易,"斯旺克说道,"她可能有枪,会伤人。"

"她是个吓坏了的孩子。"格明斯基说道,"她是老百姓,不是黑道中人。我们不能随便到马路上去抓老百姓。

"那她就活不长了。"斯旺克说道。

"你怎么去逮她?"格明斯基问道。

"有几个办法,"胡滕回答,"在街上抓住她,或者到她的房间去。如果我马上离开这里,不消 10 分钟我就可以进入她的房间,没有太大的困难。她不是专门干这一行的。"

格明斯基在房间里慢慢踱来踱去,大家都看着他。他看了一眼手表。"我不赞成去抓她。让她睡上 4 小时,到 6 点钟跟她会面。如果你们能够说服我需要逮住她,我也可以让你们去干。好吗?"

他们点头服从。

　　酒起了作用。她在椅子上打瞌睡,于是便上床去沉沉入睡。电话响起。床罩挂到地板上去了,她的两只脚在枕头上。电话响着,眼皮粘连在一起。脑子完全麻木,失落在梦乡里了,但是脑子深处的某一个深穴中还有点起作用的东西,告诉她电话在响着。

　　她的眼睛张开了,但是看不见东西。太阳已经升高,灯光亮着,她看着电话机。不对,她没有吩咐过打电话唤醒她。这一点她想了一秒钟,然后便很清楚了。不是唤醒电话。她坐在床沿,听着电话响。5次、10次、15次、20次。它还不停。可能号码错了,但是错号响20次就停。

　　这不是错号。迷迷糊糊的脑子开始清楚了,她移近电话。除了登记处的职员或者负责送饭到房的人,没有一个人知道她在这个房间。她打电话要过食物,没有打过别的电话。

　　电话声停了。好,是错号。她走到浴屋,它又响了。她数着。响了第14次以后,她拿起听筒。"喂。"

　　"达比,我是加文·维尔希克。你没事吗?"

　　她在床沿坐下。"你怎么知道电话号码的?"

　　"我们有办法。听我说,你——"

　　"等一下,加文,等一下。让我想想。信用卡,对吗?"

　　"对啦。信用卡,纸上的线索。联邦调查局的人,达比,是有办法的。这不是大难事。"

　　"那么他们也办得到。"

　　"我想是的。住小旅馆付现钞才行。"

　　她的心头一沉,翻倒在床上。这么回事。不困难。纸上的线索。她可能被他们根据纸上的线索杀掉。

　　"达比,你还在听电话吗?"

　　"是的。"她看看门上链条是不是插上。"是的,我在听。"

　　"你安全吗?"

　　"我想是的。"

"我们知道一些情况。明天3点钟在校园开追悼会,接着在市内进行葬礼。我和他的兄弟谈过,他们家人要我参加抬灵柩。今天晚上我就到那里。我想我们应该会面。"

"为什么我们应该会面?"

"你必须相信我,达比。你的性命危在旦夕,你必须听我的话。"

"你们一伙人想干什么?"

停顿一下。"你是什么意思?"

"沃伊尔斯局长怎么说?"

"我还没有跟他谈话。"

"这是怎么回事,加文?"

"我们眼前还没有采取行动。"

"这到底是什么意思,加文?说给我听听。"

"因此我们需要会面。我不想在电话里谈这个。"

"我们在电话里交谈非常方便,你现在能够做的就是这个。我们就这么着吧,加文。"

"你为什么不信任我?"他觉得很委屈。

"我要挂掉电话了,好吧。我不欢喜那样。如果你们一伙人知道我在哪儿,那么说不定走廊里也有人在等我。"

"别胡说,达比。你该用脑子想一想。我知道你的房间号码已经一个小时,除了给你电话什么也没干。我们是在你的一边,我发誓。"

她考虑了一下。有道理。但是他们这么容易就找到她了。"我在听着。你还没有跟局长谈,联邦调查局又不采取行动,这都为了什么?"

"我不很清楚。他昨天决定不要查究鹈鹕案卷。还发出指示把它搁在一边。我能够告诉你的就是这些。"

"实在不多。他知道托马斯吗?他知道我本来是要跟托马斯一

起死的吗?他知道因为我写了这个摘要,托马斯把它给了你这个法学院的老同学,48 小时之后他们就要杀死我们两个人吗?天知道他们是什么鬼东西。他知道这一切吗?加文?"

"我想不会。"

"你的意思是他不知道,是不是?"

"是的。不知道。"

"那么,听我说。你是不是认为托马斯被杀害是由于这个摘要?"

"也许吧。"

"那就等于说是的,不是吗?"

"是的。"

"谢谢。如果托马斯因为案情摘要而被杀害,那么,我们就知道是谁杀了他。如果我们知道是谁杀了托马斯,那么,我们就知道是谁杀了罗森堡和詹森。对吗?"

维尔希克说不出话。

"就说个是吧,活见鬼!"达比大喝一声。

"我还得说也许。"

"好啊。一个律师说出'也许',意思就和'是'一样。我知道你能说的也就是这句话了。这个'也许'可是非常强有力的,然而你却告诉我说联邦调查局对我们的小小的嫌疑犯不予追究。"

"定下心来,达比。让我们今晚会面来谈这个问题。我可以救你的命。"

她把话筒小心地放在枕头下面,走出洗澡间,她刷了牙齿,也刷了刷剪剩的头发,然后把盥洗用品和洗换衣服装进一个新帆布包。她穿上风雪大衣,戴上帽子和太阳镜,轻轻把门关好。走廊上没人。她走上两层楼梯到 17 楼,乘电梯到 10 楼,再装着没事一样走下 10 层楼梯,来到大厅。楼梯的门离厕所不远,她立即进了女厕所。大厅里似乎没有人。她走进一座便间,锁上门,等了一阵。

星期五早晨,在法国区。空气凉爽清洁,没有食物和邪恶的残余气味。上午 8 点钟——没到人们上街的时间。她步行了几个街区,使她的头脑清醒起来,计划一天的行动。杜梅因街上,靠近杰克逊广场,她找到一家从前见到过的咖啡馆。店里几乎没有顾客,最里边有一只付费电话。她给自己倒了一杯浓咖啡,放在靠近电话的一张桌上。她可以在这儿说话。

维尔希克不到一分钟就接到电话。"我在听呐。"他说。

"你今晚呆在哪儿?"她问道,注意着门口。

"希尔顿,在河边。"

"我知道它在哪里。今晚深夜或明天一早我给你电话。别再追查我的下落。我现在用现钞,不用信用卡了。"

"真聪明,达比。要经常迁移。"

"你到这儿的时候我也许已经死了。"

"不会的。你们那边能买到《华盛顿邮报》吗?"

"也许买得到。为什么?"

"快买一份。今天早晨的,有好消息,关于罗森堡和詹森以及谁干的。"

"我等不及了。我会再给你电话。"

第一家报摊没有《邮报》。她弯弯绕绕朝卡纳尔街走去,不露行踪,注意身后,经过圣安街,沿着罗亚尔街的古董铺,穿过比恩维尔街两边的色情酒吧,最后来到法国区,经过迪凯特街和北彼得斯街。她走得很快,却又若无其事。她显出一副办事情的神气走路,目光在太阳眼镜后面朝四面扫射。

她买了一份《邮报》和《新奥尔良时代花絮报》,在世界咖啡馆的角落里找了一张桌子。

头版。引述秘密的消息来源,这篇新闻报道了卡迈尔的传奇及其突如其来地卷入凶杀中去,报道说他早年为了信仰而杀人,

但现在纯粹是为钱而干此勾当。一位退休的情报专家是这样猜测的,这位退休专家同意直接引述他的原话,但是绝对不得透露身份。两张照片的形象模糊不清,但是并排刊登出来,显得阴森可怖。他们不像是同一个人。但是专家声称他是个无法辨认的人,没有人拍得到他的相片也十多年了。

一个服务员最后走过她的桌旁,她要了一杯咖啡和一只硬面包圈。专家说许多人以为他已经死了。国际刑警认为在6个月前他还杀过人。专家不相信他会乘坐商业航班。联邦调查局把他列为嫌疑犯名单的首位。

她慢慢翻开新奥尔良的报纸。托马斯没登上第一版,他的照片和长篇报道都在第二版。警方把此案列为杀人案件,但是没有什么线索可以查得下去。爆炸前不久有人看见一个白人妇女在那里。法学院的院长说全院师生都感到震惊。警察当局三缄其口。追悼会明天在校园举行。院长说这是一桩骇人听闻的误杀,如果这是谋杀的话,那就显然是杀错了人。

她的眼睛湿了,突然间她又感到害怕,也许这纯粹是一次误杀。这是一座暴力的城市,有的是疯子,也许有人搭错了线,找错了一辆车子,也许根本没有人在暗中紧跟她。

她戴上太阳镜,看着他的照片。照片取自法学院的年刊,脸上还带着他当教授的那副傻笑。他的胡子刮得干干净净,真的是一表人才。

星期五早上,格兰瑟姆关于卡迈尔的报道使华盛顿像是受了电击一样。报道没有提到通告,也没有提到白宫,所以京城里面最热烈的争论就是关于消息来源的猜测。

这个争论在胡佛大厦里面尤为热烈。局长办公室里,埃里克·伊斯特和K.O.刘易斯踱来踱去,心绪不宁,沃伊尔斯在和总统通电话,这是两小时内第三次通话了。沃伊尔斯破口大骂,不是针对总统本人，但是把周围的人都骂到了。他臭骂科尔，当总统也回骂的时候，沃伊尔斯便提出要他们把测谎器安装起来，把他的工作人员都绑上去测一次，头一个就绑科尔，看看到底是从哪里泄漏出去的。好的，活见鬼，好的，他沃伊尔斯也受测试，在胡佛大厦里面工作的每一个人都受测试。他们骂过来骂过去。沃伊尔斯脸红脖子粗，头上冒汗，他对着电话大喊，总统就在电话的另一头，一字不漏全部听见，沃伊尔斯对此毫不在意。他知道科尔正躲在什么地方听着呢。

总统显然掌握了这一场对话的主动权，开始了一通冗长的说教，沃伊尔斯掏出手帕擦拭额头，在他的皮转椅上坐下，调节呼吸以降低血压和脉搏。他发过一次心脏病，随时会发第二次，他跟刘易斯说过多次，弗莱彻·科尔和他的白痴上司早晚会送掉他的命。不过前头3位总统任内他都说过这样的话。他蹙紧额头上肥厚的皱纹，在转椅里陷得更深。"那个我们办得到，总统先生。"他现在几乎是快快活活了。他是个情绪可以急剧变动的人，在伊斯特和刘易斯的眼前他突然变得客客气气，变成了真正讨人欢喜的人。"谢谢您，总统先生。我明天去。"

他轻轻挂断电话，眼睛眯拢说。"他要我们对《邮报》的记者实行监视。他说我们以前干过，是否同意再干。我告诉他可以。"

"哪一种监视？"刘易斯问道。

"可以在市内跟踪。两个人24小时，看他晚上去哪里，跟什么人睡觉。他是单身，是吗？"

"7年前离了婚。"刘易斯回答。

"千万别叫人发觉。让便衣人员去干，每3天换一次人。"

"他真的相信是我们这边泄了密？"

"不，我想不会。如果是我们泄了密，那他为什么还要我们跟踪记者？我想他知道是他自己的人泄了密。他要我们去逮住他们。"

"这是给了个小小面子。"刘易斯凑趣地加上一句。

"是呀。注意别给人家察觉,行吗?"

L.马修·巴尔的办公室在乔治城 M 街上一幢破旧的办公室楼的 3 楼。门上一律没有标识。一名穿上衣戴领带的带枪警卫在电梯门口打发闲人。地毯破旧,家具古老,灰尘堆积,一眼看得出来这个部门没有钱可供房屋保养和日常开支。

巴尔是这个部门的主管,总统连任选举委员会下面的一个非正式、不公开的小处室。总统连任选举委员会有大套的富丽堂皇的办公室在河对面的罗斯林。那边办公室的窗子是开着的,秘书脸带笑容,女工每晚打扫。

弗莱彻·科尔步出电梯,对安全警卫点一点头,警卫除了点头回敬之外,全身一动不动。他们是老相识。他穿过破烂陈旧的小迷宫似的办公室向巴尔的办公室走去。科尔以从不自欺而自豪,在华盛顿他也确实谁都不怕,也许惟有马修·巴尔是个例外,他有时候怕他,有时候不怕,但是他永远敬佩他。

巴尔在海军陆战队干过,也在中央情报局干过,他是一个因为安全违禁而两次被判重罪的前间谍,他赚到的好几百万都隐藏下来了。他在一处轻罪拘禁所里呆了几个月,不算正式判刑。科尔亲自招募巴尔主持这个单位,它在正式编制中是不存在的,它的年度预算是 400 万,全是现金,来自形形色色的政治行贿基金,巴尔手下有一小股精悍的打手,他们不声不响地完成本部门的任务。

巴尔的房门永远关着。他开了门,科尔走进房间。会面时间不长,照例如此。

"让我猜一下,"巴尔先开口,"你要查明泄密的人。"

"算你猜对了。我要你跟踪这个记者格兰瑟姆,24 小时跟踪。了解他跟谁说话。他能取得一些非常重要的东西,我担心是从我们这里得到的。"

"你们走漏消息就像纸板箱漏水一样。"

"我们那边有些问题,但卡迈尔的消息是故意放的风。是我自己干的。"

巴尔一听就笑了。"我想也是这样。它显得太清楚,太巧合了。"

"你碰上过卡迈尔吗?"

"没有。10年前我们就相信他死了。他也乐得人家这样相信。他是个放弃自我的人,所以他永远不会被人逮住。他可以在圣保罗的一个纸板棚里住6个月,吃树根和老鼠充饥,然后飞到罗马去杀害一个外交官,接着又去新加坡过几个月。他根本不看关于他本人的剪报。"

"他多大年纪?"

"你为什么要关心?"

"我觉得好奇。我想我知道是谁雇他杀死罗森堡和詹森的。"

"噢,真的。你能给我吹点风吗?"

"不。不到时候。"

"他的年龄在40到45之间,这个年纪不能算老,不过他15岁时就杀死了一个黎巴嫩的将军。所以他杀人的资历很长。这全是传说,你知道。他能够两手杀人,双脚杀人,用一把汽车钥匙杀人,用一枝铅笔杀人,随便用什么东西都能杀人。他用任何武器都能百发百中。他会说12种语言。这些你全听过了吧,是不是?"

"是呀,但这全是吹牛。"

"好的。他被看成是全世界最熟练的刺客。他在早年不过是个一般的恐怖分子,但是他的本领高强。岂能只干此扔炸弹的玩意儿,所以他成了一个待价而沽的刺客。如今他已有点年华老去,就靠杀人赚钱。"

"多少钱?"

"问得好。他大概是属于一次买卖收一千万到两千万的档次，我听到过属于同一档次的另外只有一个人。有一种说法认为他和别的恐怖组织分享收入。没有人知道实情。照我猜想，你是要我去找到卡迈尔，把他本人活活带回来。"

"你别去打扰卡迈尔了。我不过是欣赏他在这儿干下的事儿。"

"他有非凡的本领。"

"我要你跟踪格雷·格兰瑟姆，了解他跟什么人谈话。"

"有什么具体目标吗？"

"有一两个。有一个人名叫米尔顿·哈迪，在白宫西厅做看门人。"科尔丢了一个信封在桌上。"他已经在里面干了很多年，表面上是半盲人，但是我想他看见的和听见的都不少。跟踪他一两个星期。大家管他叫萨吉。想办法把他揪出来。"

"真了不起，科尔。我们要把这笔钱全用来跟踪黑人瞎子。"

"照我说的去做。干他 3 个星期。"科尔站起来朝门口走去。

"看样子，你已经知道谁雇了这个杀手？"巴尔说道。

"我们快要接近了。"

"我们单位巴不得出力效劳。"

"我很清楚。"

19

陈太太是这幢两家合住、分门出入的房子的主人,15 年来一直把另外半幢出租给法学院的女生。她接受房客十分挑剔,但为人安分守己,自己活,也让别人活,只求个大家平安无事。房子距离校园 6 个街区。

她应声开门的时候已经天黑。站在门槛下的是个美貌的少妇,深色短发,笑容里显出内心不安,心绪非常不宁。

陈太太皱起眉头看她,等她开口。

"我是艾丽斯·斯塔克,达比的朋友。可以进来吗?"她把眼光越过她的肩头看了一下。街上寂然无声。陈太太一人独居,门窗紧闭,锁得严严实实,但来客是个标致姑娘,笑容天真无邪,既然是达比的朋友,应该是靠得住的。她开了门,艾丽斯走了进去。

"出了什么事吗?"陈太太问道。

"是的。达比遇到了麻烦,我们现在还不能谈论这件事情。她今天下午来过电话吗?"

"来过。她说一个女青年要到她的公寓里察看一下。"

艾丽斯深吸一口气,尽力显得平静。"只要一分钟时间。她说一面墙上有一边门。我想最好不走前门或后门。"陈太太又皱起眉头,她的眼睛在问,为什么?但是她没有说出来。

"最近两天有人来过这公寓吗?"艾丽斯问道。她跟在陈太太后面走进狭小的门廊。

"没见来过人。昨天一大早,太阳还没出来,我听见一下敲门,但是我没出来看。"她拉开了一只靠在门边的桌子,插进去一把钥匙,把门开了。

艾丽斯在她前头进去。"她要我一个人进去,行吗?"陈太太想要问个清楚,但是她点了一下头,关上门让艾丽斯一个人在里面。走进门是一个小门廊,突然间什么都看不见了。左手边是房间,电灯开不亮。艾丽斯在黑暗中无法动弹。公寓里又黑又热,还有垃圾的浓烈气味。她本来就只想一个人进来,但是她不过是个法学院二年级学生,不是什么出风头的私人侦探。

想起来了。她伸手在大手袋里找到一枝铅笔那么细的电筒。里面一共 3 枝。万一需要时才用。什么万一?她不知道。达比说得十分具体,别让窗外看见里面有灯光,他们在外面守候。他们是些什么人呢?艾丽斯想知道。达比不知道,她说以后给她解释,但是首先得到公寓里先察看一下。

她仔细看过手电筒的顶端,拿定了主意,这玩意儿管用。它发光的能量相当于一根即将烧尽的火柴。她用它对准地板,看见一个微弱的圆圈,小橘子一样大小。圆圈在抖动。

她踮起脚尖沿着一个转角向房间走去。达比说过和电视机并排的书架上有一盏小灯,小灯一直亮着。这是她夜里的亮光,它应该射出一道微光穿过房间照进厨房。如果不是达比骗人,那就是灯泡不见了,或者被人旋下来了。在这时候,这已实在不成问题,因为房间和厨房里都是漆黑一片。

她站在房间中央的地毯上,一英寸一英寸地移向厨房餐桌,那上面应该有一架计算机。她一脚踢在茶几边上,手电筒灭了。她摇了摇,不亮。她在手袋里找到了第二枝。

厨房里气味更叫人难受。计算机和一叠空文件夹以及几本案例书一起放在桌上。她借助她的小手电筒察看主机架。电源开关就在前面。她摁了一下,黑白的荧屏逐渐升温。它放射出灰绿的亮光,照在桌上,但是不会射到厨房外面。

艾丽斯在键盘前坐下开始嘀嘀嗒嗒操作起来。她检出了"菜单",然后是"书单",再后是《案卷》。《目录》占满了荧屏。她仔细查看一遍。本来应该有 40 来个条目,但是她只见到不满 10 条。大多数存储都不见了。她开动了激光打印机,不消数秒钟,《目录》便印在纸上。她把它拉了下来放进手袋。

她亮起手电,站了起来,检查了一下计算机周围堆放的东西。达比估计的软盘数是 20,全都不见了。一盘都没有。案例书都是关于宪法和民法程序的,枯燥乏味,普通平常,谁都不会要它们。红色的文件夹整整齐齐地叠在一起,全是空的。

他或他们把这件事情做得干净、细心,花了两三个小时完成了清洗和收集的工作,只带走了一公文包或一口袋东西。

房间里面,靠近电视机,艾丽斯朝边墙上的窗口窥视。红色的雅阁汽车还停在那里,离开窗口不到四英尺,看上去好好的。

她旋进灯泡,立即打开开关,随手关掉。灯泡完好无损,她又把它旋下来,保持原状。

她的眼睛适应房间里的光线了,她看得见房门和家具的轮廓。她把计算机关掉,摸出房间来到走廊里。

陈太太仍旧站在原地等候。"好吗?"她问道。

"一切都好,"艾丽斯说,"还得请您密切注意,我一两天内会来电话,看看有没有什么人来过。还要请你不要告诉别人我来过这里。"

陈太太一边把桌子搬回门边。一边注意听她说话。"汽车怎么办呢?"

"没关系。看着点就行。"

"她都好吗?"

她们在房间里,快要到前门了。"她会平安无事的。我想她过两天就会回来。谢谢你,陈太太。"

陈太太关上门,上好门栓,从小窗口朝外看。艾丽斯在人行道上,消失在黑夜中。

艾丽斯步行了 3 个街区,上她的车子。

艾丽斯把车子停在波伊德拉斯街,离开她原定的停车地点太远了,她急匆匆赶到法国区深处的圣彼得街的座无虚席的牡蛎馆子的时候已经迟到了一小时。没有空桌,顾客都拥到长条柜台前面,已经挤了3层。她退缩在卖香烟机器的一角,在人丛中寻找。

一个服务员径直向她走来。"你在找另一位女客吗?"他问她。

她迟疑了一下。"对了,是的。"

他指向柜台的那一头。"转弯过去,右手第一个房间,里面有小桌子。我想你的朋友在那里。"

达比坐在一个小火车座里,沉下头看一瓶啤酒,戴太阳眼镜和帽子。艾丽斯紧握她的手。"看见你太好了。"她端详了她的发式,觉得有趣。达比取下太阳镜,两眼通红,一副倦容。

"我没有别人好找。"

艾丽斯听她说话,脸上毫无反应,想不出什么恰当的话,两眼没有离开她的头发。"谁理的发?"她问道。

"不错吧,嗯。我想它会再度流行,等我为了求职而受人接见的时候一定会给人留下印象。"

"为什么?"

"有人想要杀死我,艾丽斯。我的名字已经上了黑名单,掌握在一些很不好惹的人手里。我知道他们跟在我后面。

"杀死?你说过'杀死'吗?谁要杀死你,达比?"

"我不清楚。我的公寓怎么样了?"

艾丽斯不看头发了,交给她那个《目录》的打印纸。达比仔细看过,果然如此,这不是做梦,也不是误会。炸弹没有炸错了车子。鲁珀特和那个牛仔已经伸手逮住她。她看见的那张脸孔就是在找她。他们已经进入过她的公寓,擦掉他们所要擦的东西。他们正在到处找她。

"软盘都在吗?"

"没有。一张都没有。厨房桌上的夹子叠在一起,整整齐齐,全是空的。别的东西都井井有条。他们把夜间灯光的灯泡取了下来,所以屋里全是黑的。我检查了一下。灯是亮的。他们都是很细心的。"

"陈太太怎么说?"

"她什么都没看见。"

达比把打印纸放进口袋。"你瞧,艾丽斯,我突然间觉得害怕了。你犯不着被人家看见跟我在一起。也许我这个主意是错了。"

"他们是些什么人?"

"我不知道。他们杀了托马斯,他们还要杀我。我侥幸没死,现在他们就在找我。"

"但是为什么呢,达比?"

"你用不着知道,我也不好跟你说。你知道得越多,你的危险越大。相信我,艾丽斯。我不好把我所知道的事情告诉你。"

"但是我不会说出去的。我发誓。"

"万一他们强迫你说呢?"

艾丽斯环顾四周,仿佛毫不在意。她仔细端详了她的好友。她们两人自从入学以来就是亲密同学。她们一同上课学习,合用笔记,准备考试,结伴参加模拟审判,私下议论男生。艾丽斯还是知道达比和卡拉汉之间的关系的惟一同学。"我要救你,达比,我不怕。"

达比慢慢旋转酒瓶盖。"确实,我吓坏了。他死的时候我就在那儿,艾丽斯。地震一样。他被炸得粉身碎骨,我本来是应该跟他在一起的。炸弹的目标是我。"

"那就去找警察。"

"现在不行,也许以后吧。我害怕。托马斯去过联邦调查局,只过了两天便挨了炸弹。"

"那么是联邦调查局要找上你啰?"

　　"我想不是。他们一谈论,接近他们的人就听见了,听见的人中有坏人。"

　　"谈论什么呀?说啊,达比。我是你最要好的朋友。别玩把戏了。"

　　达比拿起瓶子喝了一小口,避开艾丽斯的眼睛,只顾看着桌面。"艾丽斯,我何苦告诉你一些会叫你送命的事情呢。"长久的停顿。"如果你要救我,明天去开追悼会。注意那里的一切,告诉别人我从丹佛给你打过电话,我住在那里一个姑妈家里,姑妈的名字你不知道,我这个学期辍学了,春季再来上学。一定要把这个谣言传出去。一定有人会认真听的。"

　　"好的。报纸上说他被炸死的时候有一个白人妇女在场,好像她有嫌疑或者别的关系。"

　　"我就在场,我本来也该送命。看了各家报纸,警察毫无线索。"

　　"好了,达比。你比我聪明,你比我见到过的任何人都更聪明。现在怎么办?"

　　"首先,走后门出去。走廊头上的厕所旁边有一道门。进门是储藏室,然后是厨房,然后是通向外面的后门。不要停步。小巷通到罗亚尔街。叫一辆出租车,送你回到你自己的车子。注意你的身后。"

　　"再有什么?"

　　"明天去开追悼会,把谣言传出去,两天内我给你电话。"

　　"你住在哪里?"

　　"没有一定。我一直在换地方。"

　　艾丽斯站起来,亲了一下她的面颊,便走了。

　　两个小时了,维尔希克重重地踩着地板,拿起杂志来,又把它们扔掉,通知旅馆送饭到房间里,开箱子取出东西。接下来的两个小时里,他坐在床上,喝热啤酒,眼睛看着电话。他要这样子看着直到半夜,他这样想,那么接下去又怎么样呢?

她说过要来电话。

只要她来电话,他就可以救她的命。

半夜,他又扔掉一本杂志,走出房间。新奥尔良办事的一位探员给了他一点帮助,告诉他两三处校园附近法学院学生常去的地方。他要上那儿去和学生们混在一起,喝一杯啤酒,听他们说话。学生们进城看球赛去了。她不会在那儿,不过那也没关系,因为他从未见过她。也许会听到点什么,他还可以顺便透露一个名字,留下一张名片,结识一个认识她的人做朋友。这样做也渺茫得很,但是比起干瞪着电话机来要强得多了。

他在离开校园3个街区的一家名叫律师酒吧的小店的吧台上找到一个位置。这是一家漂亮的大学格调的小酒店,墙上有球赛日期表和明星画片。

酒吧侍者像是大学生的样子。两瓶啤酒过后,顾客去了不少,吧台空了一半。

维尔希克要了第3瓶。时间已是一点半钟。"你是法学院同学吗?"他问酒吧侍者。

"恐怕是的。"

"我是一个律师。"维尔希克简直不知道该说什么。

"请问是干哪一行的律师?"酒吧侍者问。

"联邦调查局特别顾问。"

"那么你是在华盛顿?"

"对了,来这里看星期天的球赛。我是印第安人队的球迷。"他讨厌印第安人队,也讨厌一切有组织的球队。"你在哪儿上学?"

"这儿。图兰大学。我5月份毕业。"

"以后上哪儿?"

"大概上辛辛那提干一两年书记员。"

"你一定是个好学生。"

他耸一耸肩。"你要啤酒吗?"

"不要。你们有个托马斯·卡拉汉吗?"

"当然。你认得他?"

"我和他在乔治城法学院是同学。"维尔希克从口袋里抽出一张名片交给他。"我是加文·维尔希克。"他看了一眼名片,客客气气地把它放在冰桶旁边。

"你认识一个叫达比·肖的学生吗?"

"不认得。我没见过她,不过我知道她是谁。我想她是二年级学生。"一阵长时间的停顿。"为什么?"

"我们要跟她谈谈。"这个"我们"就是联邦调查局的意思,而不是加文·维尔希克他一个人。"我们"听起来庄重得多。"她常上这儿来吗?"

"我见过她几次。她可不会被人看不见。"

加文从口袋里抽出名片放在吧台上。"我要在希尔顿呆上几天,如果你看见她,或者听见了什么,就请给我打电话。"

"好的。昨晚有一个警察来过,来问话的。你不认为她和他的案子有牵连吧?"

"不,毫无关系。我们只是需要跟她谈谈。"

"我会随时注意的。"

维尔希克付掉啤酒钱,谢过了他,走到人行道上。他走了3个街区,来到"半个蚌壳酒吧"。差不多两点钟了。他累得要死,喝得半醉,踏进门去的时候乐队声响大作。店里光线很暗,挤满了人,有50个男大学生和女大学生在桌子上跳舞。他穿过突然起舞的人丛来到后面吧台处。

他看了看酒吧侍者们,都是年轻的学生。最年长的一个看来二十几岁,他在收款机上打出一张张发票,好像是在结账。他的动作急急忙忙的,像是下班时间已到。加文仔细观看他的一举一动。

他赶紧解下围裙,扔到角落里去,就走掉了。加文挤出人群,赶上了他,他已经准备好一张联邦调查局的证件。"对不起,我在联邦调查局工作。"他把证件伸到他面前。"你的名字是?"

那孩子一下呆住了,大惊失色地看着维尔希克。"哎,方丹,杰夫·方丹。"

"很好,杰夫。你瞧,没有什么麻烦,只问你两个问题。只要一秒钟时间。"

"好的,可以,什么事啊?"

"你是法学院学生,对吗?"

"是的。洛约拉大学。"

洛约拉!什么鬼地方!"是的,对了,我想就是那个大学。你听说过图兰大学的卡拉汉教授,明天开追悼会?"

"是的,报上全登了。我的大多数同学要去图兰大学。"

"你知道那里一个二年级学生名叫达比·肖的吗?很漂亮的女生。"

方丹笑了。"知道,去年她和我一个朋友约会过。她有时到这儿来。"

"多久以前?"

"有一两月了。出什么事了?"

"我们需要找她谈话。"他交给方丹名片。"请带在身边。我要在希尔顿饭店住上几天。如果你碰到她,或者听见了什么,就给我打电话。"

"当然。"他把名片塞进口袋。

维尔希克今晚的最后一站是一家灯光不亮的小弹子房,此刻里面人还不挤。他在吧台上付掉啤酒钱,观察了一下这个地方。一共有4张球桌。一个穿T恤衫的青年走到吧台要了一瓶啤酒。T恤衫是绿灰双色,胸前印了排字:图兰法学院,下面好像还有一个号码。

维尔希克不假思索地问他。"你是法学院的学生?"

年轻人从牛仔裤口袋取钱的时候朝他看了一眼。"恐怕是的。"

"你认识托马斯·卡拉汉吗?"

"你是谁?"

"联邦调查局的。卡拉汉是我的朋友。"

学生喝着啤酒,觉得可疑。"我上他的宪法课。"

妙啊!他一定认识达比。维尔希克表面上装作无所谓的样子。"你认识达比·肖吗?"

"你为什么要知道?"

"我们需要跟她谈话。就是为了这个。"

"谁是我们?"学生更加觉得可疑了。他向加文走近一步,好像要得到确实的回答。

"联邦调查局。"维尔希克从容作答。

"你有证件什么的吗?"

"当然。"他边说边从口袋里拿出一张名片。学生仔细地看了名片,然后交还给他。"你是律师,不是探员。"

这是要害的一点,律师知道,如果他的上司晓得他在外面找人问话,并且冒充探员,他就要失去他的职业。"是的,我是律师。卡拉汉和我是法学院的同学。"

"那你为什么要见达比·肖?"

酒吧侍者也挨近他们,正在旁听。

"你认识她吗?"

"我不知道,"学生说道,事实上他显然认识她,只是不肯多说。"她出来了吗?"

"没有,你认识她,是不是?"

"也许。也许不。"

"给我看证件,我就告诉你名字。"

　　加文从瓶子里喝一大口啤酒,笑着对酒吧侍者说。"我需要见到她,可以吧。非常重要。我要在希尔顿饭店住上几天。如果你见到她,请她给我电话。"他递一张名片给学生,学生看了看,走开了。

　　他三点钟时打开了房间的门, 查看了一下电话。没有人留言。不管达比在哪儿,她就是没打电话过来。当然,假如她还活着的话。

20

　　加西亚打来最后一次电话。格兰瑟姆在星期六天亮以前接到电话，也就是他们预定首次会面的两个小时之前。他不干了，他说，不是时候。如果消息公开出去，一些很有势力的律师和他们的巨富顾客要跌得很惨，这些人都是不甘心跌跤的，他们还要拖人下水。加西亚难免要遭殃。他有妻子和一个小女儿。他有一个工作，这个工作他还甘心忍受下去，因为收入很高，干吗要冒险呢？他没有做过亏心事，他的良心是清白的。

　　"那么你为什么老是给我打电话呢？"格兰瑟姆问他。

　　"我认为我知道他们为什么被杀。我不是很有把握，但是我有一个很合理的想法。我看见了一些东西，好了吗？"

　　"我们这样交谈已经一个星期了，加西亚。你见到过一些东西，或者是你有一些东西。如果你不让我看一下，你说的东西就一无用处。"格兰瑟姆翻开一个文件夹，拿出 7 张通电话的那个人的 5×7 英寸的照片。"你是受到一种道德感的驱使，加西亚，那就是你要找我谈的原因。"

　　"是啊，但是还有一个可能性，就是他们知道我已经知道了他们的秘密。他们对我的态度很滑稽，似乎要问我有没有看见过，但是他们又不能问我，因为他们确定不了。"

　　"这些家伙都是你公司的人吗？"

　　"是的。不，等一下。你怎么知道我在公司里，我没告诉过你这个。"

　　"这很容易。你上班的时间很早，不会是政府的律师。你是在一家有两百个律师的公司里工作，这一类公司都要求合伙的律师和低级的合作律师每周工作一百小时。你第一次打电话给我就说过是在上班的路上，那时候是早晨5点钟左右。"

"很好，很好，你还知道什么别的。"

"不多。我们是在玩游戏，加西亚。如果你不情愿谈，那就把电话挂掉，别来找我。我还得睡觉。"

"祝你美梦。"加西亚挂掉电话。格兰瑟姆看着听筒。

过去8年中他3次不让电话号码刊登在电话簿上。他靠电话生活，他的大新闻都是凭空从电话中得知。但是在一次大新闻的之后，或者在一次大新闻期间，也有过上千次无足轻重的电话，打电话的人都是那些感到非要在晚间把他们滚烫的小新闻告诉他不可的人。人们知道他是一个宁死也不会吐露新闻来源的记者，所以他们就不断给他电话。等到他觉得不能忍受了，他便装了一个号码不上电话簿的电话，于是便有一段来源枯竭的日子，然后他又得赶快让电话号码上电话簿。

现在电话簿里有他的名字：格雷·S.格兰瑟姆。整本电话簿里仅此一人，他们可以在每天12小时的工作时间里找到他，但是打电话到他家里去，那就有秘而不宣和私下交往的色彩。

他为加西亚生气了30分钟，然后便睡着了。这时候电话又响了。他在漆黑中摸起话筒。"喂！"

这次不是加西亚，是个女的。"你是《华盛顿邮报》的格雷·格兰瑟姆吗？"

"是的。你是谁？"

"你们还在报道罗森堡和詹森的新闻吗？"

他在黑暗中坐了起来，看看钟。5点30。"这是个重大新闻。我们有许多人投入进去，不过，是的，我在做调查。"

"你听到过鹈鹕案卷吗？"

他深吸一口气，想了想。"鹈鹕案卷？不知道。是怎么回事？"

"一篇于人无害、微不足道的分析介绍,关于是谁杀了他们的问题。上星期天一个名叫托马斯·卡拉汉的人把它拿到华盛顿去,此人是图兰大学的法学教授。他把它给了一个联邦调查局的朋友,经过几个人传阅,事情突然闹大,星期三晚上新奥尔良的一颗汽车炸弹把卡拉汉炸死了。"

台灯已经开亮,他赶快写下来。"你在哪儿打的电话?"

"新奥尔良。付费电话,你不必麻烦。"

"你怎么知道这一切的?"

"案卷的摘要是我写的。"

他现在完全清醒了,眼睛睁得大大的,呼吸急促。"好的。既然是你写的。告诉我它说了些什么"

"我不想这么做,因为你即使得到一份复印件,你也不能刊登这篇报道。"

"何不试我一试。"

"你办不到。你得予以彻底证实。"

"好啊。我们报道过三 K 党、恐怖分子卡迈尔、地下军、雅利安人……"

"不行。你说的这些人都不相干。他们都是明摆着的。案情摘要所说的是一个看不见的嫌疑犯。"

"你为什么不告诉我此人是谁?"

"也许过些时候。你们好像有许多神秘的消息来源。我得瞧瞧你们能查到什么。"

"卡拉汉是容易查出来的。那是打一个电话的事情。给我 24 小时。"

"星期一早晨再给你电话。如果我们正经讲交易的话,格兰瑟姆先生,你也得向我透露一点什么。我下一次打电话的时候,你得说点我不知道的事情给我听。"

她是在暗中打付费电话。"你有危险吗?"他问她。

"我想是的,但是现在我没问题。"

听她的声音她很年轻,也许二十多岁。她写了一篇案情摘要。他认识法学教授。"你是律师吗?"

"不是,别耗费时间去追究我的身世。你得干你的工作,格兰瑟姆先生,要不然我就上别处去了。"

"很好。你得有个名字。"

"我有一个。"

"我的意思是一个代号。"

"你是说像间谍的那一套。嘿,这才好玩哩。"

"不然的话就请告诉我你的真名。"

"值得一试。就叫我鹈鹕。"

他的父母都是正经的爱尔兰天主教信徒,但是他在多年前就不信教了。老两口身穿丧服,令人敬重,晒红的肤色,高尚的衣装。他很少说起过他们。他们手牵手和家人一同步入罗吉斯小教堂。从莫比尔来的他的哥哥身材矮一点,样子要老得多。托马斯说他酗酒成习。

大约有半小时,学生和教师鱼贯进入小教堂。今晚有球赛,校园里到处是人。街上停了一辆电视转播车。一个摄影师保持一段体面的距离摄录了教堂正面。一个校警注意看着他,不让他过分接近。

这些法学院的学生穿上衣裙和高跟鞋、外套和领带,看起来有点怪。纽科姆大楼3楼的一个光线不亮的房间里,"鹈鹕"脸朝窗口坐在那里,看着学生们人挨着人走来走去,轻轻说话,赶快吸完香烟。她的椅子底下有4份报纸,都是她看过丢掉的。她来了已经两个小时,在窗口的阳光下看报,等待开追悼会。没有别的地方好呆。她算准了那些家伙都隐藏在教堂周围的矮树丛中,不过她也懂得要有耐心。她来得早,呆得晚,专门在阴影中走动。如果他

们发现了她,他们也许会立即下手,事情也就马上完结。

她捏住一张团起来的纸巾擦干眼睛。现在正好是哭一通的时候,不过这也是最后一次了。人们都已经进去了,电视车也离开了。报上说这是一个追悼会,只有家人参加的葬礼要晚一点。教堂里面没有棺枢。

她选定了这个时刻逃走,租一辆汽车开到巴吞鲁日,跳上一班飞机,不论开到什么地方,只要不是开到新奥尔良的。她要飞往国外,蒙特利尔或者卡尔加里都可以。她要在那里躲上一年,希望这件罪行到时已经解决,坏蛋也已除掉。

但这是梦想。她的小小摘要已经杀死了托马斯,现在他们又要对她下手。她知道罗森堡、詹森和卡拉汉这几件谋杀案的主使人是谁,她所知道的这个情况使她成为一个颇为独特的人。

她突然身体朝前一伸,看见那个人就在那边!那个瘦个子长脸孔的人!他穿一件外衣,系一条领带,一副哀悼的神情,快步朝教堂走去。就是他!星期四上午她在喜来登饭店大厅里看见过的那个人。当时她正在跟维尔希克讲话。

他走到门口便停步了,神经质地向四面伸伸脑袋——他是个笨蛋,一望而知是什么人。他看了一眼相距不到 50 码处规规矩矩停在街上的 3 辆车子。他推开大门,走进小教堂。

她的鼻子压在窗玻璃上。车子都太远了,但是她算准了有一个人坐在其中的一辆车子里守候着她。

10 分钟过后,瘦子一个人出来,点燃一枝香烟后,两手深深插进口袋,走向 3 辆车子。

他在车子前面行走,并不停步。等到看不见他了,中间一辆车子的门开了,出来一个穿绿色图兰大学运动衫的人。他跟在瘦子的后面沿街而去。他又矮又粗又壮,是个不折不扣的胖墩。

他跟在瘦子背后消失在人行道上, 走到小教堂的背后去了。达比坐定在折叠椅的边沿。一分钟后,他们在人行道上从房子后面走出来。两个人现在走在一起，轻声说话，但只是片刻时间，因为瘦子立即快步走开并在街上消失了。胖墩赶快回到他的车子里去。他坐在车子里等待追悼会结束，以便最后再在人群中找找看，不放弃一个明知其不可能有的机会。

要不了 10 分钟，瘦子偷偷走到里面，扫视了在场的两百来人，确知她不在其中。

哈瓦那是个理想的庇护所。一个国家或者一百个国家重金悬赏要他的首级都不要紧。费德尔对他倾心爱慕，有时也是他的主顾。他们同享醇酒、美女和雪茄。他在这儿要啥有啥：老区的高塔街上一套优雅的小公寓，一辆有司机的汽车，一个银行经理能像巫师一样闪电般在世界各地收支款项，不论什么船只，就是军用飞机，需要的话也能得到。他会说西班牙语，他的肤色并不苍白。他爱这个地方。

他曾经一度答应过杀掉费德尔，但是他办不到。那时候他还不全是为钱杀人。他要了一回两面派，自己向费德尔坦白。他们演了一场伏击交火的假戏，然后放出风声说非凡的卡迈尔在哈瓦那街头殒命。

他再也不坐商业飞机。巴黎的照片使他这么一个专业杀手觉得难堪。他已失去他的锋芒；他的生平事业已临暮色苍茫时刻，不免会有失手之处。他的照片刊登在美国报纸的头版。真丢人，他的主顾不高兴。

在一条 40 英尺的纵帆船上，有两名船员和一个妙龄少妇，都是古巴人。她在下面舱房里。在他们看见比洛克西的灯火前几分钟，他刚和她做完好事。现在他全神贯注地工作，检查橡皮筏，收拾旅行袋，一言不发。两名船员俯身在甲板上工作，远远地躲着他。

9 点整，他们把橡皮筏放到水面。他把旅行包扔了下去，便离

船而去了。他消失在暗黑的海峡之中，他们只听得见马达的突突响声。他们得下锚停留到天亮，然后驶回哈瓦那。万一他们被发现了或者有人问到他们，他们都带有完备的证件，证明他们是美国人。

他细心地在平静的水面行驶，避开浮标的灯光或者偶尔看得见的小船。他也持有完备的证件，旅行袋里还有 3 件武器。

他已多年没有一个月里出击两次了。传说他在古巴中枪殒命之后，他蛰伏不出达 5 年之久。

这一次要干掉的小把戏是不会引人注意的。没有人会怀疑到他。这确实很容易，但是他的主顾来头不小，价钱又很不错，所以如今他又干了。

这一回干完之后得歇很长时间，永远不干了。他的钱已经多得用也用不完，而且他也已经开始犯点小错误。

离开码头还有 200 码，他就把马达关掉，再把它解下来，丢进水里。他在筏子里躺下，划动塑料桨，悄悄来到一个阴暗处。他站在两英尺深的水中，用一把小折刀把橡皮筏戳了几个洞，它便沉下去看不见了。海滩上一个人也没有。

卢克一个人站在码头边上。11 点整，他拿一枝钓竿和钓线轮等在那里。他戴一项白帽子，仔细观看水面，寻找筏子。

突然间有一个人来到他的身边，像天使一样不知从何而来。"卢克？"此人说道。

这并不是暗号。卢克不觉大吃一惊。他脚下钓鱼用具箱里有一把手枪，但是够不着。"萨姆？"他问道。

"是的，卢克，是我。对不起。有点不合规定。筏子出了故障。"卢克放下心，舒了一口气。

"交通工具在哪里？"卡迈尔问道。

卢克飞快地看他一眼。是的，他是卡迈尔。

卢克朝一幢房子点一下头。红色的庞蒂亚克汽车，停在酒店墙边。"去新奥尔良多远?"

"半小时。"卢克说道。

卡迈尔退后一步,对准他的脖子底部狠击两拳。卢克重重跌倒,呻吟了一声。卡迈尔看着他死了,然后在他的口袋里摸到了钥匙,又一脚把尸体踢到水里。

埃德温·斯内勒没有开门,而是一声不响地把钥匙从门底下塞出去。卡迈尔拾了起来开了隔壁的门。他走进房去,赶快把旅行袋放在床上,又走到窗口,把窗帘拉拢。

他走向电话,揿了斯内勒的号码。

"说说她的情况。"卡迈尔轻柔地说。

"公文包里有两张照片。"

卡迈尔打开公文包拿出照片。"我看见了。"

"照片已经编号,一号和二号。一号是法学院年刊上的。大约是一年前的,也是我们所有照片中最新的一张。它是用小照片放大的,因此许多细微之处已看不清了。另一张照片是两年前的。我们从亚利桑那州立大学的年刊中取出来的。"

卡迈尔拿着两张照片。"漂亮女人。"

"是的。很漂亮。不过满头可爱的头发都没有了。星期四晚上她用信用卡付的旅馆钱。星期五早上我们只差一点就可以逮住她。我们发现地板上的长头发,还有一小瓶样品,现在我们知道是黑色染发剂,非常黑。从星期三晚上以来我们没有见过她。她确实很狡猾,星期五下午她从她的支票账户里提取了 5000 美元现钞,她的行踪便消失掉了。"

"她也许走了。"

"有可能,但是我认为没走。昨天晚上她的公寓里有人去过。我们在那里装了窃听器,不过我们晚了两分钟。"

"你们行动有点迟缓,是不是。?"

"这儿是大城市。我们在机场和火车站都有人把守,我们也看守了爱达荷州她母亲的房子,都没有动静。我认为她还在这儿。"

"她会在哪些地方呢?"

"躲来躲去,调换旅馆,使用付费电话,避开常去的地方。新奥尔良的警察在找她。星期三爆炸以后他们跟她说过话,后来找不到她了。我们找她,他们找她,她会出来的。"

"炸弹出了什么问题?"

"很简单。她没有上车子。"

"谁制造的炸弹。"

斯内勒欲言又止。"不好说。"

卡迈尔微露笑容,从公文包里取出几张街道地图。"给我说说地图。"

"噢,说一下几个有关的地点:她的住处,法学院,她住过的旅馆,爆炸地点,她念书的时候爱去的几家小酒吧。"

"她到现在为止还呆在法国区。"

"她是聪明人,有无数个可以藏身的地方。"

卡迈尔拿起最新的照片,坐在另一张床上。他喜欢这个面孔,即使头发剪短了,并染成黑色,这仍然是一张诱人的面孔。他可以杀掉她,但是这不会叫他快活。

"很可惜,是吗?"他说,几乎是自言自语的。

"是啊,可惜。"

21

加文·维尔希克到达新奥尔良的时候便已成了一个疲惫的老人，经过两个晚上一家家酒吧的奔波，更显得体力衰竭。葬礼过后不久他闯进第一家酒吧，跟一批年轻人和不知安分的人同喝啤酒，跟他们谈论民事侵权行为、合同、华尔街公司，以及种种他所鄙视的其他东西，达7小时之久。他知道他不应该跟陌生人说他是联邦调查局的。他没有警徽。

星期六晚上他走访了五六家酒吧，但一无所获，时已半夜，他便悻悻而去。

他鞋子未脱，人已熟睡，电话响起。他急忙抓起电话。"喂！喂！"

"加文？"她问道。

"达比！是你吗？"

"不是我是谁？"

"你为什么不早来电话？"

"拜托，别来问我一大串蠢问题。我是在打付费电话，所以别搞开玩笑的玩意儿。"

"很好，达比。我发誓你该信得过我。"

"好的，我相信你。还有什么？"

他看一眼手表，开始解开鞋带。"好啊，你告诉我吧。下一步怎么办？你准备在新奥尔良躲藏多久？"

"你怎么知道我在新奥尔良？"

他沉默了一秒钟。

"我是在新奥尔良，"她说道，"我知道你要我跟你见面，成为

亲密朋友,然后,如你说的那样,相信你们那些人会永远保护我。"

"那就对了。不然的话你在几天之内就要活不成。"

"你这样说是开门见山,是不是?"

"是的。你在玩把戏,你不知道你自己在干什么。"

"谁在盯着我,加文?"

"可能有一批人。"

"他们是什么人?"

"我不知道。"

"好了,玩把戏的是你,加文。你连情况都不跟我谈,叫我怎么信得过你?"

"可以。我有把握可以跟你这样说,你的小小的案情摘要打中了某一个人的要害。你猜对了,坏人听说了这个案情摘要,所以托马斯死了。他们只要找到你就马上杀死你。"

"我们现在知道是谁杀死了罗森堡和詹森,对不对,加文?"

"我想我们是知道了。"

"那么为什么联邦调查局不能有所行动呢?"

"我们可能碰上了有人要捂盖子。"

"上帝保佑你这么说。保佑你。"

"我可能要丢掉工作。"

"我该去告诉谁,加文?什么人要捂什么盖子?"

"我说不准。我们很重视案情摘要,可是白宫硬不许我们追查,所以我们只得住手。"

"我弄不明白。为什么他们认为只要杀死了我,这件事情就没有人知道?"

"我回答不出,也许他们以为你还知道得更多。"

"我可以告诉你一点情况吗?爆炸过后不久,托马斯在车子里被烈火烧身,我自己也处于半昏迷中,一个警察名叫鲁珀特,把我拖到他的车子旁边,推进车去。另外一个穿牛仔靴、牛仔裤的警察马上要我回答问题。我当时有病,而且惊魂未定。他们消失了,鲁珀特和牛仔,而是再没回来。他们不是警察,加文。他们是守候爆炸的人,因为我不在车上,他们便实施第二套计划。我当时不知道,我可能只是相差一两分钟的时间才脑袋上没有挨一发子弹。"

维尔希克闭着眼睛听。"这两个人怎么了?"

"说不准。我想是他们害怕了,因为一大批真警察拥到现场,他们就不见了。我在他们的车上,加文。他们已经抓住了我。"

"你一定要过来,达比。听我的话。"

"你还记得星期四上午我们在电话里闲谈的时候,我突然发现一个熟脸孔,我当时就把他的样子跟你说过。"

"当然记得。"

"昨天的追悼会上那个人也来了,还有几个人同来。"

"你当时在什么地方?"

"我在看。他迟了几分钟走进来,呆了 10 分钟,便溜出去跟胖墩会面。"

"胖墩?"

"是的,也是这伙人中的一个。胖墩、鲁珀特、牛仔,还有这个瘦子,都是一伙的。我相信还有别人,只不过我还没有碰到他们。"

"下次你再碰见他们就要完蛋了。达比。你还有 48 小时好活。"

"我们等着瞧吧。你在这儿呆多久?"

"稍微呆几天。我准备呆到找到你。"

"我就在这儿。我明天会给你打电话。"

维尔希克深吸一口气。"好吧,达比。不管你怎么说。千万小心。"

她挂断电话。他把电话一扔,骂了一声。

沃尔沃汽车停在一处停车场上,离开它的主人家一个半街

区,这是一辆 1986 年的 GL 型车子,没有安全装置。不消几秒钟工夫车门被打开了。一个人坐在车尾行李箱上,点燃一枝香烟。时间将近星期天凌晨 4 点。

另一个人打开一只工具盒,开始对这辆汽车的电话进行加工。他旋开了话筒,装进去一只微型信号发射器,用胶水固定好。一分钟后,他便钻出车子蹲在后保险杠旁。吸烟的人交给他一粒小黑方块,他把它贴在车子底下油箱后面一个铁格子上。这是一个带吸铁石的发射器,它会发出信号,可以连续工作 6 天。

不到 7 分钟后他们便走了。星期一,当格兰瑟姆走进第十五大街的《华盛顿邮报》大厦时,这两个人便立即进入他的公寓,改装他的电话。

22

她在这张床上度过了第二夜,一直睡到日高三竿。或许她现在已经习惯这样的生活了。今天是她虎口余生的第4天。

但是在她张开眼睛之后,她首先想到的就是托马斯。他的惨死给她的冲击逐渐淡去。

几分钟的思念托马斯之后,她接着便想到了他们。今天他们会在什么地方?她该上哪里去而不被发现?在这里住过两夜之后,她需要另找一个房间吗?是的,她得另找一处。天黑之后。她要打电话给另一家小客栈订一间客房。他们住在什么地方呢?他们知道她现在是个金发女郎吗?

想到头发她便马上起床。她走到书桌上方的镜子前,看一看她自己。它现在更短了,非常的白。成绩不错。昨晚她为它花了3个小时。如果她再活上两天,她要再剪短一点,还要恢复成黑色。如果她再活一个星期,她也许会成为光头。

肚子饿得发疼,有一秒钟之久她想到了吃饭。现在快10点了。怪了,旅馆偏偏在星期天早上不供饭。她要冒险出去找吃的,并且买一份星期天的《华盛顿邮报》,顺便也看看他们能不能抓住她这个头发剪成男式平头的姑娘。

她偷偷走过阴暗的厨房,拉开后门锁,走到小旅馆后面的小巷。她轻快地穿过小巷,两手深深插入劳动裤的口袋,两眼在墨镜后面扫视。

他看见了她,当时她正走上伯贡地街的人行道。帽子下面的头发虽然不同,但是她还是身高5英尺8英寸,这是改变不了的。她仍旧是两条长腿,并且有一种她自己的走路的样子,尽管已经

相隔 4 天,他还是可以把她从一大堆人中认出来,而且无需根据面孔和头发来判断。他立即追上人行道开始尾随。

她是个聪明姑娘,有弯必转,每到一个街口就走另一条街,走得很快却不显得急急忙忙。他估计她要朝杰克逊广场走去,星期天那里总有拥挤的人群,她以为到了那里就没人找得到她。她可以混在旅游者和本地人中逛街,吃点什么,晒晒太阳,买份报纸。

达比顺手点燃一枝香烟,边走边喷烟。她不能把烟吸进去。3 天前她试过,头晕。

她看见他的时候,他离开她不到 10 英尺,他正坐在圣彼得街和沙特尔街转角的咖啡馆里的一张桌旁。不到一秒钟之后,他看见了她。她一个劲地向前走,现在是快得多了。

这个人是胖墩。他已经站起身来在桌子当中穿行,这时她躲开了他的视线。在沙特尔街上她躲开他有一秒钟,她闪进了圣路易斯大教堂的拱门中间。

她在圣安街朝左一拐,穿过街面,快到罗亚尔街时急忙朝身后看了一眼。他来了。他在街道对面,但是跟得很紧。

上波旁街去,她下了决心。距离开赛还有 4 个小时,众圣队的球迷已经倾巢出动在球赛前庆祝一番,往后他们就没有什么可庆祝的了。她转到罗亚尔街,快跑几步,然后放慢下来成为快走。他转入罗亚尔街,快步小跑。他摆好了架势随时可以冲刺快跑。达比走到街道中央,那里有一队足球流氓在游荡,消磨时间。她向左转入杜梅因街,撒腿快跑。前面是波旁大街,那里到处都是人。

她听得见他在身后,根本不需要朝后看了。他就在背后,他在跑,距离越来越短。当她转进波旁大街,胖墩在她后面 50 英尺,这一场赛跑已告结束。她看见了她的救命天使,他们正从一家酒吧吵吵嚷嚷出来。达比急忙向他们跑去,3 个身穿众圣队服装的青年正好踏上街心。

"救命!"她死命地叫喊,伸手指向胖墩。"救命!那个人在追逐我!他要强奸我!"

　　如今在新奥尔良的大街上做爱都毫不稀奇,但是如果这个姑娘遭到强暴的话,他们3个还算什么男子汉。

　　"请救救我!"她的嘶喊令人揪心。大街上突然沉寂无声。人人都不动了,包括胖墩在内,他停了一步,接着又向前冲去。3个众圣队球迷走到他面前,两手叉在胸前,眼睛射出火光。胖墩左右开弓:右拳对准第一个人的喉头,左拳给了第二个人的嘴巴致命一击。他们一声嘶叫,立即跌翻倒地。第3个人并不想跑。他的两个好友都被打伤,他岂能甘心。他本来是可以给胖墩当蛋糕吃的,但是第一个人倒在胖墩的右脚,使他站立不稳。第3个人,即路易斯安那州蒂博道市的本杰明·乔普先生在胖墩急忙抽开一只脚的时候,对准他的裤子当中猛踢一脚,胖墩立即倒下。达比返身挤进人群,听到他痛得哭叫。

　　胖墩倒下的时候,乔普又踢他肋骨。第二个人顾不得血流满面,也圆睁双眼向胖墩冲锋,展开一场厮杀。胖墩蜷成一团。他们毫不留情地踢他、骂他,直到有人喊了一声"警察",这才救了他的一条命。乔普先生和第二个人搀扶第一个人站起来,他们飞快进入一家酒吧。胖墩也站起身来,一瘸一拐地走开,好像一头被救火车碾过的狗。

　　她躲在迪凯特一家酒店的一个黑角落里,喝了一杯咖啡和一瓶啤酒,接着又喝一杯咖啡和一瓶啤酒。3个小时喝了3瓶啤酒之后,她要了一盆煮小虾,改喝矿泉水。

　　酒精使她镇静,小虾使她定心。在这里她是安全的,她想,为什么不干脆坐在这里看球赛呢,也许可以一直坐到打烊。

　　达比坐在她的小角落里,直到球赛结束以后好久,才悄悄走进黑夜中去。

　　埃德温·斯内勒打电话给隔壁房间的卡迈尔。

　　"没错,她在这儿",斯内勒说道,"有一个我们的人今天早晨在杰克逊广场看见她。他跟踪她走了 3 个街口,后来就找不到她了。"

　　"他怎么找不到她了?"

　　"没关系,是不是?她溜掉了,但是她还在这里,她的头发非常短,差不多是白色的了。"

　　"白色?"

　　斯内勒不欢喜一句话说两次,特别是对这个狗杂种。

　　"你的门底下有一张名片,你得看一下。"

　　卡迈尔把电话放在枕头上,走到门口。一秒钟后他又拿起电话。"这个人是谁?"

　　"名叫维尔希克。荷兰人,不过是美国公民。为华盛顿的联邦调查局工作。显然,他和卡拉汉是朋友。他们同时在乔治城法学院毕业,在昨天的追悼会上维尔希克是荣誉的抬棺人。昨天晚上他在离校园不远的酒吧找人打听这个姑娘。两个小时前,一个我们的人在同一家酒吧假装是联邦调查局的人,他跟酒吧侍者搭讪起来,他原来是法学院的学生,并且还认识这姑娘。他们谈了一阵,后来那个青年拿出这张名片。你看背面。他住在希尔顿 1909 号房间。"

　　"那只不过是 5 分钟的路。"本市街道地图都摊开在另一张床上。

　　"是的。我们给华盛顿去过几次电话。他不是个密探,只是律师。他认识卡拉汉,他也可能认识姑娘。显然他是在寻找她。"

　　"她要跟他说话,是吗?"

　　"大概会。"

　　卡迈尔等了一小时便离开旅馆。5 分钟后步入希尔顿的大厅。他得在人群中穿行,街上挤满了从圆顶球场回来的球迷。电梯到 20 层停下,他往下走一层到 19 楼。

他敲了 1909 号房间的门,没有人答应。

他再敲门,他一面等开门,一面便在门扉和门框之间塞进一条 6 英寸长的塑料直尺,轻轻拨动,直到门栓响起咔哒一声。

进去之后,他把门锁上,把运动袋放在床上。他从口袋里拿出一副手套,紧紧套住手指。

卡迈尔清理干净他的痕迹,躲进壁柜里去。他是个耐心的人,他可以等待几个小时。

23

星期天夜里,加文还是两手空空回来,毫无所得。他对新奥尔良已经厌倦了。他已经买好星期一午后晚班的机票。如果她不再来电话,他也就无需继续扮演侦探了。

他找不到她,这不是他的过错。街车司机都在这个城市里迷路。沃伊尔斯不到中午就会高声叫喊,查问他上哪儿去了。他已经尽了他的全力。

他躺倒在床上,只穿了一条拳击短裤。他翻看一本杂志,任凭电视机开着。快要 11 点了。他准备等到 12 点,然后就睡觉。

11 点整电话响了。他摁了一下按键,遥控关掉电视。"喂。"

是她来的电话。"是我,加文。"

"你还活着。"

"差一点活不成。"

他坐在床沿。"怎么回事?"

"他们今天看见我了,他们的一个打手胖墩,在法国区的大街上追赶我。"

"可是你逃脱了。"

"对了。一个小奇迹,不过我还是逃脱了。"

"你瞧,达比。我买好了明天下午的机票。我明天就走,我认为你必须跟我一起走。"

"去哪儿?"

"去华盛顿。去我家。去随便什么地方。离开你现在呆的地方。"

"去了以后又怎么样?"

"是啊,你得活下去,这是一条。我会要求我们的局长保证你的安全。我们会想办法的。"

"你怎么会认为我们从这里飞得出去?"

"因为我们会有3名联邦调查局的探员保护你,因为我不是个愚蠢透顶的傻瓜蛋。你瞧,达比,告诉我你想在什么地方马上跟我见面,我可以在15分钟内带上3个探员和你在一起。他们都有枪,不会害怕你的胖墩和他的那帮人。我们今晚把你带出本市,明天带你上华盛顿。我保证你明天直接和我上司,尊敬的F.登顿·沃伊尔斯见面,然后我们再考虑下一步。"

"我以为联邦调查局没有过问这件事。"

"它没有过问,但它可以过问。"

"那么3个探员从何而来呢?"

"我有朋友。"

她想了想,她的语气突然坚强起来:"你的旅馆后面有一个叫做河滨步廊的地方。那是一个购物区,有饭馆,有……"

"我下午在那儿呆了两小时。"

"好。第二层上有一家服装店,叫做'法国人爱好'。"

"我看到过。"

"明天中午,我要你站在店门口,等5分钟。"

"算了吧,达比。到明天中午你就活不成了。别再搞这套猫捉老鼠的把戏了。"

"照我说的做,加文。我们没见过面,我不知道你是什么样子。你要穿一件黑衬衫,随便什么样子的,戴一顶红色棒球帽子。"

"我上哪儿去搞这么些玩意儿呢?"

"你去搞就是了。"

"好,好,我一定搞到手。"

"你在门口站5分钟左右,拿一份折起来的报纸。五分钟后走进店里去,到右后面的角落,那里有一个架子,都是狩猎上装,你

稍微翻看一下。"

"你穿什么衣服呢?"

"你别管我怎么样。"

"好的。接下去我们怎么办呢?"

"你和我,只有你和我两个人,一同离开这个城市。我不要让任何别的人知道这件事。你明白吗?"

"不,我不明白。我可以安排安全措施。"

"不,加文。由我做主,好吧。没有别人。别再提你的 3 个探员了。同意吗?"

"同意。你认为我们该怎么离开此地呢?"

"我也有个计划。"

"我不喜欢你的这些计划,达比。这些暴徒都在紧跟着你,你现在把我卷到这中间去,这不是我所想的。我的办法要安全得多。你也安全,我也安全。"

"那么中午你上那儿去吗,去不去?"

他站在床边,说话时闭上眼睛。"是的,我要去。希望你也做到。"

"我明天和你会面,加文。"

"我希望看见你,亲爱的。"

她走了。他挂断电话,沿床头来回走了几遭,然后便走进浴室,把门关上,再开淋浴龙头。

他在淋浴的时候骂了她足有 10 分钟,然后出来,擦干身体。

他开了房门。房间里是黑的。黑的?他让灯光都开着的,这是怎么回事?他朝梳妆台边上的开关走去。

第一拳打烂了他的喉头。这是从侧面,从靠墙的方向,打得不偏不倚。他惨叫一声,跪下一条腿,第二拳好像一把利斧砍砸在头盖骨的底部,加文立即丧命。

卡迈尔开亮一盏电灯,把这具滚圆的尸体扛上肩头,再把它横放在床上。他开了电视,把音量开到最大,然后拉开了他的运动袋,拿出一支 0.25 口径的自动手枪,把它对准加文·维尔希克的右太阳穴。他用两个枕头盖住手枪和头部,扣动扳机。接下来他把一个枕头放在死者的头下面,另一个枕头扔在地上,又小心地把死者的右手指握住手枪,手枪和头部相距 12 英寸。

他从床底下取出录音机,把电线直接插进墙里。他揿了一个按键,便听见了她的话。他关掉电视机。

他想,明天警察会花几分钟时间在房间里看一圈,宣布这又是一次自杀。他们会照章办事,提出几个他们自己无法回答的问题,不过总归是那么几个。因为他是一个联邦调查局的重要律师,一两天内要举行尸体剖验,大概到星期二,一个检验官会突然发现,这不是自杀。

到星期二,姑娘已经死了;而他已经到达马那瓜。

24

　　他通常接触的白宫正式渠道否认任何有关鹈鹕案情摘要的消息。萨吉从来没有听说过它。给联邦调查局打去的随意试探的电话毫无结果。一位司法部的友人说不曾听说过。整个周末他都在拼命打听,也找不到丝毫有关的迹象。关于卡拉汉的新闻是得到证实的,他找到了一张新奥尔良的报纸。星期一早上他在新闻编辑室接到她的电话,他没有任何新的情况可以告诉她。不过,至少她来了电话。

　　"鹈鹕"告诉他,她是打的付费电话,所以不必麻烦。

　　"我还在打听,"他说道,"如果有那么一份摘要在本市的话,它也是受到严密保管的。"

　　"我向你担保它就在那儿,而且我很清楚它为什么受到严密保管。"

　　"我相信你可以告诉我更多消息。"

　　"许多许多。那份摘要昨天差一点要我送命,所以我也许要比我原来的计划提早一点说出来。我得趁我活着的时候把肚子里的东西都倒出来。"

　　"谁要杀你呢?"

　　"杀死罗森堡、詹森以及托马斯·卡拉汉的那批人。"

　　"你知道他们的名字吗?"

　　"不知道,但是从上星期三到现在我至少看见过他们当中的4个人。他们就在新奥尔良,东看西看,希望我冒里冒失出个纰漏,他们就可以把我杀掉。"

　　"有多少人知道这个鹈鹕摘要?"

"问得好。卡拉汉把它拿给联邦调查局,我想它从那里到了白宫,显然它在白宫引起了一点慌乱,从白宫再去什么地方就只有天知道了。卡拉汉把它交到联邦调查局之后两天就死了。他们本来也是要我和他一道死的。"

"你当时跟他们在一起吗?"

"我挨得很近,不过还不够近。"

"所以你就是那个在现场的不知姓名的女性。"

"报上说的就是我。"

"那么警察知道你的名字吗?"

"我的名字是达比·肖。我是图兰大学法学院的二年级学生。托马斯·卡拉汉是我的教授和情人。我写了这份摘要,给了他,其余的你都知道。现在你全明白了吗?"

格兰瑟姆急忙写下。"是的,我听着呢。"

"我觉得在法国区呆不下去了,我准备今天离开这里。我明天会从别的地方给你电话。你能见得到总统竞选公告表格吗?"

"这是公开档案。"

"我知道。但是你能多快查到这个资料呢?"

"什么资料?"

"最近一次总统选举的全部主要捐款人名单。"

"那不困难。今天下午以前就可以有。"

"请你照办,明天上午我给你电话。"

"好的。你有一份摘要吗?"

她踌躇一下。"没有,但是我脑子里记得。"

"你也知道杀人的人是谁?"

"是的,可是我告诉了你,他们马上就会把你的名字列上清洗名单。"

"现在告诉我。"

"还是慢一点吧。我明天给你电话。"

　　格兰瑟姆挂断电话,拿了笔记簿七转八拐穿过迷宫似的办公桌,来到他的编辑史密斯·基恩的办公室。他一头走了进去,还把门关上。

　　"我们有话要谈,史密斯。"

　　"我们开着门谈话,打开门。"

　　"过一秒钟我就打开。"格兰瑟姆说道,竖直两个巴掌对着老编辑。是的,这确是要紧事情。"我们谈吧。"

　　"好。什么事?"

　　"这是一件大事,史密斯。"

　　"我知道是大事。你把门都关上了,所以我就知道是大事。"

　　"我刚才和一个名叫达比·肖的年轻女士通过第二次电话,她知道谁杀死了罗森堡和詹森。"

　　基恩慢慢坐下,两眼盯着格兰瑟姆。"不错,这是大事。可是你怎么知道呢?她怎么知道呢?你能证明什么?"

　　"我还没有写成新闻呢,史密斯,她还在跟我谈。看这个。"格兰瑟姆递给他一份关于卡拉汉之死的报纸报道。基恩看得很慢。

　　"好了,卡拉汉是谁?"

　　"一个星期前的今天,他把一份叫做鹈鹕案情摘要的材料交到本市的联邦调查局。显然,这份摘要把一个不明身份的人牵连到杀人案子中去了。摘要转了几道手之后送到了白宫,此后的下落如何,没人知道。两天以后,卡拉汉在发动他的保时捷车的时候一命呜呼。达比·肖自称是报上所说的那个不明身份的女性。她跟卡拉汉在一起,本来那帮人是要她跟卡拉汉一起死的。"

　　"为什么要她死呢?"

　　"她写了这份摘要,史密斯。"

　　基恩屁股往下一沉,把两只脚放上办公桌。他仔细看过卡拉汉的照片。"摘要在什么地方?"

　　"我不知道。"

"什么内容。"

"也不知道。"

"所以我们什么也没有,是不是?"

"现在还没有。但是,如果她把它内容全跟我们说了,又会怎样?"

"她几时肯说呢?"

格兰瑟姆迟疑一下。"快了,我想,一定很快。"

基恩摇摇头把报道扔到办公桌上。"如果我们拿得到摘要,我们就有一篇特大新闻,格雷,但是我们不能登。还得经过一番繁重的、折磨人的、经得起挑剔的、准确无误的证实,然后才能见报。"

"你这是给我开了绿灯?"

"是的,可是你得每小时向我汇报。在我们面谈决定之前,不要写一个字。"

格兰瑟姆笑了,打开了门。

这可不是 40 美元一小时的工作,连 30 都不到,也不是 20。克罗夫特知道,从格兰瑟姆手里挖得出 15 美元就算运气了。如果他找得到别的工作的话,他就会告诉格兰瑟姆另请高明,或者最好是他自己动手。

但是市面不景气,比 15 美元一小时还远远不如的活他也干过。他在厕所里吸完一枝大麻烟,抽水冲掉,开门出来。他戴上深色太阳眼镜,走入走廊,这走廊通向前厅,那里有四座自动扶梯把上千名律师送上去。他已经把加西亚的面孔熟记在心。他连做梦都看见这个眉清目秀、一表人材、身体瘦长、衣着昂贵的人。他只要看见他就能认得出。

他站在一根柱子旁边,拿着一份报纸,目光从深色太阳眼镜里注视每一个人。到处都是律师,匆匆上楼而去。

他每天早上两小时,午饭两小时,晚间两小时去查加西亚这

个人,然后格兰瑟姆又派他到另一幢大楼去查。90美元一天是便宜的,他只要找得到更好的价钱马上就放弃这个工作。他跟格兰瑟姆说,这样瞎折腾是没有希望的。格兰瑟姆表示同意,但还是要他继续折腾。只能如此。他说加西亚害怕了,不敢再打电话来。他们一定要找到他。

他的口袋里有两张照片,以防万一,他又从电话簿上把这幢房子里所有的律师事务所开列了一张名单。名单上有不少事务所。这幢12层楼的房子里,大体上都是律师事务所,事务所里面除了这些可爱的小绅士之外没有别的。

将近9点30分,上班的高峰期已过,有几张似曾相识的面孔又在自动扶梯上往下走,毫无疑问,他们是要上法庭去,上机关去,上委员会去。克罗夫特通过旋转门溜出来,走在人行道上。

离开这儿4个街区,弗莱彻·科尔在总统办公桌前踱来踱去,心神专注地听着电话。他皱起眉头,然后闭上眼睛,然后又圆睁两眼,看着总统,仿佛是说:"坏消息,总统,真是坏消息。"总统拿着一封信,眼睛从老花眼镜的上面凝视科尔。科尔好像德国元首那样踱来踱去,真正叫他无法忍受,他打算给他关照一声。

科尔砰的一声放下电话。

"别把电话扔得砰砰响!"总统说道。

科尔毫不在意。"对不起。齐克曼来电话说,格雷·格兰瑟姆半小时前给他电话,问他知不知道鹈鹕案情摘要?"

"奇怪,不可思议,他怎么也拿到一份了?"

科尔还在踱来踱去。"齐克曼一点也不知道,所以他说不知道也是实情。"

"他永远是一问三不知。他是我的工作人员中的头号笨蛋,弗莱彻,我要他滚蛋。"

"随便怎样办都行。"科尔在办公桌对面的椅子上坐下,两手合拢搁在下巴前面。他在沉思之中,总统没有理会他。他们各自思考了一会。

"是沃伊尔斯泄漏出去的?"总统终于开口了。

"也许吧。格兰瑟姆会诈唬是出了名的。我们还不能确定他见到过摘要。或许他听说了,故意来钓鱼。"

"或许,我的天。如果他们登载一条关于那篇鬼东西的新闻,该怎么办?该怎么办哪?"总统一巴掌拍在办公桌上,顿时站了起来。"该怎么办哪,弗莱彻?他的那家报纸恨我!"他走到窗口发愁。

"没有另外的消息来源加以证实,那他们不能登载,但是他们根本找不到另外的消息来源,因为它根本不是事实。"

总统的火气闷在心头好一会儿,看着窗外。"格兰瑟姆怎么会知道这份东西的?"

科尔站了起来,又开始踱来踱去,不过现在慢得多了。他还是在苦思冥想。"谁知道呢,这儿只有你和我知道它。他们拿来的一份,一直锁在我的办公室里。我亲手复印了一份,交给格明斯基。我要他宣誓保守秘密。"

总统对着窗子一声冷笑。

科尔继续往下说。"不错,你是对的。也许现在已经有上千份传出去了,但是它伤害不到我们,当然,除非我们的朋友果真干下了这些见不得人的勾当,那么——"

"那么我的屁股就得烤熟了。"

"是的,我该说我们的屁股都得烤熟了。"

"我们得了多少钱?"

"几百万,直接的和间接的。"当然,还有合法的和非法的,但是总统对这一类交易并不知情,科尔也情愿缄口不言。

总统慢慢走向沙发。"你为什么不给格兰瑟姆去电话?盘问他一下,看他知道些什么。如果他是在诈唬人,那也看得出来。你觉得怎么样?"

"我不知道。"

"你以前有没有跟他谈过话?谁都认识格兰瑟姆。"

科尔现在到沙发背后去踱方步了。"是啊,我跟他谈过话。但是我突然给他去电话,他反而要起疑心。"

"是的,我想你说得对。"总统在沙发的一头踱方步,科尔在另一头踱方步。

"有什么不利之处吗?"总统终于问道。

"我们的朋友可能要受牵连。你要求沃伊尔斯放过我们的朋友,那我们的朋友可能会被报纸曝光。沃伊尔斯可以推说是你要他紧追别的嫌疑对象,不要查究我们的朋友的。《邮报》找到了再次掩盖罪行的丑闻便要火上加油,那样一来我们就别提再次当选了。

"还有别的吗?"

科尔想了一秒钟。"是啊,这件事完全是空穴来风,案情摘要是无稽之谈。格兰瑟姆什么也得不到,我跟下面的人开会要迟到了。"他走向门口。

总统目送他出去又关好门,呼吸轻松了一点,他已经计算好下午要打18洞,所以不妨把鹈鹕的事情置之脑后。既然科尔都不担心,他也用不着担心。

他撅动电话的数目字,耐心等待,最后叫到了鲍勃听电话。中央情报局的局长是个糟透的高尔夫球玩家,为数不多的总统的手下败将之一,总统请他今天下午一同玩球。当然,格明斯基说道,尽管手头有上千件事情要做,不过,如果总统要打,他理当欣然从命。

"顺便问一声,鲍勃,新奥尔良的这个鹈鹕问题怎么样了?"

格明斯基清了一下喉咙,故意显得轻松随便。"是的,总统,星期五我跟科尔说过,这是一篇异想天开而精心炮制的虚构作品。我认为它的作者应该不上法学院而改行去写小说谋生。哈哈哈。"

"好得很,鲍勃。那就不用为它花力气了。"

"我们继续留心。"

"3 点钟见。"总统挂断电话,径直去拿他的轻击棒。

25

河滨走廊在河边延伸,大约长0.25英里,终日人头攒动,游客如织。这里集中了两百来家商店、咖啡馆和饭店,上下数层,大都是在同一屋顶之下,有些商号和餐馆都有大门开向沿河而建的木板长廊。它地处波伊德拉斯街的顶头,和法国区相隔不过丢一块石头的距离。

她11点到达这儿,在一家小吃店靠里边的座上喝着咖啡,她想要看看报纸,也想要显得心情平静。"法国人爱好"在下面一层转弯角上。她的内心紧张,浓咖啡也无法使她平静下来。

她口袋里有一张纸条,要做些什么事情都写在上面,包括在什么时刻有什么步骤。她甚至连该用的字眼和该说的句子都背熟了,以防万一事情搞得糟透,维尔希克变得不讲道理。她睡了两小时,其余的时间她都是在一本法律拍纸簿上画地形图。

她信不过加文·维尔希克。他是受一个执法机关雇用的人,那样的机关常常按照它自定的规则行事。他受命于一个一贯以偏执狂和卑鄙勾当闻名的家伙。他的上司要向总统报告,总统手下的政府里面是一批混蛋在管事。总统有一批为富不仁的朋友,他们给他大笔大笔的钱款。

但在此处关头,她又没有第二个人好信赖。经过5天之内两次险遭不测之后,她也只好认了。新奥尔良已经毫无魅力可言。她需要帮助,如果她惟有警察可以求助的话,那么联邦调查局也不比任何警察逊色。

11点45。她付掉咖啡钱,等了一会,有一大群购物的顾客走过,她便跟在他们后面。她经过"法国人爱好"的门口时,里面有十几个人在随便翻看货物,再过十来分钟她约好的人就要在那个门口等她,她踱进了隔开两家门面的书店。附近至少有 3 家商店她可以进去买东西,藏在里面,又可以看得见"法国人爱好"的前门。她选择了书店,因为店员不会热心推销书刊,顾客进去消磨时间又是顺理成章的事。她首先看了一会儿杂志,后来还剩 3 分钟,她走到两排烹饪书的中间去注意加文。

托马斯说他从来不会准时。迟到一小时,他就算是来得早的,但是她可以给他 15 分钟,不来就走。

她约定的时间是 12 点整,他已经到了。他穿黑汗衫,戴红棒球帽,拿着折起来的报纸。他比她预想的要瘦一点。她的心跳飞快。要冷静,她说,千万要冷静,真糟糕。

她拿一本烹饪书举到齐眼睛的高度,从书上面看出去。他头发灰灰的,肤色浅黑,眼睛隐藏在太阳镜后面。他显得急躁不安,跟电话里听到的相符合。报纸在他的两手之间换来换去,他的目光向周围寻觅,神情紧张。

5 分钟后,他按照要求走进门去,来到商店右后靠里边的地方。

卡迈尔曾经许多次和死神擦身而过,从来不曾害怕过。他和死神周旋 30 年了, 没有任何东西,绝对没有任何东西会使他紧张。他显得急躁,那是他做作出来的。

他口袋里有一方手帕,因为他突然得了感冒,他的喉咙有点沙哑发痒。他把录音听了上百次,他很自信已经掌握了中西部偏北的口音的变化和节奏,但是维尔希克的鼻音更重一点,因此,用得着为感冒而备手帕。

允许别人从后面接近是令人为难的,但是他知道非如此不可。他不曾看见她。她来到他身后,非常靠近他,说了一声:"加文。"

他立即转身。他拿着一顶巴拿马草帽遮掩住嘴巴讲话。"达比。"他说,同时便掏出手帕以便打喷嚏。她的头发是金黄色,比他的头发还短。他打了喷嚏之后又咳嗽。"我们赶快离开这里,"他说道,"我不喜欢这个主意。"

达比也不喜欢这个主意。这是星期一,她的同学们都在埋头学业,苦度法学院的寒窗生涯,而她却伪装一番,在这里跟这个男人一起玩什么间谍把戏,这男子还可能使她送命。"你照我说的办,行吗?你怎么得了感冒?"

他用手帕捂住打喷嚏,尽可能压低喉咙说话。听上去他很痛苦。"昨天夜间,我把空调开得太低了。我们快离开这里。"

"跟我来。"他们走出商店。达比拉着他的手,他们快步走下一层楼梯,朝木板走廊而来。

"你看见他们了吗?"他问道。

"没有。还没有见到。不过我相信他们就在周围。"

"我们上什么鬼地方去啊?"他的嗓音沙哑。

他们在木板走廊上慢跑,两人说话都不朝对方看。"你跟我来就是了。"

"你走得太快了,达比。我们会引人疑心的。慢一点。你瞧,这不是太傻了嘛。让我打个电话,我们就太平无事了,只要10分钟我就可以找来3个探员跟我们在一起。"他说得跟真的一样。这一招管用。他们手搀手,一同逃命。

"别走了。"她慢下来。木板走廊上人多了,"贝犹女王号"汽船的旁边已经有人排队。他们便在队尾站住。

"这是什么鬼玩意儿?"

"你难道见什么都要骂?"她像耳语一般地问他。

"对。尤其是见了蠢东西,这玩意儿就特蠢。我们还要上这条船吗?"

"是的。"

"干什么呀?"他又打喷嚏,接着又咳得喘不过气来。他现在一只手就能把她拉走,但是四面八方都有人。前面是人,背后也是人。他一向以做事干净自豪,在这个地方动手岂不太脏了。上船去吧,再跟她磨几分钟,见机行事。他可以在甲板上掐住她,杀了她,把她扔到河里去,然后再喊救人。这不过是一件可怕的溺毙事故,有可能成功。要不然,他还得耐心等。不管怎样,再过一小时她就得死。

"我有一辆汽车停在河上游的一处公园里,30分钟以后船停在那儿,"她轻声向他解释,"我们下了船,上车去,我们开了就走。"

队伍现在动起来了。"我不喜欢船,我晕船,达比。"他一边咳嗽,一边朝四面看,好像是怕有人追赶似的。

"请放心,加文,一定会成功的。"

卡迈尔拉了拉裤子。裤子的腰围36英寸,里面包了8层短裤和运动裤。汗衫是特大号,这样一来他就不是150磅,而是可以冒充190磅。不管重多少磅,反正她已经相信。

他们快要登上"贝犹女王号"的阶梯了。"我不欢喜这个。"他出声咕哝,让她听得见。

"你给我住嘴。"她说道。

那带枪的男子跑到队列末尾,两肘推开那些带着挎包和照相机的人群。游客们都一个个挨得紧紧的,仿佛乘一回这条船是世界上最伟大的旅程。他以前也杀过人,但没有一次是在如此大庭广众之下。他穿过人群,她的后脑依稀可见。他穿过排队的人群拼命向前挤去。有几个人骂他,但是他哪里顾得了这些。枪在口袋里,当他走近姑娘,便一把掏出来,贴在右腿上。她已快要走到台阶,快要上船。他更加使劲往前挤,把挡住他的人撞开去。他们愤怒地斥责他,可是一见到他手里的枪,便立即惊叫起来。她和一个男人手拉着手,男人对她说个不停。她就要踏上船去了,他正好把

最后一个挡住他的人挥手推开,立即用手枪顶在红棒球帽子下面的后脑底部。他开了一枪,人群发出惊呼,伏倒在地。

假加文重重跌在台阶上。达比大叫起来,吓得退到一边。她的耳朵里还在响着枪声,人们大叫,指向凶手。拿枪的男子朝一排商店和大堆人群狂奔而去。一个带照相机的粗壮男人对着他喊叫,达比看了他一秒钟便不见了。或许她以前看见过他,但是她现在已不能思索。她一直在叫喊,而且停不下来。

"他有枪!"一个靠近船边的妇女惊叫起来,人群也从假加文身旁后退一步,他四肢着地,右手有一把小手枪。他可怜地忽前忽后动弹着,好像一个婴儿在爬动。他的颏下血流如注,面孔下面一大摊血,脑袋下垂,快要碰在木板上了。他两眼闭合。他向前爬了没有几英寸,双膝便已浸在一摊暗红的血浆之中。

他开始号叫,大声地痛苦呻吟,他的话达比一点都不懂。

一个女人在哭,接着又是一个。达比小步往后退去。

他向前一弹,伸到了木板走廊的边上。手枪掉落水里。他瘫伏在走廊上,脑袋悬空垂下,鲜血滴下水面。后面有人叫喊,两个警察匆匆赶来。

百来个人慢慢向前走近来看死人。达比向后挪开,便走掉了。木板走廊靠里面一边有一家牡蛎小馆。中饭时候,顾客拥挤,她上后面去找到了厕所。她锁上门坐在便器上。

天黑后不久,她离开河滨走廊。韦斯廷旅馆离此两个街区,她径直向韦斯廷走去,旅馆没有空房间了,她在灯火通明的休息大厅里坐了一小时,喝了咖啡。此时不逃,还待何时,但是她不能有半点闪失。

她走出韦斯廷旅馆,步行到波伊德拉斯街,在那里扬手叫停了一辆出租车。一个老年黑人开的车。

"我要去巴吞鲁日。"她说道。

"我的上帝,好孩子,那可是老远的路。"

"多少钱?"她急忙问道。

他想了一秒钟。"150。"

她跨进后座,把两张钞票丢到前座上。"200美元。给我尽快赶到那里,看着点后面。也许有人跟上。"

他关掉计程器,把钞票塞进衬衫口袋。达比在后座躺下,闭上眼睛。老人是个开快车的人,几分钟之内他们便上了快车道。

枪声仿佛仍在她的耳畔回响,她仿佛看见他趴在地上挣扎。

在她逃跑的时候,她瞥见了那个杀手。总觉得那人有点眼熟。他逃跑的时候只朝右边看了一眼,就是那一下子勾起了她的记忆。但是当时她正在嘶叫,处于歇斯底里状态,只觉得一片模糊。

一切都在模糊之中。离巴吞鲁日还有一半路,而她已经睡熟了。

26

沃伊尔斯局长站在转椅的背后。他没有穿上衣,衬衫皱得乱七八糟,大多数钮扣都散开着。晚上9点钟,他还没有想到要离开。

他听着电话,轻声发出几点指示,然后把电话挂掉了。刘易斯坐在办公桌对面。房间开着,灯光亮着,谁都没离开。空气肃穆沉重,只是不时有人轻声耳语商谈。

"埃里克·伊斯特来的电话,"沃伊尔斯说道,慢慢坐上椅子。"他到那儿大约两小时了,他们刚做完尸剖检验。他亲眼看着检验,这是他生平头一次。单发子弹穿进加文右太阳穴,但是使他送命的是第二和第三节颈椎受到的一击。脊椎完全粉碎了。手上没有弹药的烧痕。他的喉头受到一击,伤得很重,但非致命之伤。他全身赤裸。死亡时间估计是昨晚10点到11点之间。"

"谁发现的?"刘易斯问道。

"女清洁工今天早上11点钟开门进房时发现的。你给他妻子报个信好吗?"

"好的,当然,"刘易斯说道,"遗体什么时候回来?"

"伊斯特说他们过两小时就会发还遗体,凌晨两点钟到达这儿。告诉加文的妻子我们要尽一切力量满足她的要求。告诉她我明天要派100名探员去对全城进行彻底清查。告诉她我们一定要逮住凶手,等等。"

"有什么证据吗?"

"恐怕没有。伊斯特说他们从下午3点起一直在那房间里,这起凶杀案干得干干净净的。没有任何东西可以帮助我们破案,不过这样讲为时还早。"沃伊尔斯揉一下发红的眼睛,想了一 会儿。

"他不过是去参加一次葬礼,怎么就会送掉性命?"刘易斯问道。

"他在四处打听这桩鹈鹕案子。我们的一个探员,名叫卡尔顿,告诉伊斯特说加文要找到那个姑娘,姑娘也给他打了电话。卡尔顿还说加文需要得到帮助,把姑娘带到华盛顿来。卡尔顿跟他谈过几次,还告诉他当地几处学生们经常逗留的地方。卡尔顿说他就知道这些。他说他颇为加文担心,因为加文到处声称自己是联邦调查局的人。还说他认为加文是个笨蛋。"

"有谁见到过那姑娘吗?"

"她恐怕已经死了。我已经吩咐我们在新奥尔良的人把她找到,如果有可能的话。"

"她的一篇小小摘要已经到处惹出人命案子。我们要到什么时候才能认真对待它?"

沃伊尔斯朝门口点点头,刘易斯起身去把门关好。局长又站了起来,手指捏出响声,把心里话讲出来。"我们出不得一点纰漏。我考虑我们至少要为鹈鹕案子指派 200 名探员,但是千万要保守秘密。这里面是有名堂,刘易斯,很不简单的名堂。但是,我又答应过总统,我们不去碰它。他亲口要求我别去接触鹈鹕案件,别忘了,我也答应了不去碰它,有一部分原因是我们也以为那份材料是开玩笑。"沃伊尔斯勉强地露出似笑非笑的表情。"不过,我把他要我不去接触此案的那段简短的谈话录了音。我估计他和科尔把白宫半英里范围之内的一切谈话都录了音,我又为什么不可以录音?我当时带着我最好的随身麦克风,我听过了录音,跟钟声一样清楚。"

"我没有听明白。"

"很简单,我们动手全力进行调查。如果确实如此,我们就把

案子破掉,拿到证据,向法院起诉,那么人人都会高兴。可是操之过急就麻烦了。不过,那边的白痴和科尔根本不知道我们的调查。如果报界听到了风声,要是鹈鹕案情摘要果真击中了要害,我也毫不含糊地让全国都知道,总统本人要求我们不去碰它,因为那是一个他的友人。"

刘易斯含笑说道:"那可要送他老命。"

"可不!科尔得大出血,总统也休想恢复元气了。明年就要大选,刘易斯。"

"我就喜欢这样,登顿,但是我们必须解决这起案子。"

登顿在他的椅子后面慢慢走动,两只脚也从鞋子里抽了出来,这一下子他就更矮了。"我们得把每一块石头都翻过来看一下,刘易斯,这可不容易啊。如果是马蒂斯的话,那么我们的对手就是一个非常有钱的人,他进行了精心策划,使用了本领非凡的杀手,消灭了两名大法官。这些人都守口如瓶,他们也都不会留下形迹,瞧一瞧我们的朋友加文被干掉的情况吧。我们得花上两千小时在旅馆内外挖掘,我敢跟你打赌连一星半点有用的证据都不会有,就跟罗森堡和詹森被害时一样。"

"还有卡拉汉。"

"还有卡拉汉。恐怕还要加上那个姑娘,如果有一天我们找得到她的尸体的话。"

"我也多少有点责任,登顿。星期四早上加文听到了卡拉汉出事之后便来找我,可是我没理睬他。我知道他决心要上那儿去,可是我根本没有理睬他。"

"是啊,他死了我觉得难过。他是个好律师,他对我忠实可靠。我珍惜这一点。我信任加文,但是他的行为出了格,招来了杀身之祸。他根本不该假装探员去寻找那个姑娘。"

刘易斯站起来伸个懒腰。"我得去看一下维尔希克太太。我该告诉她一些什么呢?"

"不妨说这看起来像是一件盗窃杀人案，当地警察还说不准，还在调查，明天会有更多消息，等等。告诉她我简直垮了，我们愿意满足她的一切要求。"

科尔的豪华汽车急忙在路边停下，好让一辆救护车嘟嘟响着驶过。豪华车在市内兜来兜去，漫无目标，科尔和马修·巴尔两个人会面，要谈点儿真正见不得人的事的时候，这一套把戏是常用的。他们仰靠在后排座位上，喝着饮料。科尔对泉水情有独钟，巴尔喝的是从便利店买来的一瓶巴德啤酒。

他们顾不上看一眼救护车。

"我一定得弄清格兰瑟姆知道了多少，"科尔说道，"今天他打电话给齐克曼、齐克曼的助手特兰德尔，以及纳尔逊·德万，他是我先前的许多助手中的一个，现在给重新当选委员会工作。这几个人不过是我所知道的，全都在一天里面。他对鹈鹕案件盯得很紧。"

"你认为他看见过它吗？"豪华车又开动了。

"不会，绝对不会。如果他已经知道它的内容，他就用不着到处打听了。不过糟糕得很，他知道有这么一份东西。"

"他真不含糊。我注意他有好些年了，他好像专门在暗地里活动似的，并且跟一个奇怪的消息网保持接触。他写过一些令人难以置信的东西，可是经常都是活见鬼似的准确无误。"

"我担心的就是这个，他是个紧追不舍的人，他好像对这条新闻已经胜券在握。"

巴尔举起铝罐喝了一口啤酒。"我知道如果我说想要知道一点摘要的内容，那就不免是问得太多了。"

"别问。这玩意儿太机密了，叫人害怕。"

"那么格兰瑟姆又怎么知道它的呢？"

"问得好。我想要知道的就是这个。他怎么知道的，他又知道

了多少?他的消息是从哪儿来的?"

"我们已经给他的汽车电话装了窃听器,不过我们还没有进入他的公寓。"

"为什么不进去?"

"今天早上我们差一点被清洁女工撞上。我们明天还要再去。"

"别叫人逮住了,巴尔。别忘了水门事件。"

"他们全是笨蛋,弗莱彻,我们这边都是有本领的人。"

"那是不错。那么你说说看,你和你的本领高超的同伙们能够给格兰瑟姆在报馆里的电话装上窃听器吗?"

巴尔转过脸去对科尔皱起眉头。"你怎么把脑子丢掉了?不可能。那地方白天黑夜时时刻刻都有人在忙着。他们有安全警卫和安全装置。"

"办得到的。"

"那就干吧,科尔。既然你全都知道,你去干吧。"

"想想看有什么办法。动动脑筋看。"

"我已经想过了,办不到。"

科尔对这个念头觉得有趣,他的兴趣却惹恼了巴尔。豪华车轻盈地驶进了市中心。

"窃听他公寓内的电话。"科尔发出指示,"每天向我报告两次。"豪华车停了下来,巴尔下了汽车。

27

早餐时候的杜邦环岛①。天气很冷,不过至少那些瘾君子们和装扮异性成癖的人们仍然藏身在他们小小的病态世界里而感觉不到。几个醉鬼倒卧街头,好像水面漂浮的木块。不过太阳已经升起,他也觉得安全无虞,他到底是一员联邦调查局的探员,身上有一条肩带,腋下有一枝手枪。他害怕什么人?他已经有15年不曾用过手枪了,他很少走出办公室,可是他巴不得掏出枪来,开它一个痛快。

他名叫特罗普,是沃伊尔斯的一名非常特别的助手。他的特别之处在于他跟中央情报局的布克进行的简短的密谈,除了他本人和沃伊尔斯知道之外,没有任何别人知道。他坐在一张街头椅子上,背朝新罕布什尔街,打开一包买来的早餐,有香蕉和小圆面包。他看了一下表。布克从不迟到。他们现在都是坐办公室的人,早已进入迟暮之年,但都和他们各自的上司有着特别亲密的关系,他们的两位上司对捉摸对方的行动感到厌烦,他们要迅速了解某种情况。

特罗普是他的真名,然而他吃不准布克是不是真名字,恐怕不是。布克是中央情报局的人,他们那边连机关办事员都有假名字。

布克漫步走近喷泉,手里拿着一只白色长筒咖啡杯。他环视一下周围,然后在他的朋友身旁坐下。这次会面是沃伊尔斯提出来的,所以特罗普得首先讲话。

---

① 华盛顿的富人区。

"我们在新奥尔良损失了一个人。"他说道。

布克双手捧住热杯子喝了一口。"他自己去送死。"

"话虽这么说,不过他总归是死了嘛。当时你在那边吗?"

"是的,可是我们并不知道他在那里。我们和他相距很近,不过我是在注意别人。他在那儿干什么?"

特罗普撕掉冷面包的包装纸。"我们不知道。他是去参加葬礼的,想要找到那个姑娘,可是却碰到了另一个人,所以我们才在这儿相会。"他把香蕉吃完了,现在在吃面包。"这件案子干得不留痕迹,是不是?"

布克耸耸肩头。"干得不错。据说,凶手制造了自杀的假象。"他喝一口热咖啡。

"姑娘在什么地方?"特罗普问道。

"我们跟踪她到奥黑尔就不见了。她也许在曼哈顿,不过我们也说不准。我们在寻找。"

"那么他们也在找?"特罗普喝了一口冷咖啡。

"我相信是这样。"

他们看着一个醉鬼从椅子上摇摇晃晃地起来,又跌倒在地上。

布克看了一下手表。这种会面总归是极其简短的。"沃伊尔斯先生准备如何行动?"

"噢,他已经下决心。昨晚他已派去 50 个人,今天还要多派一些。他不肯让人家杀掉他的人,特别是他认识的人。"

"白宫方面怎么样?"

"不打算告诉他们,他们可能也查不出来。他们知道些什么?"

"他们认得马蒂斯。"

特罗普对此露出微微一笑。"马蒂斯人在哪儿?"

"谁知道。过去 3 年间他在美国很少露面。他至少拥有 6 处住宅,分布在几乎同样数目的国家里面,他有喷气式飞机和快艇,谁

JOHN
GRISHAM

能知道他在什么地方。"

特罗普吃完小面包,把包纸塞进早餐袋。"案情摘要把他揪住了,是不是?"

"太漂亮了。如果他作冷处理的话,案情摘要也许引不起注意。可是他暴跳如雷,马上动手杀人,他杀人越多,案情摘要就越值得相信。"

特罗普看了一眼手表。时间已经太长了,但是这样的机会难得。"沃伊尔斯说也许需要请你们帮忙。"

布克点头。"行。不过这件事情恐怕非常困难。首先,可能充当杀手的人已经死了。其次,可能收受酬金的人非常狡猾。这个案件是经过精心策划的,但是出谋划策的人已经不在了。我们要设法找到马蒂斯。"

"还有那姑娘?"

"是的,我们也要去找。"

"她现在想些什么呢?"

"怎样保住性命。"

"你们能收容她吗?"特罗普问道。

"不行。我们不知道她在哪儿,她目前对任何人都信不过。"

特罗普站起来,手里拿着咖啡和纸袋。"我们不能怪她。"他走了。

格兰瑟姆拿着一张从菲尼克斯发来的模模糊糊的传真照片。她曾经是亚利桑那州立大学的三年级学生,令人一见难忘的芳龄20的女大学生。学生名录上说她原在丹佛主修生物学。他给丹佛市姓肖的人打了20次电话,都问不到,只得作罢。第二张传真是新奥尔良的一位美联社特约记者传来的,是她在图兰大学的新生照片的复印件,照片上的姑娘头发更长些。特约记者还在大学年刊中找到一张达比·肖在法学院的一次野餐中喝一罐可口可乐的

照片。她穿一件肥大的运动衫,下身是一条合身的退色牛仔裤,这张照片显然是一位拜倒在达比石榴裙下的君子刊登在年刊上的。这简直是一张刊登在《时装杂志》上的美人照。也不知野餐中的什么东西或什么人使她笑不可支,她口露玉齿,面如春风。他把这张照片用图钉钉在他办公室旁边的小布告板上。

还有一份传真,是托马斯·卡拉汉的照片,可供存档。

他把两脚搁上办公桌。星期二,将近9点半钟。新闻室里人声鼎沸,震耳欲聋,颇像一次精心组织的动乱。在过去24小时内他拨了80次电话,除了4张照片和一摞竞选财务表格,别无所获。不过,说真的,何必担心呢?她马上就会说出一切。

他匆匆看过《华盛顿邮报》的重要新闻,见到了一则关于加文·维尔希克和他惨死的报道。电话响起,正是达比打来的。

"见到《邮报》了吗?"

"《邮报》的文章就是我写的,别忘了。"

她可没有心思闲聊。"联邦调查局的一个律师在新奥尔良被人杀死,你看见了吗?"

"我正在看呢,这跟你有关吗?"

"可以那么说。你听仔细,格兰瑟姆。卡拉汉把案情摘要交给他最要好的朋友维尔希克。星期五,维尔希克来到新奥尔良参加葬礼。周末我在电话中跟他说过话。他要帮助我,但是我害怕。我们同意昨天中午会面。星期天夜里11点钟左右,维尔希克就在旅馆房间里被人杀掉了。你听清楚了吗?"

"是的,全听见了。"

"维尔希克不曾前来会面。他当然是在那以前就已经死了。我吓坏了,逃离了那个城市。到了纽约。"

"好得很。"格兰瑟姆写得飞快。"谁杀了维尔希克?"

"我不知道。还有很多情况新闻报道没有说出来。我把《华盛顿邮报》和《纽约时报》都从头到尾看完了,我找不到一句话提及新奥尔良的另一起杀人事件。我跟这个死者说过话，我还以为他就是维尔希克。说来话长。"

"确是这样。我什么时候听得到全部情况呢？"

"你什么时候能到纽约来？"

"中午可以到达。"

"那倒是快了一点。我明天这个时候给你电话，告诉你怎么办。你可要千万小心，格兰瑟姆。"

他对布告板上的牛仔裤和笑脸不胜倾倒。"叫我格雷，好吗？别叫格兰瑟姆。"

"随你的便。有一些权势很大的人害怕我所知道的事情。如果我告诉了你，就会送掉你的命。我亲眼看见过死人，明白吗，格雷？我听见过炸弹和枪声。昨天我看见一个人的脑浆，他是谁，他为何被杀，我都毫无所知，我只知道他是晓得鹈鹕案情摘要的。我以为他是我的朋友。我把自己的性命都托付给他了。可是就在五六十人眼前他的脑袋中了一枪。我看着他死去，这时候我感到他也许是我的朋友。今天早上我看了报纸，才发觉他肯定不是我的朋友。"

"谁杀了他？"

"等你到了这儿我们再谈这个。"

"好的，达比。"

"有一个细节，我要请你秘而不宣。我可以把我所知道的一切告诉你，但是你绝对不可以说出我的名字。我所写的东西至少已经使3个人送掉性命，我也很有把握，接下来就是我本人。但是我不想再有三长两短。我必须永远隐姓埋名，同意吗，格雷？"

"一言为定。"

"我对你寄予很大的信任，我也说不准是什么原因。如果我对你产生一点疑心，我就马上销声匿迹。"

"我向你保证，达比。我发誓。"

"我想你做了一个错误判断。这件事情并不是你通常所做的普通的调查采访,它会使你送掉性命。"

"死在杀掉罗森堡和詹森的那批人的手中?"

"正是。"

"你知道谁杀死了罗森堡和詹森?"

"我知道谁为杀人出钱。我知道他的名字。我知道他的买卖。我知道他的政治勾当。"

"你明天会告诉我吗?"

"只要我还活着。"两个人都想要说点适当的话,以致好久说不出话来。

"也许我们应该立即面谈。"他说道。

"也许。不过我明天早上会给你电话。"

格兰瑟姆放下电话,看着这张略显模糊的照片,禁不住一阵赞叹,这般美貌的法学院的学生,她深信不疑自己马上会死。一瞬间他内心充满了见义勇为、拔刀相助的念头。她不过 20 出头,从卡拉汉的照片看来,她喜欢比她年纪大的男人,她一下子就委身于他一人而置所有的人于不顾。他也要如法炮制。他要保护她。

车队悄然无声,驶离繁华市区。他一小时后要在学院公园发表演讲,他在他的豪华汽车里脱掉了上衣悠闲自在一下,阅读马布里起草的讲稿。他摇摇头,在页边空白上写字。在通常的日子,这是一次快乐逍遥的驱车出城,前往景色如画的校园,做一次轻松愉快的讲话,可是今天办不到。科尔就坐在他身旁的座位上。

他的办公厅主任科尔历来都是回避这一类出游的。他珍惜这样的时刻:总统不在白宫,由他当家做主。但是今天他们两人有话要说。

"我讨厌马布里写的讲话稿,"总统显得无奈地说道,"他写的讲稿听起来全都差不多。我可以发誓上星期在扶轮社年会上讲的就是这一通话。"

"他是我们找到的人中最好的了，不过我还在物色新人。"科尔说话的时候正在看一份材料，头也没有抬一下。他看过讲稿，认为不见得就那么不行。不过马布里已经写了 6 个月，观念显得陈旧了，科尔也想早晚要撤掉他。

总统朝科尔手上的材料看了一眼。"那是什么?"

"小名单。"

"留在上面的有谁?"

"赛勒－斯彭斯、沃森和考尔德伦。"科尔翻了一页。

"妙极了，弗莱彻。一个妇女，一个黑人，还有一个古巴人。白人都怎么了?我记得我说过我要有年轻的白人。年轻、强硬、保守的法官，要有纯洁无瑕的资历，他还要有许多年好活。我没说过吗?"

科尔还在看材料。"他们得能通得过，总统。"

"我们可以使他们通过。我会对他们施加压力，压得他们屈服，通过我们提名的人。你知道吗，全国的白人十个有九个投我的票。"

"84%。"

"没错。所以，白人为什么不行?"

"这不纯粹是属于任命权的范围。"

"见鬼才不是。这不折不扣属于任命权。我酬谢我的朋友，我也惩罚我的仇人。这就是政治上的生存之道。谁带你上舞会去，你就跟谁跳舞。我不相信你会要一个女人和一个黑人。你变得软了，弗莱彻。"

科尔又翻了一页。这样的话他以前听见过。"我是更加关心再度当选。"他轻声说道。

"我又何尝不是?我任命这么多亚洲人和说西班牙语的人，黑人和妇人，你会认为我是个民主党了。见鬼，弗莱彻，白人有什么

不好啊?你瞧,全国各地总归有一百个合格的、保守的好法官吧,对吗?你为什么就找不出两个,只不过两个,模样和头脑都跟我一样的法官。”

“你得到90%的古巴人的选票?”

总统把讲话稿往座位上一扔,拿起当天早晨的《华盛顿邮报》。“好吧,我们就把考尔德伦定下来。他的年龄多大?”

“51岁。已婚,8个子女,天主教徒,出身贫寒,挣钱读书,耶鲁大学毕业,学识非常扎实,非常保守。没有污点或丑闻,除了20年前因酗酒而受治疗之外。从那以后不曾醉酒。是个滴酒不沾的人。”

“他吸过毒吗?”

“他说从来没有。”

“我喜欢他。”总统在看报纸头版。

“我也是。司法部和联邦调查局认真调查过他的情况,他非常干净。那么,你是要赛勒-斯彭斯呢,还是要沃森?”

“赛勒-斯彭斯像个什么姓名?我是说,这些女人们在姓名里加上一横,有什么毛病?如果一个姓斯考温斯基的女人,嫁给一个姓莱冯道斯基的家伙,她该怎么办?难道她的解放了的小灵魂会一辈子坚持以 F. 格温德林·斯考温斯基-莱冯道斯基为自己的姓名吗?天哪,让我歇一口气。我决不任命一个带一横的女人。”

“你已经任命过一个了。”

“谁?”

“凯·琼斯-罗迪,驻巴西大使。”

“那就召她回国,立即免职。”

科尔强作笑脸,把材料放在座位上。他看着窗外行驶的车辆。第二名人选留待以后再定。考尔德伦的提名已经到手,他要再提一个琳达·赛勒-斯彭斯,他只消不断地向总统推荐那个黑人,就可以逼得他选择这个女人。这是起码的权术。

"我觉得我们应该再等两个星期,然后宣布提名。"他说道。

"无所谓。"总统咕哝一声,他在看一条头版新闻。他只要准备就绪,就可公开宣布,无需按照科尔的时间表行事。他也还没有拿定主意,两个人的提名是否必须同时宣布。

"沃森法官是个非常保守的黑人法官,他的强硬是出了名的。他是个理想的提名。"

"我不知道。"总统又是一声咕哝,他现在在看关于加文·维尔希克的报道。

科尔已经看过这条第二版上的报道。维尔希克被发现死在新奥尔良的希尔顿饭店一间客房里,情况蹊跷。报道中说,联邦调查局声称对维尔希克在新奥尔良被害的原因毫不知情;沃伊尔斯深感哀痛,失去了一名优秀的忠诚的雇员,等等。

总统匆匆翻过了报纸。"格兰瑟姆老兄还没有开腔呢。"

"他在探听。我相信他已经知道了案情摘要,可是还不清楚它是个什么东西。他打电话找过首都里每一个人,但是不知道该问点什么东西。好像一只没头苍蝇。"

"对了,昨天我跟格明斯基玩高尔夫球,"总统洋洋得意地说道,"他向我保证一切都在控制之中。在打完18洞的全过程中,我们进行了真正开诚布公的交谈。他玩高尔夫球真是吓坏人,不是打到沙地上就是打到水里。真逗。"

科尔从来不碰一下高尔夫球杆,也讨厌什么障碍物之类的闲聊。"你想沃伊尔斯会在那边搞侦查吗?"

"不会。他答应过我不搞侦查。并不是说我信得过他,而是格明斯基根本没有提起沃伊尔斯。"

"你对格明斯基寄予多少信任?"科尔问道,斜眼看着总统,眉头皱紧。

"说不上。但是如果他对鹈鹕案情摘要知道点什么的话,我想他会跟我说的……"总统讲话支支吾吾,他知道此话显得轻率。

科尔咕噜了一下，似不相信。

他们驶过阿那考夏河，进入乔治亲王县境内。总统拿起讲稿，朝窗外看。凶杀案发生已经两个星期，民意测验的支持率仍然在50%以上。民主党方面并没有什么出头露面的候选人挺身出来叫叫嚷嚷。他的强势有增无减。美国人都在讨厌毒品和犯罪，吵吵闹闹的少数族裔引起了全国的注意，自由派的白痴们对宪法的解释保护了罪犯和激进分子，如今正是他的得意之秋。他要一举为最高法院提名两位大法官。他的遗泽惠及后世。

他不觉喜上眉梢。

28

　　计程车突然在第 5 大道和第 52 大街的转角上停下，格雷完全按照达比的要求行事，立即付掉车费，拿起提包，跳下车去。他身后有一辆汽车响起喇叭，吓飞了一群鸽子，他只觉得回到了纽约真是太好了。

　　时近下午 5 时，第 5 大道行人如织，他估计这正是她所要求的。她规定得很具体。乘坐这班飞机从全国机场到拉瓜迪亚机场。坐上一辆计程车到世界贸易中心的美景饭店。到酒吧去，喝上一杯，或者两杯，注意你的身后，一小时后再坐一辆计程车到第 5 大道和第 52 大街的转角。动作要迅速，戴太阳眼镜，注意周围的一切，因为如果有人跟踪的话，那就可以要他们送命。

　　她要他把这一切都用笔写下来。这好像有点傻，多此一举，但是她说话的口气容不得争辩。说实话，他也不想争辩。她说她侥幸活了下来，岂可再拿性命去碰运气。还说如果他想跟她谈话，就必须完全按照她所说的去做。

　　他拼命穿过人群，使劲加快步子，沿着第 5 大道走到 59 大街，走到世贸大厦，踏上台阶，穿过大厅，出门走上中央公园南街。没有人能跟得上他，既然她是如此小心，也不会有人跟得上她。

　　中央公园南街的人行道上挤满了行人，当他走近第 6 大道，走得更快了。他也好像是绷紧了的弦，不管他多么尽力克制自己，但是，为了就要和她见面，他还是激动非凡。在电话里面她显得冷静而有条有理，但她带有一丝恐惧和不安。她说她只不过是个法科学生，她不知道她在干什么，恐怕再过一星期她就要死了，但是事到临头，她也只能如此对付。她说随时随地都要设想有人在跟

踪你。她在狼狗的追逐下居然存活了 7 天,所以请他照她说的做。

她说过走到第 6 大道转角便闪进圣莫里茨旅馆,他便进去了。她已经用沃伦·克拉克的名字给他定下了一个房间。他用现钞付清了房钱,乘上电梯直到 9 楼。他得等着。坐在房里等着,她这么说的。

他在窗前坐了一个小时,中央公园暮色苍茫,电话响了。

"克拉克先生吗?"一个女人的声音问道。

"对,是的。"

"你是一个人来的吗?"

"是的。你在哪儿?"

"比你高 6 层楼。乘电梯上 18 楼,然后下来到 15 楼。1520 号房间。"

"好的,现在?"

"对了。我等着。"

他又刷了一次牙,理了一下头发,10 分钟后便站在 1520 号的门口。他觉得像是二年级的高中生头一次约会。自从中学里的足球比赛以来他还从来没有像这样紧张得唇干舌燥。

但是如今他是《华盛顿邮报》的格雷·格兰瑟姆,这不过是写一篇报道,她也不过是一个女人,所以你就收住你的心猿意马吧,老兄。

他敲响门,等着。"谁?"

"格兰瑟姆。"他对着门扉说了一声。

她慢慢把门拉开。她的长头发不见了,但是她的脸上含笑,活脱是个封面女郎。她沉着有力地握了他的手。"进来。"

他进了房间,她便把门关上闩好。"你想喝一点吗?"她问道。

"好啊,你有什么喝的?"

"水,加冰块。"

她走进一间小起居室,里面的电视开着,然而没有声音。"里面来。"她说道。他把手提包放在茶几上,便在沙发上坐下。她站在酒柜旁边,他的脑子里闪过一个念头,她的牛仔裤美极了。她没穿鞋子,只穿了件特大号的运动衫,领子歪向一侧,露出一截胸罩的肩带。

她把水递给他,在靠门的椅子上坐下。

"谢谢。"他说道。

"你吃过饭了吗?"她问。

"你没关照我吃饭。"

这句话把她逗笑了。"原谅我。我碰到的事情太多了。我们把饭菜叫到房间里来吃。"

他含笑向她点头。"很好。随便你要什么东西我都欢喜吃。"

"我喜欢吃一个肥肥的奶酪汉堡包,带炸薯条和冰啤酒。"

"好东西。"

她拿起电话,点了要吃的东西。格兰瑟姆走到窗口,观看第5大道上蜿蜒爬动的车灯。

"我24岁。你多大年纪?"她现在已经坐在沙发上,喝着冰水。

他在一张最靠近她的椅子上坐下。"38。结过一次婚。7年零3个月前离婚。没有孩子。一个人住,带一只猫。你为什么选中圣莫里茨旅馆?"

"这儿有房间,我还说服他们必须让我付现金,不可以看我的身份证明。你欢喜这家旅馆吗?"

"很好。不过已经不是它的全盛时代了。"

她仔细打量他一番。他6年前出过一本关于住房和城市发展部的丑闻的书,此书虽不畅销,她倒在新奥尔良的一个公共图书馆里见到过一本。他比护封上的照片老了6岁,岁月流逝,给他的耳际留下了一道浅灰色,颇显风致。

"我不知道你要呆多久,"她说,"我的计划每分钟都可以改变。我也许会在街上看见一张脸孔,马上就要飞到新西兰去。"

"你是什么时候离开新奥尔良的？"

"星期一晚上。我雇了一辆车子到巴吞鲁日，那一段路是容易受到跟踪的。我飞到芝加哥，在那里买了4张票，可以飞往4个不同的城市，包括博伊西在内，我母亲住在那儿。我在最后一分钟跳上了到拉瓜迪亚的客机。我想没有人跟上我。"

"你现在安全了。"

"也许这会儿是安全的。一旦这篇报道登了出来，我们两个人都要成为惊弓之鸟。"

格雷摇动杯子，冰块发出响声，同时对她作一番观察和思考。"那得看你告诉我一些什么。也得看有多少内容可以从其他方面得到证实。"

"证实它是你的事情。我把我所知道的告诉你，以后的一切由你自己做主。"

"可以。我们几时开始谈？"

"晚饭以后。我情愿吃饱了肚子再谈。你也用不着赶时间，是吗？"

"当然不急。我有一整个晚上，明天一整天，以及后天，大后天。我是说，你所要谈的是20年来最大的新闻，所以只要你说给我听，不论多长时间我都可以奉陪。"

达比笑了，眼睛朝别处看。整整一个星期之前，她和托马斯在穆顿饭店的酒吧里等桌位。他穿一件黑绸的休闲上装，劳动布衬衫，红色佩斯利涡旋花领带，浆得笔挺的卡其裤。皮鞋里面没有穿袜子。衬衫没有扣上，领带也是松的。他们在等候桌位的时候谈到了维尔京群岛，谈到了感恩节，也谈到了加文·维尔希克。他猛喝酒，这也并不稀奇。他后来醉了，正是这一点救了她的命。

过去的这7天她等于活了整整一年，现在她真正是在跟一个活人谈话，此人不想要她送命。她两脚交叉在茶几上面。这个男人在她房里她倒不觉得有什么不便。她觉得轻松随意。他的神色在告诉她:"相信我。"为什么不可以?她还有什么别人可以相信?

"你在想什么?"他问道。

"这一个星期真够长的。7天以前我不过是个普普通通的法学院学生,为了要出人头地,甘心把屁股坐烂。现在你看我。"

他尽量保持冷静,不让自己变得像个毛手毛脚的二年级的高中生,不过他还是在看着她。她的头发变成黑色了,而且短得很,真是十分时髦,不过他还是喜欢昨天传真上面的那一头长发。

"给我说说托马斯·卡拉汉。"他说道。

"为什么?"

"我不知道。他是这篇报道中的一员,不是吗?"

"是啊。我要稍晚一点说到他。"

"好的。你母亲住在博伊西?"

"是的,不过她什么都不知道。你母亲在哪儿?"

"肖特希尔斯,新泽西州。"他露出笑容回答。他嚼着一粒冰块发出响声,等她说话。她在思考。

"你喜欢纽约的什么?"她问道。

"机场。出来的通道最快。"

"托马斯和我夏天来过这里。这儿比新奥尔良还热。"

突然间,格兰瑟姆发觉她并不单纯是个性感娇小的女大学生,而且是一个居丧的未亡人。这个可怜的女士忍受着内心的悲痛。她根本没有在意他的头发,他的衣着,也不在意他的眼睛。她在受痛苦的折磨。我问这种问题太不应该了!

"我为托马斯的去世感到非常难过。"他说道,"我再也不会问到他。"

她露出笑容,但是不说话。

外面有人大声敲门。达比急忙把双脚从茶几挪下,睁大眼睛,看着门上。然后深深吐了口气。晚饭送来了。

"我去拿,"格雷说道,"放宽心吧。"

29

多少世纪以来，沿着形成路易斯安那州的海岸线，自然界进行着一场静悄悄的，然而是规模巨大的战争，不曾受到任何干预。这是一场争夺领土的战争。直到近年为止，人类不曾卷入其中。大海从南面以潮汐、风力和洪水向内陆进犯。从北面来的密西西比河夹带了无穷无尽的淡水和沉积物奔腾而下，使那一带的沼泽得到充分的土壤以供植物繁殖茂盛之需。从墨西哥湾来的海水冲蚀着海岸，把固结土壤的草类都烧死，从而摧毁掉蓄留淡水的沼泽。大河对此做出的回答就是把半个大陆的水量倾注下来，把夹带而来的土壤沉积在路易斯安那的下游一带。它慢慢地堆积起一长串沉积而成的三角洲，每一个三角洲都会越积越大而终于堵塞住水流，迫使它一次又一次改道。富饶的河网地带就是由一个个三角洲构成的。

这是一场有取有予的史诗般的斗争，完全听命于各种自然力的支配。大河奔流不息，不断带来补充，这许多三角洲不仅顶住了墨西哥湾的海水的冲蚀，并且还不断延伸扩大。

整个的沼泽地是一个自然演化的奇观。它们凭借富饶的沉积土所提供的养分成长为一个绿色的乐园，到处是柏树和橡树，以及一丛丛茂密的眼子菜、灯芯草和香蒲。水里面充满了龙虾、小虾、牡蛎、鲳鱼、蟹和鳄鱼。沿海的平原是野生物繁殖生长的天地。有数百种候鸟前来栖息。

这是一片广袤无垠、富饶茂盛的沼泽地。

1930 年在那里发现了石油，这招来了无休无止的糟蹋蹂躏。石油公司挖掘了上万英里的运河，寻找石油。密如蛛网的一道道整齐的小沟渠把易损难守的三角洲宰割得支离破碎。

它们钻探，找到了石油，然后便发疯似的挖掘，直至达到油层。它们的运河成了墨西哥湾和海水的理想通道，借以把沼泽吞噬掉。

自从发现石油以来，海水已经卷走了千百万亩的沼泽地。路易斯安那州每年要失去 60 平方英里的土地。每 14 分钟就有一亩土地消失在水底。

1979 年，一家石油公司在特雷邦帕里什钻了一口深井，出了石油。这不过是一台钻机完成了一天的例行任务，但是这一天的发现却不寻常。出油特多。他们在相距 200 米的地方再钻，又钻出了一口大油井。他们后移一英里，开钻，钻出了一口更大的油井。他们在 3 英里以外又掘出黑金。

石油公司把几处油井都封了起来，对情况作了一番思考，这一切确实显示那儿有一个大油田。

这家石油公司为维克托·马蒂斯所拥有，他是法裔路易斯安那州人，原籍拉斐特市。他在路易斯安那州南部经营石油钻探，几度发了大财，几度倾家荡产。1979 年，正好碰上是他财运亨通的时候，而尤为重要的是，他可以调动别人的资本。他立即深信不疑他已经找到了一个特大油田。他开始购买已经封盖好的油井周围的土地。

在开发油田这一行中，保守秘密是决定成败的关键，又是最难做到的一点，马蒂斯当然知道，如果他在那一带大把大把地花钱，马上就会在他的新油田周围引发一场疯狂的钻井热。他有极大的耐心，又有过人的心计。他纵览全局，决定不取急功近利的做法。他决心不容他人染指。经过一番与他的几位律师和顾问们的密商制定了周密的计划，用一大批公司的名字逐步买下周围的土地。他们成立新的公司，全部收买或部分收买一些摇摇欲坠的公

司,展开了取得大片土地的买卖。

　　同行中人都知道马蒂斯,知道他有钱,知道他弄得到更多的钱。马蒂斯心里晓得他们知道,于是,他不声不响地出动两三个没人知道底细的实体,找到特雷邦帕里什的土地所有人的门上去。照此办理,没有遇到大的麻烦。

　　他计划好先把土地连成一片,然后再开挖一条穿过沼泽的河道,好把工人们和器材设备运抵油井那儿并赶快把石油运出来。这条运河长 35 英里,比其他运河宽一倍。它要担负大量的运输任务。

　　因为马蒂斯有钱,他在政界人士和官僚圈中是个红人。他周旋于他们之中也很得心应手。凡是需要的地方,他都肯撒钱。他爱好政治,但是厌恶出头露面。他多疑成性,欢喜离群独处。

　　正当购地交易顺利进行之际,马蒂斯突然陷于金钱短缺的窘境。80 年代初期石油业市况疲软,他别处的油井都停产了。他需要一笔巨款,因此得有几个慷慨解囊而又能对此保持缄默的合伙人,所以他便只身远行。他去了海外,找到几个阿拉伯人,他们审阅了他的地图,也相信他的估计,那里原油和天然气储量丰富。他们买下了此项经营的一股,马蒂斯又有了充裕的现金。

　　他行使了普施雨露的手法,得到了政府的准许,开凿一条通道,穿过那不好侍弄的沼泽地。事事顺遂,前景一片光明,维克托·马蒂斯心想稳可获得 10 亿美元的收益。也许 20 亿,或者 30 亿。

　　可是发生了一桩怪事。有人向法院告了一状,要求停止开凿运河和钻掘油井。原告是一个不明来历的环境机构,它的名字就是一个简单的绿色基金。

　　这起诉讼实非始料所及,因为 50 年来路易斯安那一直容忍石油公司和维克托·马蒂斯之流对它肆意吞噬和污染。这是一起公平交易:石油业为许多人提供了就业,付给丰厚的工资,巴吞鲁日征收的石油税和天然气税足以支付本州政府雇员的薪金。湖沼岸边的小村落都变成了蓬勃兴旺的市镇。包括历任州长在内的大小政客都得到了好处，也给予配合。真是皆大欢喜，就算有几处沼泽地受点儿破坏，那又怎么样。

绿色基金向拉斐特市的联邦地方法院提出诉讼。一位联邦法官下令整个工程停止实施，听候法院对本案所涉及的所有问题进行审理。

马蒂斯气得发疯。他连续数周跟他的律师们密谋策划。他要不惜任何代价打赢官司。他指示他们，需要怎么干就怎么干。要打破一切清规戒律，不讲任何信义道德，可以雇请任何方面的专家权威，开展任何专题研究，要不惜付出任何数额的本钱，非要打赢这场官司不可。

他向来不出头露面，这一回更采取了低姿态。他移居到巴哈马群岛，在莱福德礁的一处武装防守的古堡里指挥行动。他每周一次飞往新奥尔良和律师们会面，事毕即回岛上。

虽然他现在已经不露踪影，他却切实要求务必增加政治捐款。他的财富安然无恙地深藏在特雷邦帕里什的地下，总有一天他会把它挖掘出来，但是谁也不能预知他什么时候也会有求人之处。

绿色基金的律师一共是两个人，到他们涉足这件讼事时，已经确认了 30 多个互不相关的被告；有的被告是拥有土地的，有的是从事勘探的；一些被告是埋设管子的，另一些被告是钻井的。还有联合的企业，责任有限的参股人，法人联合体，等等。使人如坠五里雾中。

各家被告以及他们的高价律师做出强烈的答复。他们提出了一份洋洋洒洒的请求，要求法官驳回这份鸡毛蒜皮的诉状。他们又请求在等候审判期间准许钻探继续进行。在未获准后他们又提出一份长篇请求，发出痛苦的呼号，说明勘探和钻井等等已经套

牢了他们多少资金,但仍未得到准许。他们递的请求可以装满整整一卡车,可是一次次都遭到否决,事情也就很明显了,这个案子总有一天要受到陪审团的判决,石油律师们决心战斗到底,而且还要不择手段。

绿色基金的起诉好像得到天助一般,因为新发现的石油储存的中心地带靠近一片圆圈形的沼泽地,多年来那一带就是各类水禽的天然庇护地。鹗、白鹭、鹈鹕、野鸭、鹤、鹅,以及许多别的水禽都移栖到那里去。虽然路易斯安那不见得对它的土地一贯怀有善心,但对它的动物所表现的爱心却要略胜一筹。由于此案最终要由陪审团做出裁定,而陪审团又是由一批普通的平民百姓所组成,绿色基金的两位律师便看准鸟类大做文章。

鹈鹕成了主角。30年来经过DDT和别的杀虫剂的污染,路易斯安那的棕鹈鹕已经濒于灭绝的边缘。它被列为濒危物种,受到了高等级的保护。绿色基金选中了这种身价不凡的鸟类,争取到全国各地的6位鸟类学专家为它作证。

与此案有关的律师有上百人,诉讼进展迟缓。这种情况正是绿色基金所求之不得的。钻井架子都已停机闲置。

在马蒂斯乘坐的喷气直升飞机的响声越过特雷邦湾的上空,并且沿着他的宝贝运河将要穿行的路线飞越沼泽地带的7年之后,鹈鹕讼案在莱克查尔斯市开庭审判。这一场难解难分的官司进行了10个星期。绿色组织要求对于已经造成的破坏做出经济赔偿,它还要求发出永久禁制令,不得继续钻探开井。

石油公司从休斯顿搬来一位辩护人说服了陪审团。绿色组织输掉了这场官司,这一结果也不是完全没有预料到的。石油公司用掉了几百万,而关于污染的可怕的警告,以及沼泽地带生态的脆弱性,给予陪审员的印象不深。石油就是金钱,居民需要就业。

但是,法官决定禁制令继续有效。他认为绿色组织已经证明了控告中关于鹈鹕濒临灭绝之说,它是一种受到联邦保护的鸟类。大家都知道绿色组织还要上诉,所以事情远未了结。

尘埃暂告落定,马蒂斯取得小胜。但是他知道来日方长,除了此地的法庭,还有别处的法庭。他有极大的耐心,又有过人的心计。

30

　　茶几正中放一架录音机,周围有 4 个空啤酒瓶。

　　"这桩讼案是谁告诉你的?"他边写边问。

　　"是一个名叫约翰·德尔·格雷科的告诉我的, 他是图兰大学法院院的学生,比我高一届。去年夏天他在休斯顿一家很大的律师事务所当书记员,这家事务所也跟这场官司沾上一点边,他听到了不少谣言和传说。"

　　"所有这些律师事务所都是新奥尔良和休斯顿的吗?"

　　"是的,都是办理诉讼的大事务所。但是那些公司来自十几个不同的城市。当然,它们都带来了自己当地的法律顾问。有来自达拉斯和芝加哥的律师, 还有几个其他城市的律师。像个马戏班子。"

　　"现在诉讼处于什么状况?"

　　"初审已经了结,将要上诉到第 5 巡回上诉审判庭。上诉状尚未完成,再有一个月左右一定可以完成。"

　　"第 5 巡回上诉审判庭在什么地方?"

　　"在新奥尔良,已在那里呆了 24 个月了,一个由 3 名法官组成的聆审团进行审理并做出裁决。毫无疑问,败诉一方将要求聆审团全体法官重新听审,那就又要花三四个月的时间。裁决中一定还找得到足够的毛病,保证可以把它推翻,或者退回重审。"

　　"退回重审是怎么回事?"

　　"上诉法院可以从 3 种做法中选择任何一种,确认裁决、推翻裁决或挑出足够的毛病,将讼案退回重新审理。如果退回,就是退回到下级法院重新审理。他们也可以部分确认,部分推翻,或部分退回重审,就像要把事情搅混一样。"

格雷手上写个不停,同时又困惑地摇摇头。

"为什么会有人要当律师呢?"

"过去一个星期中我也曾几次问过自己这个问题。"

"你有什么想法吗,第5巡回审判庭会怎么办?"

"没有。他们连上诉状都还没有看到呢。原告指控被告在诉讼程序上搞了许多违法行为。从罪行的性质来看,不少指控可能是真实的。因此,原裁决有可能被推翻。"

"那么接下来会发生什么事呢?"

"那就有好戏看了。如果双方都对第5巡回审判庭的裁决不满意,他们可以上诉到最高法院。"

"真想不到,真想不到。"

"最高法院每年收到成千上万件上诉案,但受理的选择非常严格。由于此案涉及的财富、压力和争端等因素,很有希望得到审理。"

"从现在算起,最高法院要再过多久才能对此案做出判决?"

"3到5年之间。"

"到那时罗森堡早已自然死亡。"

"对。不过到他自然死亡的时候,在白宫当政的可能已经是一位民主党人了。何不现在就把他除掉,可以对接替他的人更有把握一点。"

"有道理。"

"这是一着高招,如果你是维克托·马蒂斯的话,如果你现在手头还只有五千余万,可是你想成为10亿富翁,你又不害怕杀掉一两个最高法院的人,那么现在正是时候。"

"如果最高法院拒绝受理此案,那又怎么样呢?"

"如果第5巡回审判庭确认初审裁决,马蒂斯就可以太平无事。假如第5巡回审判庭推翻裁决,而最高法院又拒不核准,他就

有麻烦了。我猜想,他会回过头去重新来过,鼓捣起一轮新的诉讼,再试一次运气。他不会善罢甘休,因为金额太大了。既然他已经看中了罗森堡和詹森这两个人,任何人都得承认,他就是要豁出去干一场了。"

"审判期间他在什么地方?"

"从未露面。请别忘记,没有多少人知道他是这场诉讼的首要人物。审判开始的时候,有 38 家法人公司被告,没有个人被告,全是公司名字。38 家公司中,只有 7 家是公开上市的,他在其中任何一家的股份都不超过 20%。这 7 家公司都是些柜台交易的小公司。另外 31 家都是非上市公司,我得不到多少情况。但我的确听说过,这些非上市公司许多都是相互拥有的,有些甚至为这些上市公司所拥有,几乎完全不容外人插足。"

"但都在他的控制之下。"

"是的。据我推测,他拥有或控制总额的 80%。我对 4 家非上市公司作过调查,其中的 3 家持有离岸特许,两家在巴哈马群岛,一家在开曼群岛。德尔·格雷科听说过,马蒂斯通过离岸银行和公司,在幕后经营操纵。"

"你记得哪 7 家公开的公司吗?"

"大部分记得。当然它们都写在案情摘要的脚注中,可是我现在一份也没有。不过我把它的大部分内容重新手写出来了。"

"可以让我看吗?"

"你可以拿去。不过它可是要招来杀身之祸的。"

"我以后再看。跟我说说这张照片。"

"马蒂斯是拉斐特市附近一个小镇上的人,早些年是给路易斯安那州南部的政客们捐款的大户。他是个隐身幕后的人,总是在暗地捐款。他把大笔钞票捐给当地的民主党人,又把大笔钞票捐给共和党的全国性人物。多年来他时常受到华盛顿大人物的酒宴款待。他从来不寻求喧嚣的名声,像他这种人的钱是瞒不过人的,尤其是当他向政客们孝敬的时候。7年前,现在的总统是当时的副总统,他前往新奥尔良为共和党募款。该城冠盖云集,其中就有马蒂斯。每张餐券一万美元,因此新闻界便也跻身其中。一位摄影记者抢拍到一张马蒂斯同副总统握手的照片,新奥尔良的报纸第二天就刊登了这张照片,照片拍得非常好,他们两人像最要好的朋友一样微笑相视。"

"这张照片容易找到。"

"我已经把它粘在案情摘要的最后一页上,只是觉得好玩。挺有趣的,是不是?"

"这可是我的好运气了。"

"几年前马蒂斯消失不见了,人们认为他有好几个住处。此人性格怪僻。德尔·格雷科说,大多数人都认为他精神错乱。"

录音机啪的响了一下,格雷换了磁带。达比站起来舒展一下两条长腿。格雷摆弄录音机的时候,眼睛瞅着她。已经用完两盘录音带,都已做了记号。

"累了吧?"他问道。

"我没有睡好。你还有多少问题要问?"

"你还知道多少?"

"基本的内容我们都谈到了。有漏掉的,明天上午再补充吧。"

格雷关掉录音机站了起来。达比站在窗前,又伸懒腰又打哈欠。格雷在沙发上坐下,放松一下。

"你的头发怎么啦?"他问道。

达比盘腿坐在椅子上,红趾甲,下巴托在膝盖上。"我把它留在了新奥尔良的旅馆里。你怎么知道的?"

"我见到过一张照片。"

"在哪里看到的?"

"说实话是3张照片。两张是图兰大学的年刊上,一张在亚利桑那州州立大学的年刊上。"

"谁寄给你的?"

"我有熟人。这些照片都是传真给我的,所以不太清楚。那上面的头发太美了。"

"我真不希望你会那么干。"

"为什么?"

"每一次电话都会留下痕迹。"

"不要紧,达比。请你相信我。"

"原来你在到处探听我的情况。"

"只是打听点背景情况。就那么一点。"

"不要再这样了,好吗?如果你想从我这里了解什么情况,可以直接问我。如果我说不行,那就别再问。"

格兰瑟姆耸耸肩后同意了,从此不提头发,而谈些不那么敏感的事情。"那么是谁选中了罗森堡和詹森的呢?马蒂斯可不是律师啊。"

"罗森堡好解释。尽管詹森很少写过关于环境问题的意见,但他一贯投票反对任何类型的发展计划。如果说他们之间会有什么牢靠的共同立场的话,那么就是在保护环境方面。"

"你认为这是马蒂斯一个人的主意吗?"

"当然不是。一个阴险狡猾的法律专家向他提出这两个名字。他有上千名律师。"

"没有一个华盛顿的律师?"

达比抬起下巴朝他皱起眉头。"你说什么?"

"他的律师当中没有一个是华盛顿的律师。"

"我可没有那么说。"

"我以为你所说的这些律师事务所主要都是新奥尔良、休斯顿和其他城市的,你没提到华盛顿。"

达比摇摇头说:"你太自以为是了。我至少马上能够举出两家华盛顿的律师事务所,都是我在资料中看到过的。一家是怀特和布莱泽维契律师事务所,是一家历史悠久、有钱有势的共和党人的事务所,拥有 400 名律师。"

格雷立即朝前坐到沙发上。

"这就对头了。达比,可能就是这家。"

"我听你说下去。"

"你在听吗?"

"我给你发誓,我还要听你说下去。"

格雷站在窗前。"是这样,上星期我接到 3 次电话,是华盛顿一个名叫加西亚的律师打给我的,其实这不是他的真名。他说他知道并且看到过一点关于罗森堡和詹森的东西,他非常想把他知道的东西告诉我。但是他又怕得要死,后来便不见了。"

"华盛顿有 100 万律师。"

"200 万。我知道他在一家私人的事务所工作。他好像承认过这一点。他是诚心的,又很害怕,他觉得有人跟踪他。我问他是谁在跟踪他,他又不肯讲。"

"他怎么啦?"

"我们约好上星期六上午见面,星期六一早他打电话来,见面的事作罢了。他说他已经结婚,有一份不错的工作,还要去冒那个险干什么。我总觉得他有一份什么材料要拿给我看,尽管他不曾这么说过。"

"他可能给你提供证据。"

"说不定他就在怀特和布莱泽维契律师事务所工作呢? 我们寻找的范围马上就缩小到 400 名律师了。"

"那岂不小得多了。"

格兰瑟姆一个箭步冲向他的拎包,急急忙忙翻动一些纸头,突然一下子抽出一张 5×7 英寸的黑白照片,丢到她的面前,"这就是加西亚先生。"

达比审视着照片。人来人往的街沿上的一个男人,脸部是清

楚的。

"看得出来他不是站好了让你拍照。"

"确实是。"格兰瑟姆在踱着方步。

"那你是怎么拍到的?"

"恕不公开我的来源。"

达比把照片落到茶几上,用手揉了揉眼睛。"格兰瑟姆,你让我觉得害怕。这张照片使我产生一点卑鄙的感觉,告诉我,你没干什么卑鄙的事情。"

"是有点儿卑鄙,没错。此人总是在同一处公用电话给我打电话。他犯了一个错误。"

"是的,我知道。这是个错误。"

"我也需要知道他是个什么样子。"

"你问过他可以不可以给他拍照吗?"

"没有。"

"那可卑鄙到极点了。"

"一点不错。确实是卑鄙到了极点。可是我已经这么干了,就是这张照片,它可以让我们把案子跟马蒂斯连起来。"

"连起来。"

"对的,连起来。我以为你是不肯让马蒂斯逃脱的。"

"我这么说过吗?我要他付出代价,不过我想还是让他去吧。格雷,他已经使我皈依了上帝。我见到的流血已经够多了,一辈子都忘不了。这案子就由你接下去办吧。"

他不加理睬。他从她的背后走到窗前,然后回到冰箱旁边。"你说过有两家律师事务所。另外一家呢?"

"布里姆、斯特恩斯以及另外一个人的什么事务所。我来不及核查一下他们的事务所。怪得很,找不到关于这两家事务所为哪一家被告当辩护人的记载,但是这两家事务所,尤其是怀特和布莱泽维契律师事务所,在我翻阅案卷的过程中时常会冒出来。"

"布里姆、斯特恩斯以及另外一个某人的律师事务所有多大规模?"

"明天我可以查出来。"

"和怀特和布莱泽维契律师事务所差不多大吗?"

"我看没有那么大。"

"估计一下有多大?"

"200个律师。"

"好得很。两个律师事务所加起来一共有600个律师。达比,你是律师。你看我们该怎么样才能找到加西亚?"

"我不是律师,也不是私人侦探。你是专门搞调查的记者。"她不喜欢他用"我们"这两个字。

"不错,不过我可从来不曾踏进律师事务所,除了办离婚的那回。"

"那你是够幸运的了。"

"我们怎么才能找到他呢?"

达比又打哈欠。他们已经谈了快3个小时了,她已精疲力竭。明天早上还可继续谈。"我不知道怎么才能找到他,其实我还没怎么考虑过。我要先睡觉,明天早上再跟你讲吧。"

格兰瑟姆立刻安静下来。达比站起来走到冰箱前倒了一杯水。

"我收拾一下东西。"他说着把录音带都捡起来。

"能帮个忙吗?"她问道。

"也许可以。"

达比歇了一下朝沙发看看。"今天晚上你睡在这张沙发上行吗?我是说,我好长时间没睡个好觉了,我需要得到休息。如果我知道你也在这里,睡觉就要好多了。"

他看着沙发,为难地咽了一口气。他们两人都朝沙发看。这张沙发顶多5英尺长,显然毫无舒服可言。

"我理解。"

"有你这么一个人在身旁就好了。"她含羞微笑,格雷深深感动。

"我不在乎,"他说道,"没问题。"

"谢谢。"

"把门锁上,上床睡个好觉,我呆在这里,一切都会平安无事。"

"谢谢。"她点点头,又笑了,然后把她卧室的门关上。他听着,她没有锁门。

黑暗中他坐在沙发上,望着她卧室的门。半夜过后,他迷迷糊糊打盹儿,后来便睡着了,双膝弯曲,接近下巴颏。

31

主编杰克逊·费尔德曼是她的顶头上司,这儿是她的地盘,除费尔德曼先生之外,容不得别人对她指手画脚。像格雷·格兰瑟姆这么个不知天高地厚的混小子就更加不要谈了,他现在就站在费尔德曼先生的门口,像条德国猎犬那样给他看门。她眼睛盯着他,而他也不怀好意,以眼还眼,这样的相持局面已经有10分钟了,自从他们在里边关门密商以来。格兰瑟姆为什么要守在门外,她不知道。

已经5点半,她该下班了,但费尔德曼先生要她等着。他还是站在那门边朝她傻笑,离她不过10英尺。她从来就不喜欢格雷·格兰瑟姆。不过话也得说回来,《华盛顿邮报》里的人受她喜欢的不多。一个新闻助理走了过来,像是往那门口走去,这条德国猎犬便堵住了他的路。"对不起,你现在不能进去。"格兰瑟姆说道。

"为什么不能进去?"

"里面正在开会。把东西交给她好了。"他用手指着秘书。

"交给我吧。"秘书说道。她把文件接过手,新闻助理便走开了。

办公室的门突然打开,从里边传出来一声叫唤:"格兰瑟姆。"

他朝秘书笑笑,走了进去。杰克逊·费尔德曼站在办公桌的后面,领带松垮,下降到第二颗钮扣,衬衫袖子往上卷到了胳膊肘。他身高6英尺6英寸,没有肥肉。58岁的人了,每年跑2次马拉松,每天工作15小时。

史密斯·基恩站着,手里拿着一份4页纸的新闻内容的简单介绍和达比重新手写的鹈鹕案情摘要。费尔德曼也有一份,放在

办公桌上。他们都露出异常的神情。

"请把门关上。"费尔德曼对格兰瑟姆说道。

格雷把门关上,便坐在办公桌上。大家都不说话。

费尔德曼使劲揉擦眼睛,又朝基恩看看。"好哇。"最后出来这么一声。

格雷露出笑脸。"你是说可以了。我交给你的是 20 年来最轰动的新闻,所以你感动得要说一声'好哇'。"

"达比·肖在什么地方?"基恩问道。

"我不能说。这是我要遵守的条件。"

"什么条件?"基恩问道。

"我也不能说。"

"你什么时候跟她谈的?"

"昨天晚上,今天早上也谈了。"

"是在纽约吗?"基恩问道。

"我们在哪里谈又有什么关系呢?我们说过话,行了吧。她说,我听。我飞回来,写了这份简要情况。你觉得怎么样?"

费尔德曼弓起瘦长的身躯,坐到椅子上去。"白宫了解多少情况?"

"不太清楚。维尔希克告诉达比,这份案情摘要上星期就送到白宫,当时联邦调查局是认为必须追查的。白宫得到这份材料之后,不知为了什么缘故,联邦调查局退缩了。我就知道这些。"

"3 年前,马蒂斯给了总统多少钱?"

"几百万。实际上,这些钱都是通过他所控制的不知其数的政治行动委员会捐赠的。这家伙聪明得很,他雇请了各种各样的律师,寻找各种门路到处塞钱。这些钱大概全是合法的。"

两位编辑苦苦思索。他们的吃惊非同小可,好像吃了一颗炸弹还能活下命来似的。格兰瑟姆则是得意扬扬,两只脚在桌子下面晃动,好像一个孩子坐在码头上。

费尔德曼慢慢拿起文件,用回形针别好,再翻阅一遍,一直看到马蒂斯和总统的那张照片。他摇了摇头。

"格雷,这是条爆炸性新闻,"基恩说道,"没有取得大量的确凿证据,我们不能刊登。见鬼,我们说的这条新闻也许是全世界最难办的查证任务。伙计们,这可是块硬骨头。"

"该怎么办呢?"费尔德曼问道。

"我已经想到一些。"

"我倒想听听。别忘了它会要你送命。"

格雷瑟姆站到地上, 两手插在裤袋里。"首先我们找到加西亚。"

"我们?我们是谁?"基恩问道。

"我,好吧。我。我去设法找到加西亚。"

"这事同那姑娘有关吗?"基恩问道。

"我不能说。这是我答应过她的。"

"你得回答我这个问题,"费尔德曼说道,"如果她为了在这条新闻上帮助你而被杀害,我们将处于怎样的境地。这太冒险了。现在她在什么地方?你们两个准备怎么办?"

"我绝对不会说出她在什么地方。她是个消息来源。我向来都对我的消息来源加以保护。她没有帮助我进行调查。她只是一个消息来源,行了吗?"

他们都看着他,难以置信。他们又相互看着,基恩终于耸了耸肩。

"需要帮忙吗?"费尔德曼问道。

"不要。她坚持只肯让我单独干。她非常害怕,这不能怪她。"

"我只是看了一遍这份鬼材料,它把我吓坏了。"基恩说道。

费尔德曼把椅子向后蹬了一下,两脚交叉搁在桌上。他这才第一次露出笑容。"你只能从加西亚着手。如果找不到他,那就可能要花几个月的时间搜寻关于马蒂斯的资料。你着手查寻马蒂斯

的资料之前,让我们好好谈一次。格兰瑟姆,我喜欢你的才华,不值得让你为这件事送命。"

"你写的每个字都送给我看,好吗?"基恩说。

"我要求每天向我报告,好吗?"费尔德曼说道。

"没问题。"

基恩走到玻璃墙前,注视着新闻编辑室内发疯似的忙乱。每天这种疯狂的忙乱情景要出现好几次。5点半钟是一个高潮,大家都得抢时间赶写新闻,6点半钟要开第二次新闻会议。

费尔德曼坐在办公桌旁注视着新闻编辑室。"也许报纸发行量滑坡的局面就此结束了,"他对格雷讲,但眼睛并没看着他,"这种滑坡状况有五六年了吧?"

"也许7年了。"基恩说道。

"我可写过一些好新闻。"格雷为自己辩护。

"当然,"费尔德曼仍注视着新闻编辑室,"不过你击出的都是二垒打或三垒打,你击出本垒打已经是很久以前的事了。"

"3击未中出局的情况也不少。"基恩帮他补充了一句。

"这种情况我们大家都碰到过,"格雷说,"但是这样的本垒打将出现在世界职业棒球锦标赛的第7场。"他拉开了门。

费尔德曼望着他说:"当心自己,不要出事,也不要让她受到伤害。明白吗?"

格雷微笑着离开办公室。

他在快要到达托马斯广场的时候看到后面的蓝灯。警察没超车,而是紧紧跟在他的车后。他既没有注意限速,也没注意他的计速器。这将是他16个月中的第3张罚款单。

他将车停在一幢公寓旁的一块小停车场里。天色已黑,蓝色灯光在他车子后视镜中闪烁,他揉了揉太阳穴。

"出来!"警察从他的车后命令道。

格雷打开车门站在车外。这是个黑人警察,还突然笑起来了。原来是克利夫,他指着巡逻车。"上车。"

他们坐进了顶上装有蓝光灯的汽车,眼睛看着那辆沃尔沃。"你为什么这样对我?"格雷问道。

"我们是有定额的,格雷瑟姆。我们必须拦下一批白人,跟他们捣蛋。我们的头儿要显得办事公平。白人警察专门捉弄贫穷无辜的黑人,我们黑人警察专门找无辜的富裕白人碴儿。"

"我估计你要给我上手铐,再把我揍一顿。"

"除非你要求我那样干。萨吉不能再给你提供信息了。"

"说下去,我听着呢。"

"他觉察到情况有变,他看得出人家用异样的眼光看他,也听到一点风声。"

"譬如说?"

"譬如说,他们在议论你,以及他们多么想知道你已经知道了多少。他认为他们可能在窃听。"

"往下说,克利夫。他不是开玩笑吧?"

"他亲耳听到他们在议论你,说你在探听关于鹈鹕的什么事。你已经惊动他们了。"

"关于鹈鹕的事情听到了些什么?"

"说你在到处打听这件事,他们对此十分重视,萨吉说,不论你到哪里去,不论你跟谁说话,都要小心提防。"

"我不能再和他见面了吗?"

"要过一段时间。他想避避风头,让我来传递信息。"

"就这么办,我需要他的帮助。请转告他,他也要当心。这件事非常麻烦。"

"鹈鹕到底是怎么回事?"

"我不好说。告诉萨吉,这件事能要他送命。"

"萨吉才不怕呢。他比那里所有的人都聪明。"

　　格雷打开车门下去了。"谢谢,克利夫。"

　　他把蓝色警灯关掉,"我经常在外面巡逻。接下来 6 个月我都值夜班,我会随时留心注意你的。"

　　"谢谢。"

　　鲁珀特买了一只肉桂小面包,坐在酒吧的高脚凳上,居高临下俯瞰着人行道。时已午夜,不早不晚是在半夜,乔治城已经安静下来。有几辆汽车沿 M 街急驶而去,路上的行人也在走回家去。咖啡馆的生意还是忙的,但已不是挤满了人。他慢慢地喝着一杯清咖啡。

　　他认出了人行道上那人的脸,没有几分钟的工夫,此人已坐到他边上的一张高凳上。这个人有点像是听人使唤的。前几天他们在新奥尔良见过面。

　　"情况如何?"鲁珀特问。

　　"我们找不到她。这使我们觉得担心,因为今天我们得到了一些不好的消息。"

　　"什么消息?"

　　"不过,我们听到了一些话,未经证实。那批坏蛋显得行动反常,头号坏蛋想要动手杀掉所有的人。钱是不在乎的。我们听到有人说,他要不惜一切代价斩草除根。他正在派来一批枪法高明的杀手,当然,他们说他已精神错乱,不过他是个极端阴险毒辣的人,而金钱可以杀死许多人。"

　　这一通关于杀人的传说并没有使鲁珀特惊慌失措。"名单上有谁?"

　　"那个姑娘。我估计凡是知道这份案情摘要,又不是他们圈子里的人都在名单上。"

　　"那么我该怎么办呢?"

　　"请在附近等待吧。明天晚上还是这个时候在这里会面。如果我们找到了这位姑娘,那就要看你的了。"

"你怎么找到她呢?"

"我们认为她在纽约。我们有办法找到她。"

鲁珀特撕下一小块面包塞到嘴里,"你准备到哪里去?"

这个通风报信的人想到了她也许可以去的十几个地方,但是,见鬼,都是像巴黎、罗马、蒙特卡罗这样一些地方,这些地方他都去过,也是大家都去的地方。他想不出有哪一处地方可以让她去隐姓埋名,终老此生。"我不知道。你想到什么地方去?"

"纽约,你在那里住上多少年也没有人会看到你。只要你会讲英语,又懂得本地的规矩。它是一个美国人最理想的藏身之处。"

"对,你说得对。那么你认为她在纽约了?"

"我不知道。她是很聪明的,但是也有倒霉的时候。"

通风报信的人站起来准备离开。"明天晚上见!"他说。

鲁珀特挥手叫他快走。真是可笑的小爬虫,他心里想。这家伙在一家家咖啡馆和啤酒店里东奔西走,小声地传递重要情报,然后回到主子身边再绘声绘色地详细描述一遍。

他把咖啡纸杯丢进了废物箱,然后走上人行道。

32

据最新版的《马丁代尔-哈贝尔法律指南》所载，布里姆、斯特恩斯和基德洛律师事务所有 190 名律师。怀特和布莱泽维契律师事务所有 412 名律师，加西亚很可能就是这大约 602 名律师中的一员。如果马蒂斯还利用了华盛顿的其他律师事务所，律师的数目会更多些，他们的机会也就渺茫了。

不出所料，怀特和布莱泽维契律师事务所里没有加西亚这个名字。达比又查寻过别的西班牙名字，也没找到。这一类公司中都是些名牌大学的毕业生，他们都有很长的名字。偶尔有几个女性名字出现，但只有两个是合伙人。大多数女律师是 1980 年之后参加的。如果她自己能够活到从法学院毕业，她是不会考虑给像怀特和布莱泽维契这样的事务所做工的。

格兰瑟姆曾建议她查找西班牙名字，因为加西亚就是作为化名也很不寻常。这人也许是讲西班牙语的美国人，他们当中叫加西亚的人很普通，当时他也许是不假思索随口说出这个名字的。查不到，这家公司中没有西班牙名字。

据这本指南介绍，该事务所的顾客都是有钱的大户：大银行、《财富》杂志的 500 家首富，以及许多石油公司。本案中有 4 家被告是该事务所的客户，马蒂斯不在其内。客户中有许多化学公司和航运公司，怀特和布莱泽维契律师事务所还是韩国、利比亚和叙利亚政府的代理人。她心里想，真荒唐。有些我们的敌人竟雇用我们的律师去游说我们的政府。如此看来，你可以雇律师去干任何事情。

布里姆、斯特恩斯和基德洛律师事务所是怀特和布莱泽维契律师事务所的一个较小的版本，但名单中有 4 个西班牙姓名。她把它们都抄了下来，两男两女。她推测，这个律师事务所肯定因种族和性别歧视而被控告过。过去 10 年间，他们雇用了各色各样的人。列入名单的客户不出她所料：石油和天然气、保险、银行以及政府公关。这些名字看起来真讨厌。

她在福德姆法律图书馆的一个角落里坐了一个小时。星期五上午，纽约时间 10 点，新奥尔良时间 9 点，这时候她本来应该坐在艾利克讲授的"联邦诉讼程序"的课堂上，而不是躲藏在她从未见到过的这个图书馆里。

她谢过图书馆管理员，走出大楼。她走上第 62 大街，朝东向中央公园走去。这是 10 月的一个十分美好的早晨，晴空无云，凉风拂面。比起新奥尔良是舒服多了，然而眼下的处境不容她好好享受。她戴一副新的雷蒙太阳眼镜，一条围巾把下巴也包了起来。头发仍旧是黑的，她再也不能把它剪得更短了。她决心一直朝前走，不再回头张望。也许后面没有人跟踪，但是她知道，要经过许多年之后她才能够随意上街而不用担心。

公园里的树林里现出一片绚丽的夺目的黄色、橘黄色和红色。树叶在微风中轻轻飘落。她在中央公园西街向南转弯，她明天要离开这里，到华盛顿去呆几天。如果她能大难不死，她将离开这个国家，说不定会到加勒比海去。她曾去过那里两次，那里有上千个小岛，岛上的人大多会讲点英语。

现在是离开这个国家的时候了。她已经摆脱了他们的跟踪，她已经查看过去拿骚和牙买加的航班。天黑时即可抵达那里。

在第 6 大街一家面包店的最里边，她找到了一部付费电话，拨了《华盛顿邮报》格雷的号码。"是我。"她说。

"好得很，好得很。我还以为你已经溜出这个国家了呢。"

"正是这么想的。"

"你能再等一个星期吗？"

"也许可以。明天我就到你那里。你了解到了什么情况吗?"

"我只是在收集一些乱七八糟的东西。我弄到了这一套中7家上市公司的年度报告。"

"你该说这个案子,不能说这一套,穿衣服才说一套。"

"你就不能宽容我一次吗? 马蒂斯既不是经理,也不是董事长。"

"其他还有什么?"

"只是跟平日一样打了上千次电话。昨天我花了3个小时在各处法庭转悠,寻找加西亚。"

"你在法庭里不可能找到他,他不是那一种律师。他是在一家公司里工作。"

"我相信你有好主意。"

"我有好几个主意。"

"那好吧,我就在这里等着。"

"到了那里我打电话给你。"

"不要往我家里打。"

她愣了一愣,"我可以问一声为什么吗?"

"说不定有人窃听,还可能有人跟踪。我的一个最可靠的消息来源认为,我令人不快之处已经够多的了,足够使我处于监视之下。"

"这才怪了!你想让我冲上去跟你做伴吗?"

"达比,我们都会安全无事的。只不过我们必须谨慎小心而已。"

她捏紧话筒,牙齿咬得紧紧地说:"你竟敢同我谈论什么谨慎小心!这10天来我一直在躲避炸弹和枪子儿,你还洋洋得意地告诉我要小心谨慎。格兰瑟姆,见鬼去吧!也许我应该离你远点。"

电话里停顿了一下,她向这间小小的咖啡馆四周张望。坐在最靠近她的一张台子上的两个男人在朝她看。她讲话的声音太响了。她把头转过去，深深吸了口气。

格兰瑟姆慢慢说道："对不起，我……"

"算了，别再提了。"

他等了会又说："你没事吧？"

"我好极啦。感觉从来没这样好过。"

"你到华盛顿来吗？"

"我不知道。我在这里是安全的，如果我乘上飞机离开这个国家，我会觉得更安全。"

"那当然，但是我觉得你已经有了一个好主意，先把加西亚找到，然后就有希望把马蒂斯抓住。我觉得你是怒不可遏，义愤填膺，还要报仇。是什么事情叫你改变主意了？"

"是的，原因之一，我渴望我能活到我的 25 岁生日。我并不自私，我也希望或许能活到 30 岁。那真是太好了。"

"我理解。"

"我不能肯定你是否真正理解，我认为你对普利策奖金，对荣誉，比对我这一条小命更加关心。"

"我向你保证，并非如此。相信我，达比。你不会有危险。你已经向我讲了你的生平。你一定得信任我。"

"我得考虑一下。"

"这是还不完全相信的意思。"

"不完全，你得给我点时间。"

"好吧。"

她放下电话，要了一只面包圈。咖啡馆里突然挤满了人，叽里哇啦地讲着好几种不同的语言。她的理智告诉她，离开这个地方，好宝贝，快快离开。乘上一部出租车直奔机场。付现金购买一张去迈阿密的机票。找到飞往南方的头一班飞机就上去。让格兰瑟姆去寻根挖底吧，祝他好运气。他很能干，他会有办法公布这桩新闻。她会有一天读到这条新闻的，那时她已躺在阳光灿烂的海滩

上，喝着果汁朗姆冰酒，看着人家在海上扬帆冲浪。

胖墩拖着沉重的脚步在人行道上走过。她透过窗子在人群中瞥见了他。她立刻感到口干头晕。他没向里边看，只是缓慢地走过，有点丧魂落魄的样子。她穿过一张张桌子，急忙跑到门口朝外看。他略显蹒跚地走到第6大道和58大街的路口，停下来等候绿灯，他开始先穿第6大道，接着改变主意穿过了第58大街，一辆出租车差点撞上他。

他漫无目的地沿街走着，脚步稍微有点一瘸一拐的。

这位年轻人从电梯里走了出来，来到走廊上，克罗夫特看见了他。他同另一个年轻律师在一起，他们没有带公文包，可见他们是出去吃一顿过了时候的中饭。对这些律师观察了5天之后，克罗夫特已熟悉了他们的习惯。

这幢大楼坐落在宾夕法尼亚大街上，布里姆、斯特恩斯和基德洛律师事务所占据着3至11楼的楼面。加西亚和他的伙伴走出了大楼在人行道上边走边笑。话题一定十分滑稽可笑。克罗夫特紧紧地跟在后面。他们一路笑着走过了5个街区，然后，不出他所料，他们钻进一家雅皮士光顾的酒吧去吃快餐。

克罗夫特在看到他之前，给格兰瑟姆打了3次电话。现在差不多下午两点钟了，午饭时间即将过去，如果格兰瑟姆想见到他的话，必须守在电话旁。格兰瑟姆重重地把听筒放下。他们回到大楼去碰头。

加西亚和他的朋友往回走时放慢了脚步。今天是星期五，阳光明媚，他们暂时放下每小时挣200美元的状告某人的工作，享受一下短暂的歇息。克罗夫特戴一副太阳镜，拉开距离跟在后面。

格雷在大厅靠近电梯的地方等候。他们在通过旋转门时，克罗夫特紧跟在后。他用手很快地指指他们要找的那个人。格雷看到了这一手势并揿下了电梯的按钮。电梯门开了，他正好在加西亚和他朋友的前面走进走梯。克罗夫就留在电梯外面了。

加西亚揿了6楼,格雷紧接着也按了同一层楼。格雷看着一份报纸,耳听两位律师谈论足球。年轻人的年龄不会超过二十七八岁,隐约有些像电话中的声音,但是原来电话里听见的声音就不是很清楚。年轻人的脸离得很近,但他不能仔细看,机会难得,非得试一下不可。他和照片上的那个人十分相像,他在布里姆、斯特恩斯和基德洛律师事务所工作,马蒂斯就是它的无数顾客中的一个。他要试一下,但要非常小心。他是个记者,闯进去问几个问题是他的分内工作。

他们在6楼走出了电梯,仍旧说笑谈论着印第安人队。格雷跟在他们背后磨蹭,漫不经心地翻看着报纸。事务所的大厅富丽堂皇。枝形吊灯,东方地毯,在一面墙上是黄金字母组成的律师事务所的名字。两位律师在门口接待台子前停下,取走了给他们的电话留言。格雷故意在接待小姐面前转悠,接待小姐仔细地打量着他。

"先生,要我帮忙吗?"她说话的含意却是"你到底想干什么?"

格雷便乘机说道:"我在会见罗杰·马丁。"他是事先在电话簿上查到这个名字的,而且一分钟前在大厅里给他打了电话,肯定马丁律师今天在办公室。大楼的公司名牌标明3楼至11楼上为这一家律师事务所,但没有把所有190个律师的名字都开列出来。他利用黄页电话号码簿中的名单,很快地打了十几次电话,每层楼面找到一位律师,罗杰·马丁就是他找到的6楼的那位律师。

他朝接待员皱起眉头,"我已经和他会面了两个小时。"

她给一下子弄糊涂了,一时想不出说什么好。格雷转一个弯走进一条走廊,他瞥见加西亚进入走廊那端的第四间办公室。

办公室门旁的名字是戴维·M.安德伍德。格雷没敲门,他想突然闯进去,也许很快就要退出来。安德伍德先生正把外套往衣架上挂。

"你好,我是《华盛顿邮报》的格雷·格兰瑟姆,我要找一个叫加西亚的人。"

安德伍德顿时变得目瞪口呆,困惑不解。"你是怎么进来的?"他问道。

这个声音听上去忽然觉得有点熟悉,"我走进来的,你是加西亚,对吗?"

他指指办公桌上的一块牌子,上面有金光闪闪的他的名字,并说:"我叫戴维·M.安德伍德。这层楼上没有人叫加西亚,我也没听说这个事务所里有人叫加西亚的。"

格雷笑笑,好像还要周旋下去。安德伍德有点害怕。要不然就是发火了。

"你的女儿好吗?"格雷问道。

安德伍德从桌子后走了出来,瞪着眼睛,而且也沉不住气了。"哪一个女儿?"

这句话对不上号,加西亚对他的女儿十分关切,她还是个女孩,如果他不止一个女儿,他应该提到的。

"我是指最小的那个,你妻子好吗?"

"我没有妻子,我已经离婚。"他举起左拳,在这一刹那,格雷心想他已经发疯了。这时格雷注意到他4个手指都没有戴戒指。没有妻子,也没有戒指。加西亚对妻子怀有深情,不会没有戒指。现在他该赶快走了。

"你想干什么?"安德伍德要他回答。

"我想加西亚不在这层楼上。"他说道,慢慢后退。

"你的朋友加西亚是律师吗?"

"是的。"

安德伍德缓和了点。"他不在这个事务所,我们有一个佩雷兹和一个赫南德兹,也许另外还有一个,但我没听说有个叫加西亚的人。"

"确实,这个事务所很大。"格雷在门口说道,"对不起,打扰了。"

安德伍德跟在后面说:"听着,格兰瑟姆先生,我们这儿没有让新闻记者随便闯进来的习惯。我去请保安部的人来,或许他们能帮助你。"

"谢谢,不必了。"格兰瑟姆顺着走廊离开了。安德伍德报告了保安部。

格兰瑟姆在电梯里埋怨自己。电梯里只他一人,没有别人,他便大声痛骂自己。他想起了克罗夫特,也骂他,这时电梯停了下来,门开了,克罗夫特正等在大厅一部付费电话机旁边。冷静一点。他心里提醒自己。

他们一起离开了这幢大楼。"没有成功。"格雷说。

"你同他谈过吗?"

"说过。但弄错人了。"

"见鬼。我认出那是他。是照片上那个青年,难道不对吗?"

"不对。很像,但不是他。继续努力吧。"

"我实在没有兴趣再干了,格兰瑟姆,我已经……"

"我是付给你钱的,对吗?再干一个星期好吗?我还想加把劲干呢。"

克罗夫特在人行道上停了下来,格雷继续往前走。"再干一个星期,我就决不再干了。"克罗夫特向他大声喊道。格兰瑟姆挥手叫他走开。

他把违章停靠的沃尔沃车门打开,飞速开回《华盛顿邮报》。这一招实在不高明,而且十分愚蠢,凭他的经验是不应该犯这么一个错误的。他在同杰克逊·费尔德曼和史密斯·基恩的每天闲谈中要避而不谈这件事。

有位记者告诉他,费尔德曼在找他,他便急忙向他的办公室

走去。秘书摆出架势正要发作,他向她亲切地笑笑。基恩、总编辑霍华德·克劳特汉默和费尔德曼3个人一起在等他。基恩把门关上,把一份报纸递给格雷,"看到这个了吗?"

这是一份新奥尔良的报纸,《时代花絮报》,头版上登载着维尔希克和卡拉汉惨死的消息,还有他们的大幅照片,他很快地看了一遍。报道讲述了他们之间的友谊,以及他们相隔6天相继离奇死亡。其中还提到了达比·肖,说她已不知去向。没有一句话说到案情摘要。

"我估计消息已经捅出去了。"费尔德曼说。

"里边没有什么内容,只是一些基本事实,"格雷说,"我们在3天前就可以登载这样的新闻。"

"我们为什么不登?"克劳特汉默问道。

"这篇报道毫无内容。两具尸体,一个女孩子的名字,对于上千个问题,它没有提供一个答案。他们找了一个警察,他是肯谈的,但是除了两条人命,他什么也不知道。"

"可他们在深挖,格雷。"基恩说。

"难道你要我叫他不挖吗?"

"《纽约时报》也跟上来了,"费尔德曼说,"他们明天或星期天将要发表一些东西,他们知道多少情况?"

"为什么要问我?但是,他们很可能得到了那份案情摘要。他们不见得会有,但可能有。他们没有同那位姑娘谈过,而我们得到了姑娘。她在我们手里。"

"但愿如此。"克劳特汉默说。

费尔德曼揉揉眼睛,抬头看着天花板。"我们假设他们手里有这份案情摘要。而且他们知道是她写的,但她现在不见了。眼下他们无法核实案情摘要,不过他们用不着害怕提到这份摘要,只要不说出马蒂斯的名字。我们还可以假设,他们知道卡拉汉是她的教授,他们也知道卡拉汉教授把这份案情摘要带到这里来交给他的好朋友维尔希克。现在他们两人都已死亡,而达比也隐匿不见了。难道这还不是一篇精彩报道吗,你说呢,格雷?"

"是一篇大新闻。"克劳特汉默说。

"同我们所要发表的报道相比,这篇报道只是小巫见大巫而已,"格雷说道,"现在我不想刊登这篇报道,因为它只是冰山的尖顶,它将引起全国所有报纸的注意,我们不必要让成百上千的记者来哄抢新闻。"

"我说我们还得登它,"克劳特汉默说,"如果不登,我们就要输给《纽约时报》。"

"我们不能刊登这篇报道。"格雷说。

"为什么不?"克劳特汉默问道。

"因为我现在不能写这篇报道,如果这篇报道由这里的别人写,我们就要失去这位姑娘。事情就这么简单。眼下她正在考虑是不是乘上一架飞机,离开这个国家,我们稍有疏忽,她就会一走了之。"

"不过她已经把她所知道的一切都讲出来了。"基恩说。

"我向她保证过,不把情况弄清楚,不把马蒂斯的名字点出来,我不会写这篇报道,简单得很。"

"你在利用她,对吗?"基恩质问道。

"她是消息的来源,但她不在这个城市。"

"如果《纽约时报》有份案情摘要,他们就会知道马蒂斯其人,"费尔德曼说,"既然他们知道马蒂斯,我敢肯定,他们会千方百计地去进一步核实,万一我们败给他们怎么办?"

克劳特汉默嘟哝着说:"我们只能束手待毙,眼睁睁地错过我20年来不曾见过的特大新闻。我认为我们该把手头的情况发表出去。尽管还只是些表面现象,但也可算是当前的一篇难得的精彩新闻了。"

"不,"格雷说,"不掌握全部情况,我不写。"

"那得需要多长时间?"费尔德曼问道。

"也许一个星期。"

"我们没有一个星期好等。"克劳特汉默说。

格雷豁出去了。"我能知道《纽约时报》到底掌握了多少材料。请给我 48 小时。"

"他们明天或星期天就会登出东西。"费尔德曼又说一句。

"让他们去发表吧。我敢打赌,报道不会有新内容,也许连附上的照片也仍旧是警察局的那些旧照片。你们几位老兄尽在凭空想像。你们假想他们已经得到了案情摘要,但是它的作者都没有一份。我们也没有。我们等一等,看看他们的空洞报道,然后登我们的新闻。"

编辑们都你看着我,我看着你。克劳特汉默觉得沮丧,基恩显得焦急,但做主的人是费尔德曼,他说:"好吧,如果他们明天上午有东西发表的话,我们中午在这里碰头,看看是怎么回事。"

"很好。"格雷马上说道,立即朝门口走去。

"格兰瑟姆,你赶快动手,"费尔德曼说,"我们拖的时间不能太长。"

格兰瑟姆已经走了。

33

　　豪华轿车沿着交通高峰期的环城公路耐心地缓缓行驶。天色已暗,马修·巴尔开亮车顶的灯光看一份东西。科尔小口喝着毕雷矿泉水,观看路上的车辆。他已经把案情摘要背得出来,本来可以口头介绍一遍就行,但他想看看巴尔的反应。

　　巴尔毫无反应,直到看到那张照片,他才慢慢地摇头。他把文件放在座位上,想了一会才说:"很麻烦。"

　　科尔咕哝了一声。

　　"这里面说的是真是假?"巴尔问道。

　　"我正想知道。"

　　"你是什么时候看到的?"

　　"上星期二。在联邦调查局送来的一份每日报告中看到的。"

　　"总统说什么了吗?"

　　"他对这篇东西当然不会高兴,但也没有什么值得大惊小怪的。我们认为它只是漫无目标地乱开枪。他同沃伊尔斯谈过,沃伊尔斯同意暂不查究。现在我感到心里不踏实。"

　　"总统是否要求沃伊尔斯不要碰它?"巴尔慢声慢气地问道。

　　"是的。"

　　"那可差不多是等于阻挠执法, 当然这是假定案情摘要所说的情况属实的话。"

　　"万一情况属实就怎么样呢?"

　　"那么总统就要有麻烦了。我曾经因为阻挠执法而被判过刑,我进去过。这种罪名跟邮件欺诈罪一样笼统广泛,不难证实。你也卷进去了吗?"

"你说呢?"

"我认为你也有麻烦。"

他们坐在车里,默不出声,看着外面车来车往。科尔本来就已经把阻挠执法的问题全面考虑过,但他想知道巴尔的意见。他并不担心受到涉嫌犯罪的指控,总统和沃伊尔斯只不过有过一次简短的谈话,要求他目前暂时关注别的方面,就这么回事。挨不上犯罪行为的边。但科尔对总统改选忧心忡忡,涉及像马蒂斯这样一位重要的捐款人的丑闻,其后果将是毁灭性的。总统认识他并接受过他捐赠的几百万美元,而此人出钱把最高法院的两位法官杀死,以便他的当总统的好友可以任命更加明智的人当法官,使他可以大发石油财。想到这里他就觉得不寒而栗。民主党人将会拥上街头大声呼号,欣喜若狂。国会的所有小组委员会都要举行听证会。所有的报纸每天都要报道这件案子,为时长达一年。司法部将被迫进行调查。科尔不得不承担罪责而辞职。天哪,白宫里所有的人,除了总统,都得滚蛋。

这是一场不可想像的梦魇。

"我们必须弄清楚案情摘要所说的事情是否真实。"科尔脸朝车窗说道。

"现在死了那么些人,案情摘要就假不了。你倒说说看,杀死卡拉汉和维尔希克还能有什么别的原因。"

科尔心里明白,没有任何别的原因。"我想请你做件事。"

"找到那位姑娘。"

"不是。她要不是已经死掉的话,就是躲进什么地方的一个洞穴里去了。我要你同马蒂斯谈谈。"

"我相信只要翻开电话号码簿就能找到他。"

"你能找到他。我们需要建立联系,总统对此毫不知情。首先我们要弄清楚案情摘要有多少真实性。"

"你认为维克托会对我推心置腹,把他们的秘密全都告诉我。"

"会的,到最后也只能如此。别忘记,你可不是个警察。姑且假定这里面说的是真的,他就会认为他马上就要暴露了。他感到绝望,他便动手杀人。你告诉他报界已掌握了全部情况,他的末日即将来临,如果他有心要远走高飞,现在正是时候,这样同他讲了之后他会怎么想呢?别忘了,你是从华盛顿来找他的?从圈子里面来的。从总统那里来的,也许他就是这么想的。所以他会听你的话。"

"好的。如果他告诉我这些事情全是真的,又怎么样呢?这个案子跟我们有什么关系?"

"我已经有了几点想法,全都属于保护自己免受伤害的范围。我们立刻要办的第一件事是,任命两名热爱大自然的人担任最高法院的法官。我是指睁大眼睛观察鸟类的激进分子。这会表明我们在内心深处都是心地善良的小不点环境保护分子。这样就要把马蒂斯和他的油田置于死地。我们可以在几小时之内做到这一点。几乎在同一时间,总统将召见沃伊尔斯和司法部长,命令他们立刻对马蒂斯进行调查。我们再把案情摘要的复印件泄漏给华盛顿的所有记者,然后我们就可以蹲下身子,躲过这场狂风暴雨。"

巴尔一脸笑容,十分敬佩。

科尔接着说道:"这个主意并不十分美妙,但比坐着不动,死心塌地认定案情摘要只不过是篇虚构的作品要好些。"

"那你怎么解释那张照片呢?"

"无法解释。会造成一段时间的不良影响,人们会有一阵狂热,但这终究是7年前的事了。我们可以说马蒂斯早年也是个好公民,但是现在他是个疯子。"

"他是个疯子。"

"对,他是疯子。现在他像一条受伤的狗,被逼到一个角落里。你必须说服他,承认失败,悬崖勒马。我估计他会听你的。我还认为可以从他那里弄清楚这份案情摘要是真是假。"

"我怎样找到他呢?"

"我已经派人进行了。我会利用一些关系进行接触。你准备好星期天动身。"

巴尔面向车窗微笑。他也很想会见马蒂斯。

车子开得慢了。科尔慢慢地喝着矿泉水。"有格兰瑟姆的消息吗?"

"没有。我们在监听和监视,没有什么值得高兴的东西。他和他的母亲以及几个姑娘通过电话。没有什么值得报告的内容。他工作很忙。星期三离开华盛顿,星期四回来。"

"他到什么地方去了?"

"纽约。好像在写一篇新闻。"

克利夫本来应该晚上准 10 点等在罗德岛大道和第 6 大街的街口,但他不在那里。预先约定格雷要驾车沿着罗德岛大道飞速行驶。直到克利夫追上他,假使的确有人跟踪他,那也只会以为他是一个危险的开车人而已。他以每小时 50 英里的速度,穿过第 6 大街沿罗德岛大道急驶,同时注意寻找蓝色的车顶灯,但是没有。他只好开着车兜圈子,15 分钟后, 他又在罗德岛大道上冲过来了。有了!他看到了蓝色车顶灯,随即把车停到路边。

不是克利夫,是个白人警察,气势汹汹。他一把夺过格雷的驾驶执照仔细查看,还问格雷是否喝过酒。没有喝过,警察先生,他说。警察开了一张罚款单,神气活现地交给格雷。他坐在方向盘后面正盯着这张罚款单看,这时从车尾传来了说话声。

又一位警察来到现场,他们两个争辩起来了,新来的一位警察是克利夫,他要那个白人警察取消这张罚款单,白人警察解释说,罚款单已经开好,而且这个混蛋在通过交叉路口时,车速竟达到每小时 50 英里。克利夫说这人是他的朋友。那就该趁他还没有撞死人就教会他好好开车,白人警察说完就坐进他的巡逻车开走了。

克利夫往车窗里看着，朝格雷哧哧地笑。"刚才的事真抱歉。"他微笑着说。

"都怪你不好。"

"下次开慢点。"

格雷把罚款单扔在车内。"我们快点谈，你说过萨吉说的白宫西厅那帮家伙在议论我。对吗？"

"是的。"

"那好。我需要从萨吉那里知道他们是否也议论到其他记者，尤其是《纽约时报》的记者。我还需要知道他们是不是认为其他人也在紧盯这条新闻。"

"就这些吗？"

"是的，我需要尽快知道。"

"放慢速度。"克利夫大声说道，然后跳下车走向他自己的车。

达比预付了 7 天的房租，原因之一是为了在需要的时候可以回到一个她所熟悉的地方去；另一个原因则是，她想把新买的一些衣服留在这里。像这样东躲西藏，把什么东西都丢掉，真是作孽。虽说并不是什么华贵衣服，但也都是法学院里高消费层次的旅游便装，这样的服装在纽约就更贵了，因此最好还是把它们存起来。她不是为了衣服而去冒险，而是喜欢这个房间，喜欢这个城市，加上也需要这些衣服。

又到了该逃离的时候了，这次她要轻装旅行。她随身只带一只小的帆布提包，就急匆匆地冲出圣莫里茨旅馆，钻进一辆等候在外面的出租汽车。这时差不多已是星期五深夜 11 点了，中央公园南街仍是车水马龙。马路对面一溜排列着马和马车，等候顾客乘车或骑马作一次穿越中央公园的短程游览。

出租车开了 10 分钟来到百老汇大街和第 72 大街的路口，这

样走的方向不对,但是整个这段路程也实在难走。她步行 30 英尺走进了地铁站。她曾仔细看过地图和一本地铁路线的书,希望可以顺利成行。她从未乘过纽约的地铁,但是听到过它的许多传说,因此纽约的地铁并不使她觉得可爱。但这是百老汇大街路线,是曼哈顿岛上乘客最多的一条路线,听说有时还是安全的。地面上的情况不见得美妙,地铁也就不见得会更糟了。

她站在月台上等,过了 5 分钟,她等到了她要乘的一列车。她拣了最后面的位子坐下,观察每一位乘客,没有发现熟悉的面孔,确实没有,谢天谢地,确实没有。在这次迂回逃跑的路上没有人跟踪她。不过她这次又是在信用卡上出了毛病,她在奥黑尔用运通卡买了 4 张票,这样一来他们便知道了她在纽约。但她可以肯定胖墩没看到过她,但是他在这个城市,当然这里有他的朋友,可能有 20 个朋友。对于这些,她可就没有把握了。

列车离站晚了 6 分钟。车厢里有一半位子是空的。她从提包里取出一本纸面小书,假装看书。

15 分钟后,列车停在纽瓦克站,她下了车。她的运气真好。车站外面停着一长排出租汽车,10 分钟后她就到了机场。

34

星期六的早晨,天气晴朗空气凉爽,总统夫人在佛罗里达州接受富人们的捐款,总统原想多睡会儿,醒来后去打高尔夫球,但是现在才7点钟,他已经束上领带坐在办公桌前,听取弗莱彻向他提出的建议,这件事该怎么做,那件事又该如何办。司法部长理查德·霍顿已同科尔谈过话,科尔现在感到惊慌。

有人把门打开,霍顿独自走了进来。他们握手,霍顿便在办公桌对面坐下,科尔站在一边,这确实使总统觉得不高兴。

霍顿木讷乏味,但为人真诚。他并不愚蠢或迟钝,他只是对每件事都要经过深思熟虑之后才采取行动。他讲话时对每个字都要想好了才说。他对总统忠心耿耿,他具有出色的判断能力,值得信赖。

"我们在认真考虑成立一个正式的大陪审团,对罗森堡和詹森的死亡进行调查,"他严肃地宣布说,"鉴于新奥尔良所发生的一切,我们认为必须立即行动。"

"联邦调查局已经在调查,"总统说,"他们调集了300名侦查员调查这一案件。为什么我们还要参加进去呢?"

"他们是不是在调查鹈鹕讼案的案情摘要?"霍顿问道。其实他已知道答案。他知道沃伊尔斯此刻正和几百个侦探一同在新奥尔良。他知道他们同几百人谈过话,收集了一大堆毫无用处的证词。他知道总统曾要求沃伊尔斯不要过问,他也知道沃伊尔斯没把全部情况都告诉总统。

霍顿从未向总统提起过鹈鹕讼案的案情摘要,而现在他知道这件事了,真让人恼火。其他还有多少人知道这件事呢?很可能有

成千上万吧。

"他们在追查所有的线索,"科尔说,"大约两个星期前,他们给了我们一份案情摘要的复印件,因此我们估计他们正在追查此事。"

科尔的话,不出霍顿所料。"我强烈主张政府应立即调查此事。"他的这一句话好像是一个个字背出来似的,这使总统很不高兴。

"为什么?"总统问道。

"万一这份案情摘要打中了要害该怎么办? 如果我们毫无行动,到了真相大白的时候,损失就无法挽回了。"

"你真的相信案情摘要是有事实根据的?"总统问道。

"非常可疑。首先看到这份案情摘要的两个人已经死了,写这份摘要的人也失踪了。如果真的有人存心要杀害最高法院大法官的话,他就必须要继续如此行事。此外没有更加值得怀疑的对象了。据我所知联邦调查局束手无策,因此,必须予以查究了。"

霍顿调查起来,走漏消息要比白宫地下室还糟得多。听到这个傻瓜小丑要挑选陪审团并传唤证人,科尔为之大惊失色。霍顿是个正人君子,但司法部里那一大帮律师都是口没遮拦的。

"难道你不觉得时机还不成熟吗?"科尔问道。

"我不认为时机尚未成熟。"

"你看过今天早上的报纸没有?"科尔问道。

霍顿扫视过一下《华盛顿邮报》的头版,接下去就看体育版。今天毕竟是星期六。他听说科尔每天天亮前要看 8 份报纸,所以他不喜科尔提这样的问题。

"我看了几份。"他说。

"我把几份报纸都看过一眼,"科尔谦虚地说。"没发现一个字提到死去的两位律师、那位姑娘和马蒂斯,也没有一句话提到案情摘要。如果在这个时候正式进行调查,那将会在整整一个月里成为报纸的头版新闻。"

"你是不是认为这件事就会不了了之?"霍顿问科尔。

"说不定。但愿如此,原因很明显。"

"科尔先生,我认为你过于乐观了,我们通常不会袖手等待新闻界为我们进行调查。"

科尔听他这么说便抿嘴一笑,简直快笑出声了。他朝总统微笑着,总统飞快看他一眼,顿时便有一阵怒火在霍顿的心头慢慢升起。

"再等一个星期有什么坏处?"总统问道。

"没有。"科尔抢先回答。

"等一个星期,"总统下了命令,"下星期五仍在这里碰头,根据情况再采取行动。我没有说不,理查德,只是说再等 7 天。"

霍顿耸耸肩旁。如此结果已经超出他的预料。他得掩护他的退路。他要直接回办公室,口授一份长篇备忘录,把他记得的这次会面的每一个细节都写进去,这样他就可以保护好自己。

科尔走上前递给他一张纸。

"这是什么?"

"再添几个名字。你认识他们吗?"

这是一份爱好观察鸟类的候选人名单:4 位法官,他们的自由主义色彩太浓,让人不舒服,但是 B 计划要求把激进的环境保护分子补充到最高法院里去。

霍顿眨巴两眼,使劲捉摸它。"你不是要人吧。"

"把他们核查一下。"总统说道。

"这些家伙都是稀奇古怪的自由主义派。"霍顿咕哝着说道。

"是的,但他们崇拜的是太阳和月亮,是树木和鸟类。"科尔好心好意地给他解释。

霍顿领会了,突然露出笑脸,"我明白。他们都是鹈鹕爱好者。"

"要知道,鹈鹕已经濒临灭绝。"总统说道。

科尔向门口走去,"我巴不得 10 年前它们就绝种了。"

　　格雷来到新闻编辑室坐在办公桌前,她还没打电话来,快要 9 点了。他已经看过《纽约时报》,没有这方面的报道。他把新奥尔良《时代花絮报》搁在杂乱无章的桌上,浏览了一遍,也没有发现有关内容。他们已经把所知道的都报道过了,包括卡拉汉、维尔希克、达比以及无数个没有答案的问题。他只能假设《纽约时报》,或许还有新奥尔良的《时代花絮报》已经看到或者听说这个案情摘要,从而知道马蒂斯其人。他还得假设他们都在像猫一样又抓又扒,想要证实案情摘要。但他已经有了一个达比,而他们会找得到加西亚,如果马蒂斯是能够证实的话,他们也会办得到的。

　　现在没有第二条路好走。如果加西亚从此不见踪影或者拒不合作,他们就不得不去探索维克托·马蒂斯的阴沉混浊的世界。达比是不会为此而长久逗留的,他并不怪她。他连他自己会呆多久都心中无数。

　　史密斯·基恩手里端着一杯咖啡走进来坐在办公桌上。"如果《纽约时报》有这份案情摘要,他们会挨到明天才发表吗?"

　　格雷摇摇头。"不会。如果他们掌握的材料比《时代花絮报》多,他们今天就该知道。"

　　"克劳特汉默要报道我们已掌握的材料。他认为我们可以点马蒂斯的名。"

　　"我不明白。"

　　"他在对费尔德曼施加压力。他认为我们可以全面报道卡拉汉和维尔希克因这份案情摘要而被杀害的情况,案情摘要中正好提到马蒂斯的名字,而马蒂斯碰巧又是总统的朋友,用不着直接指责马蒂斯。他说我们可以格外小心谨慎,在新闻中只说案情摘要中提到马蒂斯的名字,而不是我们点名。由于这份案情摘要已使几个人丧命,它也就在某种程度上得到了证实。"

"他想躲在这份案情摘要的背后。"

"一点不错。"

"在案情摘要得到证实之前,一切都是猜测之词。我们暂且假设马蒂斯同此案毫不相干。他完全清白无辜。他们刊登这篇报道,报道中出现了马蒂斯的名字,那会怎样?我们大家都成了傻瓜,今后就要打上 10 年官司。这样的新闻我是不会写的。"

"他要叫别人写。"

"如果本报刊登一篇不是我写的关于鹈鹕讼案的报道,那就休想再找得到这姑娘,对不对。我想昨天我已经说明了这点。"

"你说过。费尔德曼也听了你的话。他支持你。格雷,我也支持你。但是如果这份案情摘要是真实的,不出几天工夫就会爆发出来。我们都相信这一点。你知道克劳特汉默有多么恨《纽约时报》,他担心那些小杂种把它发表出去。"

"他们不可能发表,史密斯,他们可能比《时代花絮报》多掌握了一点情况,但他们不能点马蒂斯的名字。我们要赶在别人的前头予以证实。只要把它查证确实了,我就要写一篇报道,把每一个人的名字都写进去, 放上马蒂斯和他白宫里那位朋友的漂亮合影,那样一来就有好戏看了。"

"我们?你又一次这么说了。你刚才说,'我们会证实它。'"

"是我的消息来源和我本人,不错。"格雷拉开一只抽屉,找出了达比手拿健怡可乐的照片,把它递给基恩,基恩也很赞美这张照片。

"她在什么地方?"基恩问道。

"我不太清楚。我想她正在从纽约来这里的途中。"

"不能让她遇害。"

"我们非常谨慎。"格雷回头向两边看看并更加凑近过去,"史密斯,事实上我也被跟踪了。我只想让你知道一下。"

"那是些什么人呢?"

"我的一个白宫消息来源告诉我的。现在我不用家里的电话。"

"我最好把这一情况告诉费尔德曼。"

"好吧。我认为现在还没有危险。"

"他必须知道。"基恩猛地站了起来向外走去。

过了不到 10 分钟达比打来了电话。"我来了,"她说道,"我不知道我屁股后面跟来了多少人,但我已经到这儿了,眼下还活着。"

"你在哪里?"

"N 街的塔巴德旅馆,昨天我在第 6 大道上看见了一位老朋友,还记得胖墩吗,就是那个在波旁街被揍得死去活来的家伙?我跟你说过这件事吗?"

"说过。"

"他又在走动了,略带跛脚。昨天他已在曼哈顿溜达。我认为他没有看见我。"

"是真的吗!那太可怕了,达比。"

"岂止是可怕而已。昨晚我离开的时候,留下了 6 个痕迹,如果我在这座城市里看见他在某一条人行道一拐一瘸地走,我就走上前去,听凭他发落。"

"我不知道我该讲什么好。"

"尽量少讲点,因为这些人有雷达。我要做 3 天的私人侦探,然后就离开这里。如果我能活到星期三早上的话,我将乘上一架飞机,到阿鲁道岛或者特里尼达岛去,或者别的一个有海滩的地方去。要死就死在海滩上。"

"我们什么时候见面?"

"我正在考虑。我想请你做两件事。"

"我在听着。"

JOHN
GRISHAM

"你的车停在什么地方?"

"靠近我的公寓。"

"让它停在那里不动,另外去租一辆车。不要租新式漂亮的,租一辆普普通通的福特之类的车就行。到乔治城的马伯里旅馆订一间房间,预订3天。他们收现金,我已经住进去了。订房间时用一个别的名字。"

格兰瑟姆都一一记了下来,摇摇头。

"你能不能在天黑之后从你的公寓里悄悄溜出来?"她问道。

"我想可以。"

"就那么干,叫一辆出租车到马伯里旅馆。要租车公司把车子开到那里交给你。乘出租车来,中途换一辆车子到塔巴德旅馆,晚上准9点走进旅馆的餐厅。"

"好的,还有别的事吗?"

"带点随身衣服,至少要准备3天不回你的公寓。也要准备好不去办公室。"

"达比,其实办公室是安全的。"

"我不想同你争辩。格雷,如果你是难以合作的话,我就一走了之。我相信我越快离开这个国家,我会活得越久。"

"是,小姐。"

"这才是个乖孩子。"

"我猜想你脑子里正在酝酿一个总体计划。"

"也许是,吃晚饭的时候再谈吧。"

"这是不是有点像约会?"

"我们去吃点东西,就算是工作餐吧。"

"是,小姐。"

"现在我要把电话挂上了。千万小心,格雷。他们在监视。"电话挂断了。

　　这是一间小小的餐厅,她坐在第 37 号桌子,一个光线暗淡的角落里,格雷 9 点找到了她。

　　他靠近她坐着,他们两个坐在暗处,可以观察周围的一小群顾客。

　　"如果我老是看到这些人,我的头发就要掉光了。"

　　饮料送来了,他们点了菜。

　　"我们预料《纽约时报》今天上午要发表点东西。"他不愿提到新奥尔良的报纸,因为那上面有卡拉汉和维尔希克的照片。他猜想她可能看到过这份报纸。

　　她对此似乎不感兴趣。"是什么东西?"她问道,同时向四周张望了一下。

　　"我们还不太清楚,我们不甘心败在《纽约时报》的手下,我们是老竞争对手。"

　　"我对这个不感兴趣,我对新闻学一窍不通,我也不想去学。我到这里来只有一个念头,那就是找到加西亚。如果不行的话,我就远走高飞。"

　　"请原谅。你喜欢谈什么呢?"

　　"欧洲。你最喜欢欧洲的什么地方?"

　　"我恨欧洲,我恨欧洲人。我上加拿大去,上澳大利亚去,有时也去新西兰,你为什么喜欢欧洲?"

　　"我的祖父是苏格兰移民,我有一批堂兄弟在那里。我去过两次。"

　　格雷把酸橙汁挤到杜松子酒中去。有 6 个人从酒吧到餐厅,她仔细地观察他们,她一面讲话一面用眼睛迅速地环视餐厅。

　　"我认为你需要来两杯饮料放松一下。"格雷说道。

　　她点点头但没说什么。那 6 个人在附近的桌子上就座,开始用法语交谈。听起来很悦耳。

　　"你听到过法裔路易斯安那州人讲法语吗?"她问道。

"没有。"

"这是一种方言,就像沼泽地一样,在迅速消失,他们说的这种方言法国人听不懂。"

"这公平合理,我敢肯定,法裔路易斯安那州人也听不懂法国人讲的法语。"

她慢慢地喝了一大口白葡萄酒。"我有没有跟你讲起过查德·布鲁纳?"

"好像没有。"

"他是从尤尼斯来的一个法裔路易斯安那人男孩子。他们一家在沼泽地以狩猎和捕鱼为生。他是一个非常聪明的孩子,在路易斯安那州立大学读书,享受全额奖学金,后来被斯坦福大学法学院录取,并以该法学院有史以来的平均最高分毕业。21岁就成为加州律师协会的会员。他可以在全国任何一家律师事务所找到工作,但他却选择为旧金山一家环境保护法律机构工作。他才华出众,是一个真正的法律天才,他工作兢兢业业,很快就打赢了对一些石油和化学公司的大案。28岁的时候,他已成为一位非常出色的出庭律师。大石油公司和造成污染的公司都怕他。"她喝了一小口葡萄酒。"他赚了许多钱,成立了一个保护路易斯安那州沼泽地的团体。据说他要参加鹈鹕讼案的工作,但是他受理的其他出庭案件太多。他资助了绿色基金大笔款项作为诉讼费用,在拉斐特市法院开庭前不久,他宣布他要回家乡去帮助绿色基金的律师们。新奥尔良的报纸登载了几篇有关他的报道。"

"后来发生了什么事?"

"他自杀了。"

"什么?"

"在审判的前一周,人们发现他在一辆汽车里,发动机在开着。一条浇花用的软管从废气管通到汽车前座。一件普普通通的一氧化碳中毒自杀案件。"

"汽车停在什么地方?"

"停在加利亚诺镇附近的拉富尔契湖畔的林区里面。他们很熟悉这一地区。车尾行李箱内放了一些野营和钓鱼的用具。没有自杀遗言。警察进行了调查,但没有发现什么可疑线索。案子就此了结。"

"难以置信。"

"他曾一度酗酒,接受过旧金山一位精神分析医生的治疗,但自杀却使人觉得意外。"

"你认为他是被谋杀的吗?"

"许多人这样认为。他的死对绿色基金是个沉重的打击。他对沼泽地的热爱本来在法庭上是会发挥出威力的。"

格雷喝完了饮料,摇响了杯子里的冰块。她向他慢慢靠拢。这时服务员走了过来,他们点了菜。

35

星期天早上6点,马伯里旅馆的大厅里空荡荡的,格雷找到一份《纽约时报》。这份报纸足有6英寸厚、12磅重,他弄不明白到底他们准备要把它出到多厚。他奔回8楼自己的房间,把报纸铺在床上,急忙俯身寻找。第一版没有登载,这点至关重要。如果他们有重要报道,当然必须刊登在第一版,他担心在第一版会出现罗森堡、詹森、卡拉汉、维尔希克,或许还有达比和卡迈尔这些人的大幅照片,谁知道呢,说不定他们还有一幅马蒂斯的精彩肖像,所有这些照片都像介绍演员角色那样整整齐齐地排列在第一版,《纽约时报》也就再次击败了《华盛顿邮报》。这种情景在他睡着时曾出现在他的梦中,虽然他睡着的时间不长。

他什么也没有找到。他越是找不到,就把报纸翻得越快,一直翻到体育版和分类广告片,他停了下来,几乎是踏着舞蹈的步子跳到电话机旁。他打电话给基恩,基恩已经醒了,"看到今天的报纸了吗?"他问道。

"棒极了,"基恩说,"我不明白是怎么回事。"

"史密斯,他们没有得到案情摘要,尽管他们在拼命搜寻,但他们还没弄到手。费尔德曼同什么人谈过?"

"他是从来不说的。应该说是个靠得住的人。"

基恩已经离婚,单独住在离马伯里旅馆不远的公寓里。

"你现在忙吗?"格雷问道。

"噢,没忙什么。现在差不多是星期天早上6点半了。"

"我们需要会面谈谈。请你15分钟后到马伯里旅馆外面接我。"

"马伯里旅馆?"

"一下子讲不清楚。我会给你解释。"

"哦,有个姑娘。你交了好运。"

"我巴不得。不过她住在另一家旅馆。"

"在这里?在华盛顿?"

"是的,15 分钟后见。"

"我就来。"

格雷焦急不安地喝着纸杯里的咖啡,在大厅里等着。达比使他患上了多疑症,他仿佛觉得有个刺客手持自动武器在人行道上窥探。这一点使他觉得沮丧。他看到基恩的丰田汽车在 M 街上缓缓驶近,他很快走了过去。

"你想看点什么?"基恩说着把车开离了街沿。

"唉,我也说不清。今天天气真好,到弗吉尼亚走走怎么样?"

"随你的便。你是不是被赶出公寓了?"

"那倒不是。我是按那位姑娘的命令行事。她的头脑好像一个战场的元帅,她命令我到这里来,我就到这里来了。我必须在这里等到星期二,或者等到她又变得神经紧张起来,再让我换地方。如果你要找我的话,我住在 833 号房间,但不要告诉别人。"

"我想你是要《华盛顿邮报》付这笔钱了。"基恩笑着说道。

"现在我根本没考虑钱。在新奥尔良企图杀害她的人,星期五又在纽约出现了,或者说她是这么想的。他们这些人跟踪的本领真了不起,为了生命安全,她是煞费苦心。"

"如果说有人跟踪你,也有人跟踪她,那么也许她是明白应该怎么对付的。"

"你听我说,史密斯,她完全明白她在做什么。她的本领简直令人吃惊,星期三早上她将永远离开这里。因此我们只剩下两天时间去找到加西亚。"

"要是我们过高地估计了加西亚呢?如果我们找到了加西亚,

他不肯讲,或者他什么都不知道,那怎么办?这些你都想过没有?"

"我一直为此而噩梦不断。我相信他知道一些重要情况。有一份文件或者一张纸条,是真凭实据的东西,在他的手头。他有一两次提到过它,但我一逼紧,他又不承认。在我们约定要见面的那一天,他是准备拿给我看的。这一点我深信不疑。他确实有东西,史密斯。"

"如果他不给你看呢?"

"我掐断他的脖子。"

车子开过了波托马克河,驶过阿灵顿公墓。基恩点上烟斗并把车窗开了一条缝。"如果你们找不到加西亚怎么办?"

"实行 B 计划。她走了,我们之间的承诺也就告终。我已经得到她的许可,她一离开这个国家,我就可以随意处理这份案情摘要,只是我不得使用她的名字作为消息来源。可怜的姑娘深信,不论我们是否能把新闻采访到手,她都是必死无疑,她也只不过是尽量保护自己而已。我绝对不能使用她的名字,甚至也不能讲她是这份案情摘要的作者。"

"关于案情摘要她讲了很多吗?"

"没有谈写这份摘要的具体情况。她是突发奇想,把它写了出来,连她自己都想把它扔掉了,可就在这个时候炸弹响开了。她后悔写这份该死的东西。她和卡拉汉确实相爱,她感到痛苦和内疚。"

"B 计划是怎么回事?"

"我们要攻击那帮律师。马蒂斯是个老奸巨滑的家伙,没有传票和搜查令难以触动他,而这些东西我们又办不到,但是我们知道他的律师。这个城市里的两个大律师事务所是他的代理,我们把矛头针对他们。有一个律师或一批律师仔细地分析了最高法院的情况,提出了罗森堡和詹森两个名字。马蒂斯是不会知道要杀掉谁的。是他的律师告诉他的。这是从教唆共谋的角度来报道。"

"但你无法逼他们说出真情。"

"他们不会说出他们的委托人。但如果这些律师有罪的话,我们就可以要他们回答问题,那他们就会露出破绽。我们动用十几个新闻记者打电话,打成千上万次电话,给律师打,给律师助手打,给书记员打,给秘书打,给复印间的职员打,给所有的人打。我们要炮轰这些狗养的。"基恩吸着烟斗,不置可否。"是哪家律师事务所?"

"怀特和布莱泽维契事务所和布里姆、斯特恩斯和基德洛事务所。上我们的图书室去核对一下。"

"我听说过怀特和布莱泽维契律师事务所,它是共和党的一家大买卖。"

格雷点点头,喝完最后一口咖啡。

"如果是另外一家律师事务所怎么办?"基恩问道,"万一这家律师事务所不在华盛顿怎么办? 如果这些共谋犯死不开口怎么办?如果是马蒂斯自己的公司雇用的某一律师策划了这起阴谋又怎么办?"

"有时候你好像故意要把我逼得发疯似的。你知道吗?"

"这些都是实实在在的问题。你说怎么办?"

"那我们就实施 C 计划。"

"C 计划是什么内容?"

"我还不知道。她还没有想到那么远。"

她叮嘱他不要上街,吃饭也要在旅馆房间里吃,他买了一个纸袋装的三明治和炸薯条,乖乖地回到马伯里旅馆 8 楼自己的房间去。一个亚洲裔的女仆推着车子在他的房间附近。他在门口站住,从口袋里取出钥匙。

"先生,你忘记什么东西了吗?"女仆问道。

格雷看着她。"你说什么?"

"你忘记东西了吗?"

"没有。你什么意思?"

女仆往前一步向他靠近。"先生,你刚才离开了,现在又回来了。"

"我是 4 个小时前离开的。"

她摇摇头又向前一步,凑得更近,仔细看他。"先生,不对,10 分钟前有个男人离开你的房间。"她显得疑惑不解,又很仔细地审视了他的脸。"对了,先生,现在我觉得那是另一个人。"

格雷看了一眼门上的号码。833。他直视这个女人。"你确实看见另外一个人来过这房间吗?"

"是的,先生。只不过几分钟前。"

他感到一阵惊恐,他快步走向楼梯,一口气向下跑了 8 层楼梯。房间里有什么东西?除了衣服,没有任何东西。也没有同达比有关的东西。他停下来,手伸进口袋,一张写有塔巴德旅馆的地址和她的电话号码的纸条在口袋里。他缓了口气,慢慢地走进大厅。

他必须找到她,赶快。

在乔治城大学的爱德华·贝内特·威廉斯法学图书馆二楼阅览室里,达比找了一张空桌子坐下。她发现乔治城大学法学图书馆是至今她所见到的最好的一所。这是一幢独立的 5 层楼建筑,坐落在法学院所在的麦克多诺大楼的对面,当中只隔一个小院子。这座图书馆是新建的,造型优美,现代气派,但仍旧是一所法学图书馆的风格,馆内很快就挤满了星期天用功的学生,他们现在脑子里都是想的期终考试。

她打开《马丁代尔—哈贝尔法律指南》第 5 卷,翻到首都特区律师事务所的部分。怀特和布莱泽维契律师事务所占了 28 页之多。载入了 412 名律师的姓名、出生年月日、出生地、学历、专业组织、荣誉称号、奖励等等,合伙人在前面,其余是合作律师。她在法

律拍纸簿上作了笔记。

　　这家律师事务所有 81 个合伙人，其余都是合作律师。她按字母顺序归类，把所有的名字都记到了拍纸簿上。她只不过是个普通的法科学生，为了急切地寻找工作而查寻律师事务所。

　　这件工作乏味烦人，她的思想开了小差。托马斯 20 年前曾在这里读书。他是个尖子学生，自称在图书馆里度过许多时光。

　　因为她目睹了他的死亡，所以现在她越加爱他，她告诉自己不要再听到爆炸声，不要再闻到硝烟的味道，如果她能再活 3 天，她要到一个地方，在那里她可以把门锁上，乱抛一通东西，大哭一场，把哀痛宣泄掉。她决心要找到这样一个地方，她决心要尽快发泄她的悲伤，这是她至少应该得到的。

　　马修·巴尔到了新奥尔良，他在那里会见了一位律师，这位律师指点他乘飞机到劳德代尔堡，住进某某旅馆。到了这家旅馆之后又将如何，这位律师却含糊其词，不过巴尔还是在星期天晚上住了进去。已经为他准备好一个房间。书桌上有一张纸条，通知他明晨一早会有人打电话给他。

　　10 点钟的时候，他打电话到弗莱彻·科尔家中，简单向他汇报旅途的情况。

　　科尔脑子里想着别的事情，"格兰瑟姆简直疯了，他和《纽约时报》一个叫里弗金的家伙到处打电话。他们会要我们送命。"

　　"他们看到了案情摘要吗？"

　　"我不知道他们是不是看到了，但他们听说过。里弗金昨天给我的一个助理家中打电话，问他是否知道有一份鹈鹕讼案的摘要。我的助理什么也不知道，他的印象是里弗金知道的比他还少。我认为他没看到过，但我们没有把握。"

　　"糟了，弗莱彻。我们无论如何抢不过那批记者。那些家伙一分钟能打一百个电话。"

"只不过两个记者。格兰瑟姆和里弗金。你已经给格兰瑟姆安上了窃听装置,也给里弗金装一个。"

"格兰瑟姆被我们装了窃听装置,但他既不用公寓的电话,也不用汽车里的电话。我从新奥尔良机场打电话给贝利,格兰瑟姆已经有 24 小时不在家了,但他的汽车还停在那儿。他们打电话也敲过门,他如果不是死在公寓里面的话,就是昨晚就溜出去了。"

"也许他已经死了。"

"我想不会的。我们一直在跟踪他,联邦调查局也在跟踪他。我认为他已经听到风声。"

"你必须找到他。"

"他会出现的。他不可能离开 5 楼的新闻编辑室太远。"

"我要求给里弗金安装窃听装置,今晚就打电话给贝利要他马上动手,好吗?"

"是的,先生。"巴尔说。

要是马蒂斯认为格兰瑟姆已经知道了详细情况,而且准备在《华盛顿邮报》第一版通栏刊登出来,你认为马蒂斯会做出什么样的反应?"科尔问道。

巴尔在床上舒展一下全身,闭上眼睛。几个月之前他就下定决心,绝对不可冒犯弗莱彻·科尔。他是一个畜生。

"他不在乎杀人,对不对?"巴尔说道。

"你认为明天你能见到马蒂斯吗?"

"我不知道。这家伙讲话不露一点口风。他们都是关上房门低声交谈,什么话都不跟我说。"

"他们为什么要你到劳德代尔堡去?"

"我不知道,不过那里离巴哈马群岛近得多。我想明天会到那里去,要不然就是他到这里来。我什么都不知道。"

"也许你得把格兰瑟姆这方面说得严重一点。马蒂斯会把这篇新闻掐掉。"

"我要考虑一下。"

"明天早上打电话给我。"

她打开门时,踩在一张纸条上。纸条上写着:达比,我在餐厅室外平台。有急事。格雷。她深深地吸了口气,把纸条揉成团塞进口袋。她把门锁上,顺着狭窄弯曲的走廊来到大厅,然后穿过昏暗的休息室,路过酒吧,再穿过餐厅来到了餐厅室外平台。他正坐在一张小桌旁,小桌的一部分被一堵砖墙遮着。

"你怎么到这里来了?"她紧挨着他坐下,悄声质问道。他显得十分疲惫,心事重重。

"你都到什么地方去过?"他问道。

"这个问题并不那么重要,重要的是你为什么到这里来。除非我让你来,你就不该来。发生了什么事?"

他急忙扼要地讲述了他上午的经历,从他第一次打电话给史密斯·基恩直到旅馆的女仆。这一天其余的时间里他乘坐一辆又一辆的出租车,在城里到处乱窜,差不多花了80美元的车钱,天黑了他才溜进塔巴德饭店。他确实看清楚了没有人跟踪他。

她听着,观察着餐厅和入口处,同时也听清了他讲的每句话。

"我不清楚怎么会有人找到我住的房间。"他说道。

"你有没有把你的房间号码告诉什么人?"

他想了一下。"只告诉过史密斯·基恩。但他绝对没有再提过这个号码。"

她没有朝他看。"你是在什么地方告诉他你的房间号码的?"

"在他的汽车里。"

她慢慢地摇着头。"我清清楚楚告诉过你不要把房间号码告诉任何人。是不是?"

他没有回答。

"这一切都是为了开玩笑做游戏吗,格雷?你是个响当当的大记者,受到过死亡的威胁,但是你不害怕。枪子儿会弹开去的,是不是?好家伙,你是《华盛顿邮报》的格雷·格兰瑟姆,你就是这么个卑鄙无耻的狗杂种。"

"别这样,达比。"

"我反复告诉你这些人有多么阴险。我见到过他们有多么残忍。我知道如果他们找到我会如何处置我。但是你不以为然,格雷,在你看来这不过是一场游戏。警察抓强盗,捉迷藏。"

"我服啦,好吗?"

"听着,混小子,你还是听话点好。再有闪失我们就得完蛋。我的运气已经到头,你明白吗?"

"是!我发誓,我明白了。"

"先弄一间房间住下。明天晚上,如果我们还活着的话,我再给你找一家小旅馆。"

"如果这里已经客满了怎么办?"

"那么你可以睡在我的浴室里,关上门。"

她说得斩钉截铁。他们这一番交谈一共不到 5 分钟。

"他们怎么会发现我的?"他最后问道。

"我猜想他们窃听了你公寓里的电话,你汽车里也安装了窃听器。我估计史密斯的汽车里也安上了窃听装置。这些人都不是业余演员。"

36

他在楼上的 14 号房间过夜,但没有怎么睡着。餐厅早上 6 时开门,他溜下去喝了一杯咖啡,然后又悄悄地回到了房间。8 点 30 分他准时敲 1 号房间的门。她立即开门,他进去后立即关门。

她给他倒了一杯咖啡,坐在茶几旁边,茶几上的电话四周都是从拍纸簿上撕下来的字条。

"你睡得好吗?"她问道,纯粹是一句客套话。

"不好。"他把一份《纽约时报》丢到床上,他已经把它瞄过一眼,今天又是空空如也。

达比拿起电话,撅了乔治城大学法学院的电话号码。她一面听着一面看着他,接着说:"请接工作介绍办公室。"接着停顿了好一会。"喂,我叫桑德拉·杰尼根,我是本市怀特和布莱泽维契律师事务所的合伙人,现在我们的电脑出了点问题。我们正在重新整理薪金记录,会计让我向你了解一下去年夏天在我们这里作书记员的学生名单。我记得总共有 4 个学生。"她停顿一下,"杰尼根·桑德拉。杰尼根,"她又说了一遍名字。"我明白了。要多长时间?"又停顿了一下,"你的名字,琼。谢谢你,琼。"达比用手捂住听筒,深深地吸了口气。格雷目不转睛地望着她,嘴边含笑,不胜敬佩。

"对的,琼。一共是 7 人。我们的记录是一笔糊涂账。你有他们的地址和社会保险号码吗?为了纳税的关系,我们需要知道。当然,要多久?好的,我们有一个勤杂工正好在你们附近。他的名字叫斯诺登,半小时内他就到你们那里。谢谢你,琼。"达比把电话挂断,闭上双眼。

"桑德拉·杰尼根?"他说道。

"我说谎话不老练。"她说道。

"你棒极了。看来,我就是勤杂工了。"

"你可以冒充勤杂工。"她心里想,你有点儿机智聪明。

她喝了一大口冷咖啡,"今天有许多事情要办。"

"到目前为止,一切顺利。我去取名单,然后在图书馆里碰头,对吗?"

"对的,工作介绍办公室在法学院的五楼。我在336室,那里3楼上的一间小会议室。你先叫辆出租车去。15分钟后我在那里和你碰头。"

"是,小姐。"格兰瑟姆走到门外。5分钟后,达比拎着帆布包也离开了。

乘出租车的路程不远,因早上交通拥挤,车开得很慢。过这种流亡生活已经够糟糕的了,同时既要逃命又要充当侦探就更不好受了。她坐进出租车只不过5分钟,便又想到可能有人跟踪。这样也好,冒充一名调查记者度过辛苦的一天,也许可以把胖墩和他的那一伙人忘掉。她再把今天和明天的工作做完,到星期三傍晚她就可以在一处海滩上了。

他们准备从乔治城的法学院着手。如果得不到任何结果,他们将到乔治·华盛顿大学的法学院去试试。如果还有时间的话,再到美利坚大学试试看。砍过了这三斧头,她就远走高飞了。

出租车在麦克多诺大楼前停了下来。她身穿绒布衬衫,手拎帆布包,同上课前转来转去的法学院学生没有两样。她顺着楼梯走到了3楼,进到会议室后把门关上。这间会议室偶然用来上课。她把笔记本在桌子上打开来,就像一个法学学生在准备上课。

不到几分钟的工夫,格雷轻轻走进门来。"琼是个可爱的姑娘,"他说道,把名单放在桌上,"姓名、地址和社会保险号码。你说精彩不精彩。"

达比看着名单,从包里取出一本电话号码簿。在里边找出了

几个人的名字，她看了一下手表说："现在是9点05分。我敢打赌，这几个人中现在正在上课的不会超过一半。有些人上课要晚些。我打电话给这5个人，看有谁在家。你把这两个没有电话号码的人的名字拿去，到注册室去弄到他们的课程表。"

格雷看了看手表："15分钟后咱们回到这里来碰面。"他先离开，达比随后再走。她去使用一楼教室外面的付费电话，拨通了詹姆斯·梅洛的号码。

一个男人声音回答："喂？"

"是丹尼斯·梅洛吗？"她问道。

"不。我是詹姆斯·梅洛。"

"对不起。"她把电话挂上了。他住的地方离这里只有10分钟的路。他9点钟没有课，如果他10点钟有课，那么他在家里还要呆40分钟。

她又给另外四个人打了电话。其中两人接了电话，另外两个电话没有人接。

格雷在3楼的注册室等得不耐烦了，一个兼职打工的学生要去找注册主任，他在后面的什么地方。学生告诉格雷，她不清楚是否可以把课程表给外人，格雷说他肯定知道，只要人们肯给就可以给。

注册主任带着怀疑的神态转过墙角出来。"需要帮忙吗？"

"是的，我是《华盛顿邮报》的格雷·格兰瑟姆，我想找你们的两个学生，劳拉·卡斯和迈克尔·艾克斯。"

"有什么问题吗？"她不安地问道。

"没有。只是问几个问题，他们今天上午有课吗？"他脸带微笑，一种温厚而依赖的微笑，通常他对比较年长的女教师都露出这样的微笑。这一招极少失败。

"你有身份证明之类的东西吗？"

"当然有。"他打开了他的皮夹，缓慢地向她晃了一下，很有点警察的神气。

"我得问一声教务长,不过……"

"好的,他的办公室在哪里?"

"他现在不在。不在本市。"

"我只需要他们的课程表,好去找到他们,我并不是要问他们的家庭地址、分数或成绩单。不是什么保密的或个人隐私的东西。"

她朝那个兼职办事员的学生看了一眼,这个学生耸了耸肩膀,好像是说:"这有什么大不了的?"她说了一声"请稍等,"倒转到墙背后去了。

达比一直在小房间里等,格雷把一张计算机打印出来的纸放到了桌子上。"根据这两张课程表,艾克斯和卡斯现在正在上课。"他说道。

达比看着课程表说:"艾克斯在上刑事诉讼程序课,卡斯在上行政法,他们的课都是9点到10点,我想法去找到他们。"她把自己的笔记给格雷看,"梅洛、莱因哈特和威尔逊都在家,但是拉特利夫和林奈没找到。"

"梅洛住得离这里最近,几分钟我就可以到那里。"

"租个车吧?"达比问道。

"我打电话给赫兹租车公司,15分钟之内他们就会把车子送到《华盛顿邮报》的停车场。"

这是一幢由仓库改建而成的公寓,供学生和其他省吃俭用的人租住。梅洛的房间在公寓3楼。他一听到敲门声,很快就把门打开了一条缝。

"我找詹姆斯·梅洛。"格雷说话的口气像个老朋友。

"我就是。"

"我是《华盛顿邮报》的,叫格雷·格兰瑟姆,我想问你几个问

题,很快。"

他把防盗门链松掉,把门打开。格雷走进了这套两室公寓住房。一辆自行车放在房间正中,占据了大部分空间。

"什么事?"梅洛问道,他被弄得莫名其妙,显出急于要回答问题的样子。

"据我所知,去年夏天你在怀特和布莱泽维契律师事务所当过书记员。"

"对的,一共3个月。"

格雷在笔记本上飞快记录着。"你在哪个部门?"

"在国际部。做的大部分是些普普通通的工作。没有什么好炫耀的。大量的研究工作,起草各种合同的初稿。"

"谁是你的上司?"

"不是单独一个人。有3个合伙律师叫我忙得要死。他们上面有一个合伙人,是斯坦利·库普曼。"

格雷从上衣口袋里拿出一张照片。这是加西亚在人行道上的照片。"你能认出这张面孔吗?"

梅洛拿着照片仔细看了看。摇摇头说:"我认不出。他是谁?"

"他是个律师,我想他是怀特和布莱泽维契事务所的律师。"

"这个事务所很大。我只不过呆在一个部门的角落里。你要知道,这个事务所有400多律师。"

"是的,我听说过。你肯定没见到他过吗?"

"肯定没有。他们一共有12层楼面,大部分我都没去过。"

格雷把照片放在口袋里。"你遇到过其他书记员吗?"

"噢,那当然。有几个乔治城大学的人我本来就认识,如劳拉·卡斯和乔安妮·拉特利夫。乔治·华盛顿大学有两个,帕特里克·弗兰克斯和一个叫范兰丁厄姆的;一个叫伊丽莎白·拉森的姑娘是哈佛大学来的;一个从密执安大学来的姑娘艾米·麦格雷戈;还有埃默里大学的莫克,但我想他后来被解雇了。暑假里总是有许多书记员的。"

"你毕业后是不是准备到那里去工作?"

"我不知道,我没有把握是否适合大公司的工作。"

格雷微笑着将笔记本插进裤子后面的口袋里,"请问,你在这个事务所呆过,我该怎样才能找到这个人呢?"

梅洛略为思索了一下,然后说:"我以为你可不能上那儿去随便打听。"

"说得对。"

"你只有这么一张照片吗?"

"是的。"

"我认为你这样做是对的。总会有一个书记员认得出他。"

"谢谢。"

"这个人有麻烦了吗?"

"噢,没有。他有可能亲眼看见过一些东西。这件事情也许很渺茫。"格雷打开了门又说,"再次谢谢。"

达比在大厅里电话机的对面布告栏前研究秋季总课程表。她还不能确切地知道,9点钟这节课下课后她该怎么办,不过她在拼命地想办法。一个年轻的女子背着书包,在她近旁停了下来看布告栏。毫无疑问她是个学生。

达比朝她笑笑。"对不起,请问你认识劳拉·卡斯吗?"

"认识。"

"我需要捎一个口信给她。你能不能把她指给我?"

"她是不是在上课?"

"是的,她在 207 室上希普教授的行政法课。"

她们一面走一面谈,朝希普教授上行政法课的教室走去。4个教室都下课了,背书包的学生用手指了指朝她们走过来的一个高高的胖乎乎的姑娘。达比谢了她,然后跟在劳拉·卡斯的后面,

一直跟到人少了,才问她。

"对不起,劳拉,你是劳拉·卡斯吗?"

胖姑娘停了下来,瞪着眼睛说:"是的。"

达比现在得做一件她不欢喜做的事了:说谎。"我叫萨拉·雅各布斯,我正在为《华盛顿邮报》写一篇报道,我能不能问你几个问题?"她之所以先找劳拉·卡斯,是因为她 10 点钟没有课。而迈克尔·艾克斯有课。她到 11 点钟再去找他。

"关于什么事情?"

"只要一分钟就可以了,我们进去好吗?"达比点头示意向一间空教室走去,劳拉慢慢地跟在后面。

"去年夏天你在怀特和布莱泽维契律师事务所做过书记员,对吗?"

"做过。"她说得很慢,满脸疑惑。

"在哪个部门?"

"税收。"

"你喜欢税收,嗯?"她尽力使谈话显得像是闲聊。

"过去喜欢过,现在我恨透税收了。"

达比从口袋里拿出一张照片递给了劳拉·卡斯。

"你认得这个人吗?"

"不认得。"

"我想他是怀特和布莱泽维契律师事务所的一名律师。"

"那里有很多律师。"

"你真不认识吗?"

她把照片还给了达比。"是的。除 5 楼之外,别的地方我从没去过。"

"非常感谢。"达比说道。

"没问题。"劳拉说道,她已经朝门外走去了。

10 点半他们准时又在 336 房间会面。格雷是在埃伦·莱因哈特出门的时候在车道上堵上她的。她正准备去上课。她曾在这个事务所的诉讼部工作过，主管这个部的是一位名叫丹尼尔·奥马利的合伙人，她去年夏天的大部分时间都在迈阿密参加一件集团诉讼的审判。她去了两个月，在华盛顿的办公室呆了很短时间。怀特和布莱泽维契律师事务所在 4 个城市里都有办公室，包括坦帕市在内。她认不出加西亚是谁，急着要走。

朱迪思·威尔逊不在她的公寓时，她的室友讲她大约一点钟回来。

他们把梅洛·卡斯和莱因哈特的名字划掉。他们悄悄商量了他们的计划，然后再分手。格雷去找爱德华·林奈，根据名单上的记载，他曾连续两个暑期在怀特和布莱泽维契事务所做书记员。电话簿上没有他的电话号码，但他住在韦斯利高地，在乔治城大学校本部的北面。

10 点 45 分，达比又在布告栏前徘徊，希望再次出现奇迹。艾克斯是个男生，可以用不同的方式去接近他。她希望他在他应该在的地方——201 教室上刑事诉讼程序课。她小心地向教室走去，过了一会儿门就开了。50 名法学学生一下子拥进了走廊。她永远也成不了记者。她永远做不到走到陌生人跟前发出一连串的问题。她觉得尴尬而不舒服。不过她还是向一个有点腼腆的年轻人走去，他眼神忧郁，戴一副厚眼镜，她问道："对不起，你认识不认识迈克尔·艾克斯？我想他也在这里上课的。"

这个年轻人笑了。受到别人的注意总是件愉快的事。他指着向大门口走去的一群男学生。"那就是他，那个穿灰色套衫的。"

"谢谢。"她离开了他，他还站在那里。这群学生离开大楼后便走散了，艾克斯和一个朋友走在人行道上。

"艾克斯先生。"她在后面喊他。

他们两个都停下转过身来，含笑等她紧张地走近他们。"你是

迈克尔·艾克斯吗?"她问道。

"是我。你是谁?"

"我叫萨拉·雅各布斯,我正在为《华盛顿邮报》写一篇报道。我能单独同你谈谈吗?"

"当然可以。"他的朋友懂得她的意思便走开了。

"你要问什么事情?"艾克斯问道。

"去年夏天你在怀特和布莱泽维契律师事务所做过书记员吗?"

"是的。"艾克斯态度友善,乐于交谈。

"在什么部门?"

"房地产。乏味极了,但毕竟是一个工作。你为什么想知道?"

她把照片递给他,"你认得这个人吗?他在怀特和布莱泽维契事务所工作。"

艾克斯想要帮忙,但他记不起这张面孔。

"这张照片有点可疑,对吗?"他说道。

"我想是的。你认识他吗?"

"不认识。我从来没见过他。这是一家非常大的律师事务所。合伙人出席会议时胸前都别上姓名牌。你能相信吗?就是拥有这家事务所的那些人也相互不认识。他们一定有上百名合伙人。"

确实的数目是 81 个合伙人。"那里有一个人管你吗?"

"有的,一个名叫沃尔特·韦尔奇的合伙人。这是个坏家伙。说老实话,我不喜欢这个事务所。"

"你还记得其他书记员吗?"

"当然记得。那里面挤满了暑假里来干活的书记员。"

"如果我需要这些人的名字的话,我可以再来找你吗?"

"任何时候都可以。这个人有麻烦吗?"

"我想没有。他可能知道些情况。"

"我希望他们都被撵出律师队伍。他们真正是一帮恶棍,那是一个腐败透顶的工作场所。什么事都带政治色彩。"

"谢谢。"达比笑笑转身走开了。他以赞赏的目光看看她的背影,补充说,"随时打电话给我。"

"谢谢。"

达比走到隔壁的图书馆大楼,顺着楼梯上到了 5 楼,这层楼有一套房间就是《乔治城大学法律学报》办公室。她在图书馆里找到了这份杂志的最新一期, 发现乔安妮·拉特利夫是学报的助理编辑。她认为大部分的法学期刊和杂志都大同小异。那些优秀学生常常泡在那里,撰写学术文章和评论。他们对其余的学生有一种优越感,他们抱成一团,欣赏自己的超群的才华,在法学杂志的套房里厮混。这里是他们的第二个家。

她走进房间向第一个人打听乔安妮·拉特利夫在什么地方。他向转弯的地方一指。右手第二个门。推开第二个门,里边是一间拥挤的办公室,四周是一排一排的图书。两个女的在埋头工作。

"我找乔安妮·拉特利夫。"她说道。

"是我。"一个大约 40 岁年长的妇女说。

"你好。我叫萨拉·雅各布斯,我正在为《华盛顿邮报》写一篇报道。我能不能问你几个问题?"

她慢慢地把笔放在桌子上,朝另一位妇女皱了皱眉头。她们正在干工作,突然被打断,令人十分厌烦。她们都是非同一般的法科学生。

"报道的内容是什么?"拉特利夫问道。

"我们可以单独谈谈吗?"

她们又皱起了眉头。

"我非常忙。"拉特利夫说道。

达比心里想我也很忙,你们是在给一些毫无意义的文章核查引语,而我是在追查杀害两名最高法院大法官的凶手。

"真对不起,"达比说道。"我保证只耽搁你一分钟。"

她们来到了走廊。"打搅你我十分抱歉,但我时间很紧迫。"

"你是《华盛顿邮报》的记者吗?"这不像提问题,而像质问。出于无奈,她只能再次说谎。她对自己说,在这两天时间里,她可以说谎、欺诈和偷,然后她就到加勒比海海滩去,让格兰瑟姆把这儿的事情全包了。

"是的。去年夏天你在怀特和布莱泽维契律师事务所工作过吗?"

"工作过。有什么事吗?"

达比很快把照片拿了出来。拉特利夫接过去仔细端详着。

"你认得他吗?"

她慢慢地摇了摇头。"我不认识。他是谁?"

"他是怀特和布莱泽维契律师事务所的一名律师。我原来以为你可能认识他。"达比知道,尽可能装出一片心诚的样子。

"不认识。"她把照片还给了达比。

真是受够了。"好吧,谢谢。打搅你,真对不起。"

"没关系。"拉特利夫说着便进门去了。

赫兹汽车出租公司的一辆崭新的庞蒂亚克牌小汽车在街角停了下来,达比钻了进去,汽车随即开走,进入车流。她把乔治城大学法学院也看够了。

"我去闯过了,林奈不在家。"格雷说道。

"我同艾克斯和拉特利夫都谈过,他们都说不认得。7个人中有5个认不出加西亚。"

"我饿了,你想吃中饭吗?"

"好主意。"

"5个书记员在一家律师事务所里工作3个月,竟然没有一个人认得出一个年轻的合作律师,这可能吗?"

"是的,不但是可能的,而且可能性很大。别忘记,这是一件很拿不准的事。如果把秘书、律师助手、书记员、办事员、复印员、邮件收发员以及各类职员和后勤人员都算进去,400 名律师就等于上千人。律师们都喜欢呆在自己部门的小天地里。"

"各部门的业务范围都是互相隔绝的吗?"

"是的,一个在 3 楼做银行业务的律师很可能几个星期同一个 10 楼的干诉讼工作的熟人不照面。不要忘记,他们都是大忙人。"

"你想过没有,我们可能找错了事务所?"

"可能找错了事务所,也可能找错了法学院。"

"我找的第一个人,梅洛,告诉我乔治·华盛顿大学两个学生的名字,去年夏天他们在那里做过书记员。吃过午饭后我们去找他们。"他把车子慢下来,违章停靠在一排低矮房子的后面。

"这是什么地方?"她问道。

"市中心,离开芒特弗农广场一个街区。朝那边过去 6 个街区就是《华盛顿邮报》。拐过弯去就是我们要去的小吃店。"

他们走向小吃店,店里很快挤满了吃中饭的人。她坐在靠窗的一张桌旁等着,他去排队买三明治。

格雷端来一托盘中饭,还有凉茶,他们开始吃起来。

"你每天都是这么干的吗?"她问道。

"我就是靠做这个谋生的。我整天打听消息,下午晚些时候写报道,然后再去挖掘新闻,直到深夜。"

"一星期要写多少篇报道?"

"有时 3 篇或 4 篇,有时一篇也没有。采访和选材都是我自己干,没有人管我。这次的情况有点不同。我已经有 10 天没发表任何报道了。"

"假如你无法把马蒂斯连上去,怎么办?你这篇报道将来怎么个写法呢?"

"这要看我能做到什么程度。这篇报道我们不能只写维尔希

克和卡拉汉两个人,那样写就不值了。这是一件大新闻,他们两个不值得大写特写。他们只碰到了表面便完结了。"

"你是要一鸣惊人吗?"

"希望如此。如果我们能证实你的小小案情摘要,我们就可登出一篇精彩报道了。"

"你已经看见大标题了,是不是?"

"看见了。我已经兴奋得不得了。这是一篇空前轰动的新闻。我们把马蒂斯同杀人事件联上之后,就可发表一件特大新闻。事情一旦曝光,一夜之间就会有许多方面同时进行调查。这地方就会万炮齐轰,特别是针对总统和马蒂斯竟然是老朋友这一点。等到尘埃落定的时候,我们再来针对白宫当局,弄清楚当初是什么人在什么时候知道一些什么情况。"

"头一个就要找到加西亚。"

"啊,对。我知道他就在这儿。他是本市的一名律师,他知道一些非常重要的情况。"

"我吃完了。"

格雷看了看他的表,"现在是 12 点 15 分。我们必须在一点钟到朱迪思·威尔逊的公寓。你要不要现在就去把钱电汇来?"

"要花多长时间?"

"我们现在就去办电汇,回头再来取钱。"

"我们走吧。"

"你要汇多少?"

"15000。"

朱迪思·威尔逊住在一幢破旧房子的二楼,里面都是两居室的学生公寓。一点钟的时候她不在那里,于是他们开车在附近兜了一个小时。格雷成了一名导游,他缓慢地开过蒙特罗斯戏院,戏院仍旧是用木板封着的一片焦土。

两点十五分，他们把车停在街边，一辆红色的马自达汽车在狭窄的车行道上停了下来。"那就是她。"格雷说道，便下了车子。达比仍留在车里。

他在大门前的台阶上追上了朱迪思。她显得很友好。他们在交谈，他把照片拿给她看，她看了几秒钟后就开始摇头。他回到了汽车上。

"找过了6个人，都等于零。"他说道。

"只剩下爱德华·林奈了，他可能是我们的希望，因为他有2个暑假在那里做过书记员。"

在3个街区之外的一家便民小商店里找到了一个付费电话，格雷拨了林奈的电话号码。没有人接。他把听筒重重放下，回到汽车里。"早上10点钟他不在家，现在也不在家。"

"可能在上课，我们需要他的课程表，你应该把他的课程表同其他人的一起取来。"达比说道。

"你当时并没有提出来。"

"这里谁是侦探？谁是《华盛顿邮报》的大腕调查记者？我先前只不过是个微不足道的法科学生，现在能够坐在前排座位上看你驾驶车子，便已受宠若惊了。"

"随你怎么说。现在上哪儿去？"

"回法学院，"她说道，"我在车子里等，你进去弄一份林奈的课程表。"

"是，小姐。"

注册室里办公桌后面有一位学生。格雷向他要一份爱德华·林奈的课程表，学生便去找注册主任。5分钟之后，注册主任慢步从墙后面弯了出来，朝他看看。

他立刻露出微笑。"你好，还记得我吗？《华盛顿邮报》的格雷·格兰瑟姆。我还需要一份课程表。"

"教务长说不行。"

"我以为教务长到外地去了。"

"他不在，可是，助理教务长说不行。没有课程表了。你给我带来的麻烦已经够多了。"

"我不明白。我并不是要个人的成绩单。"

"助理教务长说不行。"

"助理教务长在哪里？"

"他忙着。"

"我等他。他的办公室在哪里？"

"他要忙很长时间。"

"那我就等很长时间。"

她毫不退让，把手臂交叉在胸前。"他不会让你再拿课程表了。我们的学生有隐私权。"

"他们当然有隐私权。我给你带来了什么样的麻烦？"

"好吧，我是要告诉你的。"

"请讲吧。"

那个学生办事员悄悄地绕到墙角后面不见了。

"你上午谈过话的几名学生中有一位给怀特和布莱泽维契律师事务所打过电话，事务所的人打电话给助理教务长，助理教务长打电话给我说，不要再把课程表给新闻记者。"

"他们凭什么管这件事？"

"他们要管，因为我们同怀特和布莱泽维契有着长久的合作关系，他们雇用了我们的许多学生。"

格雷装出无可奈何而又束手无策的样子。"我只是想找到爱德华·林奈。我发誓他并没有任何麻烦。我只需要问他几个问题而已。"

她为胜利而洋洋得意。她顶回了一位《华盛顿邮报》的记者，为此她十分自豪，所以她决定向他透露点风声，"林奈先生不是我们这里的学生了。我能讲的就这些。"

他朝门口退去,嘴里含糊地说了一声"谢谢"。

他快要走到汽车时,有人喊他的名字。是注册室的那个学生。

"格兰瑟姆先生,"他边说边向他奔过来,"我认识爱德华,他退学已经有一段时间了,是因为个人的问题。"

"他现在在哪里?"

"他的父母把他送到一所私人医院去了。他正在戒毒。"

"医院在哪里?"

"在银泉。名叫帕克莱恩医院。"

"他到那里有多久了。"

"大约一个月。"

格雷握住他的手。"谢谢。我不会跟别人说是你告诉我的。"

"他不会有麻烦吧,是吗?"

"不会。我向你保证。"

他们在银行门前停了下来。达比从银行取了 15000 美元出来。随身带钱使她害怕。林奈使她害怕。怀特和布莱泽维契律师事务所突然也使她害怕了。

帕克莱恩是为富人或拥有昂贵保险的人设立的一个戒毒中心。这是一幢不大的建筑,四周绿树环绕,孤零零的,远离公路有半英里路。他们估计,这里恐怕不轻易会客。

格雷首先走进大厅,向接待员询问爱德华·林奈。

"他是这里的病人。"她说话一本正经。

他露出了他最迷人的笑容。"是的。我知道他是病人。法学院里的人告诉我,他是病人。他在哪个房间?"

达比走进大厅,慢步走到自动饮水机旁,长时间地喝水。

"他在 22 号房间,但你们不能见他。"

"法学院的人告诉我可以见他。"

"你到底是什么人?"

他的态度十分友好。"我叫格雷·格兰瑟姆,是《华盛顿邮报》的。法学院的人告诉我,我可以问他几个问题。"

"很遗憾,他们会这样跟你说,你要知道,格兰瑟姆先生,医院是我们办的,他们办的是法学院。"

达比拿起一份杂志,坐到沙发上。

他的笑脸已经大为逊色,不过尚未消失。"这我明白,我能不能见见管理员?"他仍彬彬有礼地说道。

"为什么?"

"因为有件十分重要的事,今天下午我必须见林奈先生。如果你不让我见他,我就不得不见你的上司。不同管理员谈过,我不会离开这里。"

她给了他一个最厉害的眼色,便离开了柜台。"请稍等。你可以坐下。"

"谢谢。"

她离开之后,格雷转向达比,他用手指了指一道双扇门,像是惟一的一条通道的入口处。达比深深吸一口气,迅速穿过双层门。门里也是一块有3条无菌走廊分岔出去的会合处。一块铜牌指明通向18—30室。这里是医院的中心部分,走廊里光线暗淡,静悄悄的,地上铺着很厚的工业地毯,墙上贴着有花卉图案的墙纸。

她这样擅自闯入是会被抓起来的。她会被交到一个高大的保安或者一个粗壮的护士手里,关进一个上锁的房间,警察一来就把她打个鼻青眼肿,然后戴上手铐把她带走,她的伙伴只能站在一旁看着而无能为力。她的名字将刊登在《华盛顿邮报》上,如果胖墩识字的话,他会看到报纸,那么他们就可以对她下手了。

她在走廊里蹑手蹑脚地走过这些紧闭的房门。22号房间的门关着,门上钉着爱德华·L.林奈和韦恩·麦克拉奇博士的名字,她敲了敲门。

管理员是个比接待员更蠢的笨驴,但是他却为此而得到高报酬。他说他们有严格的关于探视的规定。他的病人都有重病,不可惊动,医院必须保护这些病人。他们的医生都是专门领域中的高手,严格规定了什么人可以探望病人。只有在星期六和星期天才允许探视,即使这时,也只有家庭成员和朋友才能陪伴病人,而且只限30分钟。他们都是一些十分脆弱的人,他们肯定不能经受新闻记者的询问,不论是为了多么重大的问题。

格兰瑟姆先生问他,林奈什么时候可以出院。这位管理员宣称,这是绝对保密的。格兰瑟姆故意说,也许保险期满就可以出院了。他纯粹是为了拖延时间而没话找话,同时准备好听到从双扇门里边传来高声怒斥。

一提到保险,管理员果真发火了。格兰瑟姆先生问管理员,他可以不可以问一下林奈先生愿不愿回答格兰瑟姆提的两个问题,整个事情要不了30秒钟。

管理员一口回绝,办不到。他们有严格规定。

室内一声轻柔的答应,达比推门走进了房间,里面铺着很厚的地毯,家具都是木制的。他坐在床上读一本很厚的小说,只穿一条牛仔裤,没穿衬衣。她惊奇地发现他长得英俊。

"请原谅。"她热情地说着,随手关上门。

"请进。"他说道,温和地一笑。这是他两天来第一次看到一张不是医护人员的脸。多么漂亮的脸。他合上书。

她走近他的床头。"我叫萨拉·雅各布斯,我正在为《华盛顿邮报》写一篇报道。"

"你怎么进来的?"他问道,显然为她进来觉得高兴。

"就这么走进来的。你去年暑假在怀特和布莱泽维契律师事务所做过书记员吗?"

"对，前年暑假也在那儿做。他们答应我毕业时给我一个工作，如果我能毕业的话。"

她把照片递给他。"你认得出这个人吗？"

他接过照片便露出微笑。"认识，他的名字叫，嗯，请等一下。他在9楼石油和天然气部工作。他名字叫什么来着？"

达比屏住了气。

林奈紧闭双眼，尽力回想。他看着照片说道："摩根，我想他叫摩根。对。"

"他姓摩根，对吗？"

"就是他，我不记得他的名字了。好像是查尔斯，可是不对。我记得他的名字是 C 开头的。"

"你肯定他是在石油和天然气部工作吗？"尽管她不记得怀特和布莱泽维契事务所里姓摩根的人确切有几个，但她可以肯定不止一个。

"是的。"

"在 9 楼？"

"是的，我在 8 楼的破产法部工作，石油天然气部占用 8 楼的一半和 9 楼的全部。"

他把照片还给了达比。

"你准备什么时候出院？"她问道。马上离开房间是不礼貌的。

"我希望下星期。这家伙干了什么事？"

"没事。我们只需要找他谈谈。"她后退着离开床头。"我得赶快走了。谢谢。祝你好运。"

"好。没关系。"

她轻轻地把门关上，急匆匆地朝大厅奔去。她身后传来喊声。

"喂！你！你在干什么？"

达比转过身去，面前是一个高大的黑人保安，屁股上挂着一把枪。她显出一副犯了大错的样子。

JOHN
GRISHAM

"你在干什么?"他再次质问她,把她逼向墙壁。

"探望我的哥哥,"她说道,"不要再对我大喊大叫。"

"谁是你哥哥?"

"22号房间。"她向他的房间点点头。

"你现在不能探视,违犯规定。"

"我有重要事情。我现在就走,行了吧?"

22号房间的门开了,林奈看着他们。

"这是你妹妹吗?"保安问道。

"是的,不要问她了。"林奈说道,"她要走了。"

她松了口气,朝林奈笑笑。"妈妈周末来。"

"好的。"林奈轻轻地说道。

保安向后退走,达比几乎是跑步奔向双扇门。格兰瑟姆正向管理员喋喋不休地诉说医疗的费用。她迅速穿过双扇门来到大厅里,管理员对她说话的时候,她都快要走到前门了。

"小姐!喂,小姐!可以告诉我你的名字吗?"

达比径直走出前门,走向汽车。格兰瑟姆向管理员耸耸肩,若无其事地离开了这幢楼。他们钻进汽车,加快速度开走了。

"加西亚的姓是摩根。林奈立刻就认出了他,但他记不起他的名字。说他名字的第一个字母是C。"她在查阅从《马丁代尔-哈贝尔法律指南》上摘录下来的笔记。"还说他在9楼的石油和天然气部工作。"

格兰瑟姆急忙开车离开帕克莱恩。"石油和天然气!"

"他是这样讲的。"她找到了这个名字,"柯蒂斯·D.摩根,石油和天然气部,29岁。诉讼部还有一个姓摩根的,不过他是合伙人,还有,他都51岁了。"

"加西亚就是柯蒂斯·摩根,"格雷说道,松了口气。他看了看手表。"现在是3点3刻,我们必须抓紧时间。"

"我可不能再等了。"

他们从帕克莱恩车道出来时，鲁珀特把他们接上了车。租来的庞蒂亚克汽车沿街飞驰。他像疯子一样把车子开得飞快，然后用对讲机通知前面的人。

37

    马修·巴尔过去从未乘过快艇，他在惊涛骇浪的大海里经过
5个小时的航行，浑身湿透，全身疼痛。当他见到陆地时，马上向
上帝祷告，几十年来这还是第一次。接着他又没完没了地咒骂弗
莱彻·科尔。

    他们把快艇停在一个城市附近的海边码头，他相信那个城市
是弗里波特。离开佛罗里达的时候，船长曾向一个叫拉里的人提
起弗里波特。在整个旅程中，没有人说过第二句话。拉里在这次行
程中的任务不明。他至少有6英尺6英寸高，脖子像电线杆那样
粗，他什么都不干，专门监视巴尔。这在开始时还没什么，过了5
小时之后，可叫人受不了。

    快艇停靠的时候，他们歪歪倒倒地站起来。拉里第一个下艇，
他招手要巴尔跟他下船。另有一个身材魁梧的人在码头上走近，
他们一起护送巴尔走向一辆在那儿等候的面包车。令人可疑的
是，这部面包车没有窗子。

    在这当口，巴尔很想和他的新伙伴们说声再见，随之消失在
去弗里波特的方向，赶上飞往华盛顿的飞机，到了华盛顿一见到
科尔那油光光的前额，就给他一巴掌，但他必须冷静，他们不见得
敢伤害他。

    几分钟后，面包车在一个简易的小型机场停了下来，巴尔被
护送到一架黑色的利尔飞机旁，他短暂地欣赏了一眼这架飞机，
便跟随拉里登上梯子。他冷静从容，只是在执行另一个任务而已。
他毕竟曾一度是中央情报局在欧洲的最出色的情报员。他过去当
过海军陆战队队员。他能够照顾自己。

他独自一人坐在机舱里。窗子都被遮了起来,这一点使他不安,不过他能理解。马蒂斯先生非常看重他的隐私,对此巴尔当然可以给予尊重。拉里和另外一个大块头都在机舱的前面,只顾翻阅杂志,完全把他置之度外。

飞机起飞之后,飞行了30分钟,开始下降,拉里蹒跚地向他走来。

"把这个蒙上。"拉里命令道,递给他一块厚厚的遮眼布。在这种情况下,如果是个新手就会惊惶失措,如果不是个职业情报人员,就会提出问题。但巴尔过去曾被蒙起过眼睛,尽管他对这次的使命怀有很大的疑问,他还是冷静地接过遮眼布,把眼睛蒙了起来。

把遮眼布给他取下来的人自我介绍是马蒂斯先生的助手,叫埃米尔。他是个小个子,但很结实,黑头发,上唇一道稀疏的胡子。他坐在4英尺之外的一张椅子里,手里点燃一枝香烟。

"我们的人告诉我们,你可以算个合法的代表。"他面带友好的微笑说道。巴尔环顾了一下房间,房间四周没有墙壁,只有窗格很小的窗子。阳光很亮,他感到刺眼。室外是一个精致的花园,中央是一串喷泉和水池。他们现在是在一幢很大的房子的后部。

"我是代表总统到这里来的。"巴尔说道。

"我们相信你。"埃米尔点点头说。毫无疑问,他是个法裔路易斯安那州人。

"我可以问一下你是什么人吗?"巴尔说道。

"我叫埃米尔,这足够了。马蒂斯先生身体有点不舒服。也许你应该把口信告诉我。"

"我奉命要直接同马蒂斯先生谈。"

"我猜是科尔先生的命令。"埃米尔一直在微笑着。

"对的。"

"我明白了。马蒂斯先生不愿见你。他要你同我谈。"

巴尔摇了摇头。不过如果逼得太紧,如果情况变得无法控制,必要的时候,他也乐意同埃米尔谈。但是现在他要态度坚决。

"我没有被授权同别的任何人谈,而只能同马蒂斯先生谈。"巴尔说得不卑不亢。

埃米尔脸上的笑容几乎看不到了。他指着水池和喷泉对面很大的一幢凉亭形状的建筑物说:"马蒂斯先生在凉亭里。请跟我来。"

他们离开阳光室,慢慢绕过浅水池。巴尔的心头紧紧地揪了起来,但他仍旧跟在瘦小朋友的后面,就同平日去上班一样。喷泉水落下来的哗哗声在花园里回响着。一条狭窄的木板步道通向凉亭。他们在门口停了下来。

"恐怕你必须把鞋脱下来。"埃米尔微笑着说道。埃米尔赤着脚。巴尔解开鞋带,把鞋子放在门边。

"请不要踏在毛巾上。"埃米尔板着脸说道。

埃米尔为巴尔打开了门,让巴尔一人走进去。这房间是圆的,直径大约有 50 英尺。室内有 3 把椅子一张沙发,全用白布单罩了起来。房间的四周地板上铺着棉质毛巾,整齐的长条小道。阳光透过天窗明亮地照射进来。一扇门打开了,维克托·马蒂斯从一个小房间里走了出来。

巴尔一下子呆住了,木然地看着这个人。他身体瘦削,脸色苍白,一头灰色的长发,邋遢的胡子,只穿了一条白色运动短裤,小心地走在毛巾上面,也不朝巴尔看。

"坐到那边,"他说道,手指着一张椅子。"不要踩着毛巾。"

巴尔避开毛巾,在椅子上坐了下来。马蒂斯转过身去,面对窗子。他的皮肤跟古铜色的皮革一样。他的光脚上一条条青筋凸出。他的脚指甲又长又黄。此人是个怪物。

"你想要什么?"他平静地对着窗子问道。

“总统派我来的。”

“不是总统,是弗莱彻·科尔派你来的。我不相信总统知道你在这里。”

他也许不是怪物。他讲话时全身的肌肉纹丝不动。

“弗莱彻·科尔是总统的参谋长。他派我来的。”

“我知道科尔。我也知道你。我也知道你那个小分队。好吧,你要什么?”

“你看过鹈鹕案情摘要了吗?”巴尔问道。

他的身体连动也不动一下,“你看过没有?”

“看过。”巴尔赶快回答说。

“你相信它是真的吗?”

“也许是真的,所以我就到这里来了。”

“科尔先生为什么对鹈鹕案情摘要那么关心?”

“因为有两个新闻记者已经听到了风声。如果案情摘要是真的,我们需要立即知道。”

“这些记者都是谁?”

“《华盛顿邮报》的格雷·格兰瑟姆, 他是第一个听到风声的人,他知道的情况比任何人都多。他正在加紧打听,科尔估计,他马上就要登出一点东西。”

“我们可以解决他,对不对?”马蒂斯对着窗子说道,“另外一个是谁?”

“《纽约时报》的里弗金。”

马蒂斯仍旧一动不动。巴尔朝那些白罩单和毛巾看了看。是的,他准是个怪物。这房子是消毒过的,一股酒精擦过的气味。也许他有病。

“科尔先生也相信摘要是真的吗?”

“我不知道。他对此非常关切,因此我才到这里来,马蒂斯先生。我们必须知道。”

"如果是真的又怎么样呢?"

"那我们就有麻烦了。"

马蒂斯终于动了一动,他把站立的重心移到了右脚,双臂交叉在瘦窄的胸前,但他的眼睛还是不动。远方是沙丘和海滨燕麦草,但是见不到海洋。

"你知道我现在想什么?"他轻声说道。

"什么?"

"我想问题在科尔那里。他把摘要给了太多的人。他给中央情报局。他让你也看过。他这样做才真正使我感到不安。"

巴尔一时不知如何回答才好。这家伙居然暗示科尔故意散发摘要,简直是荒唐。问题就是你马蒂斯。你杀了两位法官。你惊惶失措,杀了卡拉汉,你是个贪得无厌的狗杂种,到手了5000万美元还嫌少。

马蒂斯慢慢转过身来看着巴尔。他眼圈发黑,眼睛发红。这和同副总统合影时的他已判若两人,不过那是7年前的事了。这7年中,他老了20岁,也许这些年来他已经走向了精神崩溃。

"事情都坏在你们华盛顿那帮笨蛋手里了。"他说道,嗓门稍稍高了点。

巴尔看不见他的正面。"摘要是真的吗,马蒂斯先生?我只要知道这一点。"

巴尔身后的一扇门开了,一点声音也没有。拉里没穿鞋,只穿一双袜子,也没踩在毛巾上面,轻手轻脚地向前走两步,便停下来。

马蒂斯踏着毛巾朝一扇玻璃门走去,将它打开。看着外边,轻轻地说道:"当然是真的。"他穿过这扇门,又慢慢地把门关上。巴尔目睹这个白痴蹒跚地沿着走道向沙丘走去。

他心里想,现在该怎么办?也许埃米尔会来找他,说不定。

拉里拿着一根绳子,慢慢向前移动。巴尔什么也没听到,什么

也没觉到，当他知道的时候已经太晚了。马蒂斯不许这座凉亭里有血，所以拉里干脆勒紧他的脖子，使他透不过气来，直到他窒息而死。

38

这次调查过程中的这一时刻，行动计划要求她乘上这部电梯，但她认为已经发生的没有预料到的事件足以证明应该改变行动计划。他却不以为然。关于乘不乘电梯，他们曾激烈地辩论过，结果她还是来乘电梯。他是对的，因为这是找到柯蒂斯·摩根最便捷的路线，她是对的，因为这是找到柯蒂斯·摩根的最危险的路线。但是其他的路线也同样危险。整个行动计划就有生命危险。

她穿着她惟一的一套裙子和仅有的一双高跟鞋。格雷说她非常漂亮，不过这是她意料得到的。电梯在9楼停了下来，她走出电梯时，心头立即便揪紧了，几乎呼吸也屏住了。

豪华大厅的对面坐着一个接待员。她背后墙上是一行粗厚的黄铜字母拼成的"怀特和布莱泽维契"字样。她的腿发软，但她还是走到了接待员的面前，接待员得体地微笑着。现在是4点50分。

"我可以帮忙吗?"她问道，她的姓名牌表明她是佩吉·扬。

"是的，"达比尽量控制住自己，清了清喉咙。"我同柯蒂斯·摩根5点钟有一个约会。我叫多萝西·布莱思。"

接待员一听便呆住了。她张大嘴巴，她茫然地看着现在名叫多萝西的达比，话也讲不出来。

达比的心跳都停止了。"发生了什么事吗?"

"不，没什么，对不起，请稍等一下。"佩吉·扬立即站起来，匆匆离开了。

逃!她的心脏扑通扑通乱跳，逃!她努力控制自己的呼吸，她挣扎着不要喘粗气，她的腿变得僵直。逃!

　　她看看周围,尽力装出一副若无其事的样子,好像她只是一个顾客,在等她的律师。可以肯定,他们不会在律师事务所的大厅里开枪打死她。

　　他在前面走出来,接待员跟在后面。此人大约 50 岁左右,一头浓密的灰发,脸色阴沉,令人生畏。"你好,"他说道,只不过因为他非要招呼一声不可。"我是贾雷尔德·施瓦布,这里的合伙人,你说你同柯蒂斯·摩根有约会。"

　　坚决顶住,不能改口。"是的。5 点钟。有什么问题吗?"

　　"你的名字是多萝西·布莱思,对吗?"

　　是的,不过你可以叫我多特。"一点不错。对了。怎么回事?"她说话的口气好像真的恼火了。

　　他又向前靠近了些。"你们是什么时候约好的?"

　　"我不知道。大约在两星期前。我是在乔治城一次晚会上见到柯蒂斯的。他告诉我他是一个石油和天然气方面的律师,我正好需要一位律师。我打电话到这个事务所来,约好了时间。现在,请告诉我发生了什么事?"她觉得口干,尽管如此,她顺顺当当说得出这一番话来,连她自己也感到惊奇。

　　"你为什么需要石油和天然气方面的律师?"

　　"我认为我没有必要向你解释。"她说道,一副泼妇骂街的神气。

　　这时电梯的门开了,一个身穿廉价套服的黑人匆匆走近他们,加入他们的谈话。达比绷紧脸朝他看看,她的两条腿随时可能瘫下去。

　　施瓦布确实想要收场了。"我们没有这次约会的任何记录。"

　　"那就应该把负责约会的秘书开除。你们是用这样的方式欢迎你们的新顾客的吗?"嗬,她发火了,但施瓦布并不示弱。

　　"你不能见柯蒂斯·摩根。"他说道。

　　"为什么不能?"她质问道。

"他死了。"

她的膝关节立即变软,就要瘫下去了。她感到胃里一阵收缩痉挛。但是她的脑子动得很快,显得震惊是正确的。毕竟他是准备做她的新律师。

"对不起。为什么没有人打电话告诉我呢?"

施瓦布仍有怀疑。"我说过,我们的记录上没有多萝西·布莱思这个名字。"

"他到底发生了什么事?"她问道,仍然在震惊之中。

"一个星期前他被杀害了。我们认为是被街上的流氓开枪打死的。"

穿廉价套服的家伙向前靠近了一步,"你有身份证件吗?"

"你到底是什么人?"她大喝一声。

"他是保安。"施瓦布说道。

"保的什么安?"她质问道,声音越发大了。"这里是律师事务所,还是监狱?"

合伙人朝穿廉价套服的家伙看看,显然,在这个节骨眼上,他们谁也不知道到底谁说什么好。她长得非常漂亮迷人,他们把她惹恼了,她说的一套也能自圆其说。他们软了一点。

"那你为什么不离开呢,布莱思小姐?"施瓦布说道。

"我不能再等了!"

保安伸出手去扶她。"这边走。"他说道。

她一把推他的手。"你碰我一下,明天一大早我就去控告你这个混蛋。给我滚开去!"

这使他们吃惊不小。她疯了,大发雷霆。也许他们对她太过分了些。

"我送你下楼。"保安说道。

"我自己知道怎么走。我真弄不懂你们这些混蛋会有顾客上门。"她向后倒退着。面孔涨得绯红,倒不是因为生气,而是因为害

怕。"我在 4 个州里都有律师,从没有人像这样对待过我。"她大声地向他们吼叫。她到了大厅的中间。"去年我付了 50 万美元的法律费用,我准备明年付 100 万美元,但你们这帮白痴别想得到一分钱。"她越靠近电梯,她叫喊的声音就越大。她成了疯婆子。他们目送她,直到电梯门开了,她走掉了。

格雷在床前踱来踱去,手里拿着电话,等史密斯·基恩接电话。达比闭着眼睛四肢伸开,躺在床上。

格雷站住了。"喂,史密斯。我需要你快点核对一点情况。"

"你在什么地方?"基恩问道。

"一家旅馆里。我需要柯蒂斯·D.摩根的讣告。"

"他是谁?"

"加西亚。"

"加西亚!他发生了什么事?"

"他死了,确实无误。他被抢劫犯打死的。"

"我记得这件事。上周我们刊登了一篇报道,是一篇关于一个年轻的律师被抢劫并被打死的报道。"

"可能就是他。你能否为我核对一下?我需要他妻子的名字和地址,如果有的话。"

"你是怎么找到的?"

"说来话长。今晚我们想要找他的遗孀谈谈。"

"加西亚死了。这可是蹊跷呀,伙计。"

"不单单是蹊跷。这个年轻人知道些情况,他们把他干掉了。"

"你认为你安全吗?"

"鬼晓得。"

"姑娘在哪里?"

"和我在一起。"

"如果他们把他的房子监视起来怎么办?"

格雷对这点没考虑过。"我们只好冒险了。15分钟后我再给你电话。"

他把电话放到地板上,坐在一张古董摇椅里,桌子上有一罐温啤酒,他喝了一大口。他注视着她。她的一只前臂遮住了双眼,她穿一条牛仔裤和汗衫。裙子扔在角落里。高跟鞋踢到了房间的另一头。

他把鞋子踢掉,双脚搁到床上。她闭上了眼睛,呼吸深沉。好几分钟过去了,两个人都不发一言。

"你知道不知道,路易斯安那州还有个名字叫鹈鹕州?"她问道,眼睛闭着。

"我不知道。"

"真是耻辱,早在60年代初,棕色的鹈鹕就几乎绝迹了。"

"怎么回事?"

"由于杀虫剂。鹈鹕只吃鱼,鱼生活在河水里,河水中含有大量的杀虫剂里的氯化烃。雨水将杀虫剂从土壤里冲刷进小溪,再流进河流,最终倾泻到密西西比河。路易斯安那州的鹈鹕吃这些鱼时,鱼体就已富集了大量的DDT和其他化学物质,这些东西就在鹈鹕的多脂肪的组织中日积月累。它们很少会立即死亡的,但在艰难的时刻,比如在饥饿或坏天气时,鹈鹕、鹰和鸬鹚被迫动用它们体内的储备,所以它们实在是被自己体内的脂肪所毒死的。即使它们不死,也不能繁殖。它们的蛋壳变得很薄而易碎,在孵化期中就开裂了。你知道这些吗?"

"我要知道这些干什么?"

"60年代晚期,路易斯安那州开始从佛罗里达州南部把棕色鹈鹕迁移过来,经过这些年来,路易斯安那州的鹈鹕数目逐渐增加了。但是它们仍然处境危险,40年前有成千上万的鹈鹕。马蒂斯想要毁掉的那片柏树沼泽地只不过是几十只鹈鹕的栖身之地。"

一番话使格雷沉入思考。达比久久沉默不语。

"今天星期几?"她问道,没有睁开眼睛。

"星期一。"

"我一个星期前的今天离开新奥尔良。两个星期前的今天,托马斯和维尔希克一起吃晚饭。当然,那是一个生死攸关的时刻,鹈鹕案情摘要就是在那个时候易手的。"

"3个星期前,罗森堡和詹森遇害。"

"我是一个清白无辜、微不足道的法科学生,埋头读书,与世无争,和我的教授正在热恋之中,我想那样的日子不会再来了。"

"你有什么打算?"

"没有,我只想摆脱现在的危险处境,保全性命。我要逃到一个地方,躲上几个月,也许几年。我有足够的钱,够我生活很长时间。如果有那么一天我已没有后顾之忧,不必回头张望,我也许会回来。"

"回到法学院?"

"我不想了。法律对我已经没有吸引力。"

"你当初为什么想当律师?"

"因为理想,还有钱。我原以为我可以改变这个世界,并且因此而得到报酬。"

"但是律师已经够多的了。为什么还有那么多优秀学生涌向法学院?"

"很简单,因为贪钱。他们想要宝马汽车和信用金卡。如果你进一所好的法学院,以优异成绩毕业,然后在一家大律师事务所找到一份工作,要不了几年工夫,你的收入就会达到6位数,而且只会上涨。这是绝对有保证的。这样的优秀生占全班学生的10%。到35岁,你成了一个合伙人,每年至少可以捞进20万。有的人赚的还要多得多。"

"另外90%的毕业生的情况又怎样?"

"他们就没有那么幸运了。他们只能找到人家挑剩下来的工作。"

"我认识的大多数律师都恨这一行。他们都宁愿做别的事情。"

"但是为了挣钱,他们又不能丢掉这个工作。甚至一个小事务所的蹩脚律师,10年干下来,每年也能赚10万,他们也许讨厌这一行,他们又能到什么地方去赚这么多钱呢?"

"我讨厌律师。"

"我想你可能认为新闻记者是令人羡慕的。"

时间到了。格雷看了看手表,拿起电话,拨了基恩的电话号码。基恩把讣告念给他听,接着又再读《华盛顿邮报》上的那篇关于一位青年律师无缘无故在街上被杀害的报道。格雷做了笔记。

"另外还有几件事,"基恩说道,"费尔德曼十分担心你的安全。他等着今天在他的办公室里听汇报,结果没有听到,他大发雷霆。不要忘记明天中午之前向他报告。明白了吗?"

"我争取。"

"光是争取还不够,格雷。我们大家都很焦急。"

"《纽约时报》在虚张声势,对吗?"

"眼下我不担心《纽约时报》。我更担心你和姑娘。"

"我们很好。一切都顺利。你还有别的消息没有?"

"在过去的两小时里,你有3个电话,是一个叫克利夫的男人打来的。他说他是警察。你认识他吗?"

"认识。"

"那好,他要今晚跟你谈谈。说有要紧事情。"

"等会我打电话给他。"

"好的。你们要当心。我们在这里会呆到很晚,所以你可以打电话来。"

格雷挂断电话,又看看笔记。已经快7点钟了。

"我要去见摩根夫人。你就留在这里。"

她坐在枕头中间,两臂交叉在膝盖上。"我情愿一起去。"

"要是他们在监视那幢房子怎么办?"他问道。

"他们为什么要监视那幢房子呢?他已经死了。"

"也许现在他们又产生了怀疑,因为今天有一个神秘的客户去找过他。即使他死了,他仍然引人注意。"

她想了一分钟。"不,我要去。"

"这太冒险了,达比。"

"别跟我提冒险不冒险。我已经在地雷阵里活了 12 天。这件事轻松。"

他在门口等她。"顺便问一下,今晚我睡哪里?"

"杰斐逊旅馆。"

"你有那儿的电话号码吗?"

"你说呢?"

"愚蠢的问题。"

埃德温·斯内勒乘坐的一架私人喷气飞机 7 点过几分在华盛顿的全国机场降落。他很高兴离开纽约。他在广场饭店套间里焦急不安地度过了 6 天。在差不多一个星期的时间里,他手下的人检查旅馆,监视机场,巡视马路,他们十分清楚他们纯粹是在浪费时间,但命令总归是命令。他们奉命呆在纽约,直到情况有变,他们可以进一步行动。要想在曼哈顿找到那个姑娘,真是愚不可及,但是他们必须呆在附近,也许万一她会犯个错误,譬如打个电话或用信用卡买一样东西,就会留下痕迹,被人追踪,那样的话也就会突然需要他们。

在今天下午 2 点半她因需钱而从账户取款之前,她没有犯过任何错误。他们知道会有这样的情况出现,尤其是如果她想要离开这个国家而又不敢使用信用卡的话。她早晚会需要现金,那时她就得用电汇,因为她的银行在新奥尔良,而她本人并不在那里。斯内勒的客户拥有这家银行8%的股份;数额不算大,不过区区1200万美元平均的持有额也足够办点事的。3点过几分,他接到从弗里波特来的电话。

他们并没有怀疑她在华盛顿。她是个聪明姑娘,她正在逃避麻烦,而不是奔向麻烦。他们肯定也不会想到她会同新闻记者有联系。他们完全没有料到,但现在又显得是合情合理的。现在的情况就不止是万分紧急而已了。

1500美元从她的账户转到了他的账户,这样一来斯内勒便立即恢复活动了。他随身带了两个人,另有一架私人喷气机从迈阿密飞来。他要求立即为他配备12个人。要干就得赶快,否则就干脆别干。一秒钟也耽误不得。

斯内勒并不抱什么希望。行动班子里只要有卡迈尔在,好像什么事都能办得成。他十分干净利索地杀死罗森堡和詹森,消失得无影无踪。现在他已经死了,只因为一个纯洁无辜的小小法学院女学生,脑袋上挨了一枪。

摩根家的住宅坐落在亚历山德里亚市整洁的郊外。这个地区住的都是年轻人,家道殷实,家家院子里都有自行车和脚踏三轮车。

私人车道上停着3辆汽车。其中一辆挂的是俄亥俄州的车牌。格雷摁响门铃,又观察一下街上,没有什么可疑现象。

一个上了年纪的人开了一道门缝。"有什么事?"他轻声问道。

"我是格雷·格兰瑟姆,是《华盛顿邮报》的,这位是我的助手,萨拉·雅各布斯。"达比勉强地笑了笑。"我们想同摩根夫人谈谈。"

"我想不行。"

"劳您驾。事情重要。"

他郑重其事地看了看他们。"请等一下。"他关上门,不见了。

这幢房子有一块狭窄的木头门廊，它的上面是一个小阳台。阳台和门廊都没有灯光，所以从街上看不到。一辆汽车缓缓驶过。

老人又把门打开了。"我是汤姆·库普切克，她的父亲，她不愿意谈。"

格雷点了点头，表示他非常理解。"我们不会超过5分钟。我保证。"

他走到门廊上随手把门关好。"我想你耳朵大概重听。我刚才说过，她不肯谈。"

"我听见了，库普切克先生。我很尊重她的私人生活，我知道她经受的遭遇。"

"你们这些人什么时候尊重过别人的私人生活？"

显然，库普切克先生的耐心非常有限，他马上就要发作了。

格雷保持了平静。达比向后退开。在一天之内她卷进去的争吵已经够多了。

"她丈夫在被害之前给我打过3次电话。我在电话里同他交谈过，我不相信他是被马路上的流氓随意杀害的。"

"他已经死了。我的女儿很伤心。她不想说话。现在你马上滚开。"

"库普切克先生，"达比的口气非常温和，"我们有理由相信，你的女婿知道一些有组织的犯罪活动的情况。"

这使他平静了些，他注视着达比。"是这样吗？不过现在你不能再问他了，是不是？我的女儿什么都不知道。她非常难过，还吃着药呢。你们现在走吧。"

"明天我们能见到她吗？"达比问道。

"我说不准。先打个电话吧。"

格雷递给了他一张名片。"如果她愿意谈，请打背面的电话号码。我住在旅馆里。明天中午前后我再打电话来。"

"随你的便。现在，就请离开。你们已经使她非常难受了。"

"对不起,"格雷说道,走出门廊。库普切克先生打开了门,但还是看着他离去。格雷又站住,转过身来问他:"有没有别的新闻记者打过电话或者经过这里?"

"他被害的第二天来了一帮新闻记者。他们打听各种各样的事情。一群粗鲁家伙。"

"不过这几天没有人来过吧?"

"没有。现在你们走吧。"

"《纽约时报》有人来过吗?"

"没有。"他走进门去,砰的一声把门关上。

他们急匆匆地走过4家门口,回到停在那里的汽车上。街上没有汽车来往。格雷开车顺着郊区弯弯曲曲的短短的街道行进,左弯右拐,走出了这块居民区。他注意观察着后视镜,直到他确信没有人跟踪他们。

"加西亚这条线索结束了。"达比说道,他们正在开上395号公路,朝城里去。

"还没有结束。我们明天将做一次最后的生死挣扎,说不定她会同我们谈谈。"

"如果她知道什么情况的话,她父亲也应该知道。如果她父亲知道的话,那他为什么不合作?没戏了,格雷。"

这番道理是天衣无缝的。他们在车里沉默了几分钟。倦意已经不请自来。

"只要15分钟我们就能开到机场,"他说道,"我把你放下,30分钟之内你就可以离开这里。乘上一架随便到哪里去的飞机,从此销声匿迹。"

"我明天去。我需要休息一下,我要考虑一下到什么地方去。谢谢。"

"你感到安全吗?"

"这会儿,是的。可是情况会说变就变。"

　　"今晚睡在你的房里我会很高兴。就像在纽约那样。"

　　"你在纽约并没有睡在我的房间里。你是睡在客厅的沙发上。"她微笑着,这是个好兆头。

　　他也笑了。"好吧。今晚我睡在客厅里。"

　　"我没有客厅。"

　　"那么,那么我睡在哪里呢?"

　　突然,她收敛了笑容。她咬住嘴唇,抑制住眼泪。她又想到了卡拉汉。

　　"我还不想。"她说道。

　　"几时可以呢?"

　　"谢谢你,格雷。你就别再提了。"

　　她注视着前面的车辆,不发一言。"对不起。"他说道。

　　她慢慢地在座位上躺了下来,头枕在他的腿上。他轻柔地抚摸着她的肩膀,她紧紧地抓住他的手。"我害怕极了。"她轻轻说道。

39

他在她的房间里喝完一瓶酒吃了一些蛋卷,走出房间的时候已经 10 点左右。他给《华盛顿邮报》晚间在警察局值班的新闻记者梅森·佩珀去过电话,请他向他的新闻来源核实一下摩根在街上遇害的情况。出事地点是中心区的一个不大出人命案件的地段;他只不过在背后挨了几棍,被打了一顿。

他感到疲乏,也觉得泄气。他的心情不好,因为她明天要走了。《邮报》欠他 6 个星期的假期,他禁不住想要跟她同行。大不了是马蒂斯把石油弄到了手。但是他担心这样一走也许就回不来了,当然,那不见得就是他的世界末日,只是有一件事叫他放心不下,她有的是钱,而他却没有。他们可以在海滩上跑跑跳跳,在阳光里纵情嬉闹,用他的钱过上两个月,然后就得仰仗于她。然而,更加重要的还是她不曾邀请他比翼双飞。她仍然非常悲伤。提到托马斯·卡拉汉的时候,他感觉得到她的悲痛。

他此刻是在杰斐逊旅馆的 16 楼上,当然,完全是遵照她的指令。他拨电话到克利夫的家里。

"你在哪里?"克利夫问他,生气了。

"一家旅馆。说起来话长。怎么了?"

"他们给了萨吉 90 天病假。"

"他怎么了?"

"没什么。他说他们要他离开那地方一段日子。那里面像是蹲牢房一样。人人都得闭紧嘴巴,不跟任何人讲话。他们害怕得要死。他们命令萨吉今天中午就回家。他认为你的处境一定非常危险。这一个星期里面他听见他们说到你的名字有一千次。他们像

中了邪似的想着你,不知道你到底晓得多少。"

"他们是谁?"

"当然是科尔,还有他的助手伯奇菲尔德。他们在西厅发号施令,好像盖世太保一样。还有一个家伙有时候也跟他们搅和,叫什么名字来着,小松鼠似的,戴一个领结的?管内政事务的?"

"埃米特·韦克罗斯?"

"就是他。恫吓威胁,出谋划策,主要是科尔和伯奇菲尔德两个。"

"什么样的威胁?"

"除了总统本人,任何人都不得正式或私下跟新闻界谈话,除非得到科尔的准许。连新闻秘书也不例外。一切都由科尔批准。"

"真是叫人难以置信。"

"他们已经成了惊弓之鸟。萨吉认为他们会下毒手。"

"知道。我已经躲藏了。"

"昨晚我到过你家公寓。我希望你何时隐蔽起来要跟我说一声。"

"明天晚上我再跟你联系。"

"你现在开的什么车?"

"一辆租来的四门庞蒂亚克牌车。快得很。"

"今天下午我查看了一下你的沃尔沃。安然无恙。"

"谢谢你,克利夫。"

"你没事吧?"

"我想没有问题。告诉萨吉我挺好。"

"明天给我电话。我不放心。"

他睡着了4个小时,电话一响,他便醒了。外面还是黑的,还得再过两个小时才会天亮。他看一眼电话,便拿起听筒,这时才响了第5次。

"喂。"他的声音里含有戒心。

"是格雷·格兰瑟姆吗?"非常胆怯的妇女声音。

"是的。你是谁?"

"贝弗利·摩根。你昨晚来过。"

格雷立即双脚落地,会神倾听,完全清醒。"是的。我向你道歉,如果使你受到打扰的话。"

"不。我的父亲非常关心保护我,因此他生气。柯蒂斯遇害之后,那一帮记者真叫人受不了,他们从四面八方打来电话,要他的旧照片,要我和孩子的新照片。他们一天24小时都来电话。真没有办法,我父亲忍受不了。有两个记者还被他赶出门廊。"

"我猜想我们两个还算运气好。"

"我希望他没有冒犯你们。"讲话的声音空洞而不带感情,故作坚强。

"一点也不。"

"现在他睡着了,在楼下沙发上。所以我们能够谈谈。"

"你为什么还不睡?"他问道。

"我得吃安眠药才能入睡,我这个人已经整个乱了套。我白天睡觉,晚上起来。"显然她是醒着的,想要说话。

格雷坐在床上,放松一下。"像这样一个打击,实在叫我不能想像。"

"过了好几天之后,我才真正把它当做事实。起初,我的痛苦真是可怕。实在可怕。我的身体挪动一下都是一阵痛楚。我的脑子不能思考,因为打击太大了。我无法置信。我忍着悲痛,把丧仪办理完毕,现在看来,像是一场噩梦。你嫌我絮叨吗?"

"一点也不。"

"他是上个星期的今天晚上被人杀害的。我还以为他是工作到深夜,他常常这样。他们杀害他,拿走他的皮夹,所以警察查不出他的身份。我在深夜新闻中看到一个年轻律师在市中心遇害,

我才知道他是柯蒂斯。你就别问我他们连他的名字都不知道,又怎么知道他是一个律师。真是怪事。"

"为什么要工作到深夜呢?"

"他每周工作 80 小时,有时还不止。怀特和布莱泽维契是一个血汗工场。它要把每一个执业律师都在 7 年之内搞死,要是过了 7 年他们还不死,就让他们当合伙人。柯蒂斯恨透了那地方。他都不想当律师了。"

"他在那儿有几年了?"

"5 年。他一年挣 9 万美元,所以才把这份苦活儿忍受下来。"

"你当时知道他给我电话吗?"

"不知道。我父亲告诉我,据你说他给你打过电话,我一晚上都在想这件事。他跟你说了什么?"

"他从来不说他是谁。他用的代号是加西亚。别问我怎么知道他的真实姓名的——那得说上几个钟头。他说他可能知道一点有关暗杀罗森堡和詹森两位大法官的情况,还说他想把他所知道的情况告诉我。"

"兰迪·加西亚是他念小学时的最要好的朋友。"

"我得到的印象是他在办公室里看见了一份什么东西,或许他的办公室里有人知道他看见过这份东西。他非常担心害怕,总是用付费电话打给我。他老觉得有人跟踪他。我说好了要在上上个星期六大清早见面,但是到了那天早上他又来电话说不见面了。他害怕得要死,还说过要保护他的家人。你知道这些情况吗?"

"不知道。我知道他受到很大的压力,但是 5 年来他一直是这样。他从来不在家里说办公室的事。他恨那地方,确实恨。"

"他为什么恨那地方?"

"他是为一伙杀人凶犯工作,那是一群土匪强盗,他们眼看着你为了一块钱而流血卖命。他们不惜花费数以百万计的金钱去保持一个冠冕堂皇的体面外表,其实他们全是垃圾。柯蒂斯毕业时名列前茅，他自己挑选了这份工作。他们在招聘他的时候全都是了不起的人，到了一起工作的时候便都是青面獠牙的恶魔。伤天害理，不知廉耻。"

"为什么他还呆在公司里呢？"

"因为薪金不断增加。一年前他差一点就要走了，但是没走成。他当时很不开心。他回家之后我总要问他一天过得怎么样。有时候他到家都夜里 10 点了，我就知道这一天他过得不顺心，但是他总是说这一天过得很好。然后我们便谈孩子，他不想谈办公室，他也不要听办公室的事。"

好了，关于加西亚已经谈了这么多。他已经死了，他跟妻子什么都没说过。"他的办公桌是谁清理的？"

"他办公室的人。他们星期五把东西都送来了，整整齐齐地装满了 3 只纸箱子，用胶纸封好。欢迎你来把它们看一遍。"

"不必了，谢谢你。我可以保证它们都已净化过了。他保了多少人寿险？"

她迟疑了一下。"你真是个聪明人，格兰瑟姆先生。两个星期前，他买了一百万美元的保险，如果由于意外事故死亡，赔偿金额加倍。"

"那就是两百万美元。"

"是的，先生。我想你是对的。我猜想他已经怀有戒心。"

"我认为杀死他的人不是什么行凶抢劫犯，摩根太太。"

"我无法相信这一点。"她有一点哽咽，但还是把它强压下去了。

"警察问了你许多问题吗？"

"没有。就是一件首都地区常见的行凶抢劫案，干得过头一点，不是大案。这类案件天天都有。"

关于人寿保险的情况是有趣的，可是没有用处。格雷对摩根太太不紧不慢的谈话已失掉了兴趣。他为她感到难过，但是，既然

她什么情况都不知道,这时候也就该跟她说声再见了。

"你认为他知道了什么事情吗?"她问道。

这个问题说来话长,好说上几个钟头。"我不知道,"格雷回答她,他看了一眼手表。"他说过他知道一点关于两位大法官被杀害的情况,但是他只是点到为止。我深信不疑我们会有会面的机会,他会对我推心置腹,会让我看一眼什么东西,然而我错了。"

"他怎么会知道两位死去的大法官的什么事情呢?"

"我不知道。我很突然地接到他的电话。"

"如果他让你看一样什么东西,那会是什么东西呢?"

他是个记者,提问题的应该是他。"我可不知道。他从来不曾暗示一下。"

"他能把这件东西藏到哪儿去呢?"这是个发自内心的问题,却也是个发人深省的问题。他立即便开了窍。这个问题把她带上了路。

"我不知道。他把贵重的文件藏在什么地方。"

"我们在银行里租了一个保管箱,存放契约和遗嘱之类的东西。我向来都知道这个保管箱。一切法律方面的事情都是由他经手的,格兰瑟姆先生。上星期四我和我父亲同去看过保管箱,里面没有什么特别的东西。"

"你不曾想要看到什么特别的东西吧,是吗?"

"不曾想到。接着,在星期六上午,一大早,天还是黑的,我在卧室里翻看他书桌里面的文件。他把私人通信和文件都放在里面,我发现了一样有点奇怪的东西。"

格雷站了起来,举着电话,睁大眼睛看着地板。她在凌晨 4 点钟打来电话。闲聊了 20 分钟。她一直等到他想要挂断电话时才扔出一颗炸弹。

"什么东西?"他尽力显得沉静。

"一枚钥匙。"

他的喉咙好像被塞住了。"开什么的钥匙?"

"另一只保管箱。"

"哪一家银行?"

"哥伦比亚第一银行。我们从来不光顾这家银行。"

"我明白。你对这另外一只保管箱毫不知情。"

"噢,一点都不知道,直到星期六早上。我被它弄迷惑了,直到现在我还不明白,但是我已经在原来的保管箱里找到了我们所有的法律文件,所以没有必要再去查看这个。我打算到我高兴的时候顺便去看一下。"

"你愿意让我替你去看一下吗?"

"我猜想你会这么说的。如果你找到你要找的东西,该怎么办呢?"

"我还不知道我要找的是什么东西。但是如果万一我找到了件他留下的东西,那件东西又确实非常有新闻价值,那该怎么办呢?"

"由你使用。"

"没有条件?"

"有一条。如果它有损我丈夫的名誉,你就不得使用。"

"就这么办。我发誓。"

"你什么时候要这枚钥匙?"

"它就在你手头吗?"

"是的。"

"如果你站在前面门廊上,3秒钟后我就到你那里。"

从迈阿密来的私人喷气机只带来5个人,所以埃德温·斯内勒只有7个人可供差遣。7个人,时间紧,装备少得可怜。星期一的晚上他没睡觉。他的旅馆套房成了一个指挥中心,他们通夜都在看着地图,制订24小时的行动计划。他们掌握了几点确实的情

况。格兰瑟姆有一套公寓住宅,但是他不住在里面。他有一辆汽车,但是他不使用。他在《华盛顿邮报》工作,报馆在第15大街上。怀特和布莱泽维契律师事务所在第10大街的一幢大楼里,靠近纽约街,但是她不会回到那里去了。摩根的未亡人住在亚历山德里亚。除了这些情况以外,就是他们要从300万居民中搜查出两个人。

斯内勒玩杀人把戏并非新手,这次行动是毫无希望的。事到如今,他只能尽力而为,但是他也为自己留了条后路。

他的脑子里总是想着她。她曾经落到卡迈尔的手里,又脱身而去。她躲开了枪子和炸弹,避开了这一行中的高手。他盼望见她一面,不是要杀她,而是恭喜她。她是一位虎口余生的新星,活在人间诉说这个故事。

他们要集中力量,监视《华盛顿邮报》大楼。这个地点他是无论如何要回来的。

40

　　在市中心，一辆辆汽车首尾相接，这正中达比的下怀。她显得不慌不忙的。银行的大厅9点半开门。大约在7点左右，她在房间里，喝着咖啡，却没有碰一下硬面包圈，他费了一番口舌说服她，总得有人去一趟保险库，此事非她莫属。因为要由一个女人出面，而当时没有别的女人可以担此重任。贝弗利·摩根告诉格雷，汉密尔顿第一银行，一听到柯蒂斯的死讯，便立即冻结了她们家的保管箱，只许她看一眼保管箱里的东西，开列一张清单。她也获准把遗嘱抄录一份，但是原件必须放回保管箱内，存放在保险库里。要等到税务审计师的工作完毕之后，保管箱才能发还。

　　现在面临的一个问题就是哥伦比亚第一银行是否知悉他已死亡。摩根夫妇从来不曾和那家银行有过生意往来。贝弗利毫不知情他为什么选中了这家银行。这是一家很大的银行，顾客上百万，他们认定了该行知道死讯可能性不大。

　　达比真不想再玩什么碰运气的冒险游戏了。昨晚她失掉了一个极好的机会，没有乘上一班飞机，现在她又得充当贝弗利·摩根去跟哥伦比亚第一银行斗智，以便偷盗一个死者的遗物。那么，她的共谋犯又该做点什么呢？他要出马为她护驾，他有枪。

　　"如果他们知道他已经死了，"她问道，"而我却告诉他们他还没死，那怎么办？"

　　"那就给那狗娘的脸上一巴掌，然后拼命逃跑。我会在大门口接你。我有手枪，我们可以在人行道上夺路逃跑。"

　　"你瞧，格雷。我不知道我行不行。"

　　"你办得到，不是吗？要保持镇定，做得自然大方。"

"多谢你了。要是他们召来安全警卫抓我怎么办？"

"我会来抢救你。我会像一个特种突击部队的成员一样冲进大厅。"

"我们都要被他们杀掉的。"

"放心，达比，我们会成功。"

"你凭什么那么有把握？"

"我感觉到了。那保管箱里面有好东西，达比。你一定得把它拿到手，全看你的了。"

"谢谢你说了一番使我轻松的话。"

他们来到了 E 街，靠近第九大街。格雷放慢车速，把车子非法停在离开哥伦比亚第一银行前门 40 英尺的装货地段上。他跳下了车。达比出来得慢一点。他们一同快步到门口。这时快要 10 点钟了。"我等在这儿，"他指着一个大理石圆柱说道，"去干吧。"

"去干吧。"她低声说道，身体已经消失在旋转门的里面了。大厅有一个足球场大，一道道圆柱，一簇簇枝形吊灯，还有那仿造的波斯地毯。

"保管箱？"她问一个坐在询问台后面的青年妇女。那姑娘指了一下右边的一角。

"谢谢。"她说道，便朝那边走过去。这是本市最大的银行，没有人注意她。

保险库是在一对厚实的铜门里面，铜门擦拭得好像黄金一样光亮。铜门略微开启，只让不多的几个人出入。右边一张办公桌后面坐着一位容貌庄重的 60 岁的妇人，桌子前面有"保管箱"3 个字。她的名字是弗吉尼亚·巴斯金。

弗吉尼亚·巴斯金两眼看着达比走近桌子。脸上毫无笑意。

"我要开一只箱子。"达比说道，不敢呼吸。她已经有两分半钟不曾呼吸了。

"请说号码。"巴斯金女士说道，她已经摁了一下键盘，脸朝向显示器。

"F566。"

她揸下了号码,等候荧屏上的显示。她皱起眉头,面孔移向荧屏,相隔不过数寸。跑!达比心想。她眉头皱得更紧,她举手抓挠下颏。跑,趁她还没有抓起电话呼叫警卫,跑,趁警铃还没有响起时。

巴斯金女士把头从显示器上抬起来。"这个号码是两个星期前租出去的。"她好像是在对自己说话。

"对了。"达比说道,好像是她自己来租的一样。

"我相信你是摩根太太。"她说道,键盘嗒嗒作响。

你就继续相信下去吧,好孩子。"是的,贝弗利·安利·摩根。"

"那么,你的地址?"

"亚历山德里亚,彭布罗克街,891 号。"

她朝荧屏点点头,好像它在看着她,她向它表示赞许。她又轻敲键盘。"电话号码?"

"703—664—5980。"

巴斯金女士对这个号码表示欢喜。计算机也同样表示欢喜。"谁租的保管箱?"

"我的丈夫,柯蒂斯·D.摩根。"

"他的社会保险号码呢?"

达比随随便便地打开她的包, 拿出皮夹子。她打开皮夹。"510—96—8686。"

"好极了,"巴斯金太太彬彬有礼地说道,她的两手便离开了键盘,移到办公桌上。"你开箱要多少时间?"

"只用一分钟。"

她把一张宽纸片放在办公桌上的一块书写夹板上,用手指一下。"这儿签名,摩根太太。"

达比神经紧张地在第二个小格子里签了名。摩根先生在租下保管箱的当天首次启用过此箱。

巴斯金女士看了一眼签名,达比屏住呼吸。

"你带钥匙来了吗?"她问道。

"当然。"达比露出笑脸说道。

巴斯金女士从抽屉里拿出一个小盒子,起身绕过办公桌。"跟我来。"她们一同走出了铜门。这个保险库有一家郊区的银行支行那么大。它是仿照陵墓地宫的路子设计的,一道道走廊,一间间小厅,好像一座迷宫一样。两个穿制服的男人在走动。她们走过了四个同样的房间,墙上都是一行行的保管箱。显然,F566 在第 5 个房间里,巴斯金女士走进了这个房间,打开了她的小黑盒子。达比神经紧张地看看周围,看看背后。

弗吉尼亚全神贯注地工作。她走到 F566 号保管箱,它的位置恰好齐肩高。她把钥匙插了进去。她的眼珠朝达比转了几下,好像是跟她说,"该你了,笨驴。"达比从口袋里掏出钥匙,挨在那把钥匙的旁边插进去。弗吉尼亚于是转动两把钥匙,把保管箱从洞格里抽出两寸。她取出了银行的那把钥匙。

她指指一个有木头折门的小隔间。"把它拿到那里面去。你用完后把它锁回到原处再到我的办公桌来。"她一面说一面朝房间外面去。

"谢谢。"达比说道。她等到弗吉尼亚走得看不见了,便从墙上抽出保管箱。箱子不重。箱顶没有盖子,里面有两样东西:一只薄薄的棕色长信封,还有一盒没有标志的录像带。

她不需要走进隔间里去。她把信封和录像带都塞进她的包,再把保管箱塞回墙上的洞格里去。她便走出房间。

弗吉尼亚刚刚绕过她的办公桌,回到座位上,达比便已走到她的背后。"我办完了,"她说道。

"好家伙。真快。"

"我找到了我需要的东西。"她说道。

"好得很。"巴斯金女士突然变成了热心人。"你知道吧,上星期报纸上登了一个律师被抢劫犯杀死的新闻。他的名字是不是柯蒂斯·摩根?好像就是柯蒂斯·摩根。真吓人。"

"我没看见,"达比说道,"我出国去了。谢谢你。"

她第二次穿过大厅的时候脚步更快了。银行里面顾客拥挤。

格雷一直守候在大理石圆柱旁,达比走到人行道上,快要走到汽车时他才追上她。"快进汽车!"她急忙说。

"你找到什么了?"他急想知道。

"赶快离开这儿。"她一把拉开车门,跳进车去。他发动了车子,加速离去。

"快说给我听。"他说道。

"我把保管箱里的东西都拿来了,"她说道,"我们背后有人吗?"

他朝后视镜看了一眼。"我怎么知道?你拿来了什么东西?"

她打开皮包,拿出信封。她打开信封。格雷死命踩下刹车,车子差一点就撞上前面车子了。

"当心开车!"她大喝一声。

"好了!好了。信封里面是什么?"

"我不知道!我还没有看过呢,要是你把我的命送掉的话,我就永远看不到了。"

车子又开了。格雷深吸一口气。"你瞧,我们别嚷嚷了,行吧。我们都冷静下来。"

"好的。放松一点。注意开你的车。我们往哪儿去?"

"我不知道。信封里面是什么东西?"

她抽出一份像是文件的纸头。她看他一眼,他的眼睛盯住文件。"留心开车。"

"念一下。"

"那会使我晕车。我不能在车上看东西。"

"该死!该死!该死!"

"你又在嚷嚷。"

他把方向盘朝右面扳，车子又一次开进 E 街的一块停车要遭拖走的地段。他急忙刹车的时候引起后面许多车子鸣响喇叭。他睁大两眼看她。

"谢谢。"她说道，开始高声朗读。

这是一份 4 张纸的陈述书，打字端正，并且经过一个公证人的公证。文件上写明的日期是星期五，最后一次打电话给格兰瑟姆的前一天。经过公证的这份陈述书表明柯蒂斯在怀特和布莱泽维契律师事务所的石油和天然气部工作，自从他 5 年前加入该事务所以来一直都在该部工作。他的客户都是从事石油勘探的非上市公司，有许多国家的公司，但主要是美国公司。自从他进入该事务所以来，他为之服务的一家客户在路易斯安那州南部打一场大官司。这位客户名叫维克托·马蒂斯，他自己从未跟马蒂斯先生见过面，但是怀特和布莱泽维契的资深合伙人跟他很熟，该客户拼命要打赢这场官司，为的是好从路易斯安那州的特雷邦帕里什的沼泽地捞进千百万桶石油。怀特和布莱泽维契方面主管这件案件的合伙人是 F.西姆斯·韦克菲尔德，他是维克托·马蒂斯的密友，常常上巴哈马群岛去拜访他。

他们坐在停车要被拖走的地段内，他们的庞蒂亚克车的保险杠危险地突出到右车道里，压根儿没有注意到经过的车子都要绕道回避。她念得很慢，他坐着闭目静听。

接下去，这场官司对怀特和布莱泽维契律师事务所也非常重要。事务所没有直接卷入审判和上诉，但是所有的诉讼文件都要经过韦克菲尔德的办公桌。他除了鹈鹕案件之外别的什么都不管，鹈鹕案件就是我们称呼它的名字。他的大部分时间都花在打电话上，不是跟马蒂斯通话就是跟为这个案件工作的上百个律师中的某一个通话。摩根每星期平均为这个案件工作 10 小时，不过他的工作都是外围的。他的计费单都直接交给韦克菲尔德，这一点不同寻常,因为所有其他的计费单都送给石油和天然气部的计费员,由他汇总送到会计室。这些年来他听到过小道传说,也确实相信马蒂斯并不是按照计时收费的标准给怀特和布莱泽维契付钱。他相信事务所受理此案是按照公司收入分成。他听到的数字是油井纯利润的 10%。这是律师行业中闻所未闻的收费。

一阵刺耳的刹车声,使他们立即绷直了身体。差一点撞上车。"我们差一点送命。"达比脱口而出。

格雷把车的右前轮开上街沿石,上了人行道。现在他们就和经过的车子不相干了。汽车斜插在禁止停车的地段上,前面的保险杠上了人行道,后面的保险杠刚好在车行道的外面。"往下念。"他也回敬了一句。

接下去念。9 月 28 日,或者是那一天的前后,摩根在韦克菲尔德的办公室里。他进去时拿了跟鹈鹕案件无关的两个档案夹和一堆文件。韦克菲尔德正在听电话。跟平常一样,秘书们进进出出。办公室里永远是乱糟糟的。他站了几分钟,等候韦克菲尔德听完电话,但是谈话没完没了。他等了 15 分钟之后,从韦克菲尔德的堆满东西的办公桌上拿起他的档案夹和文件,走出去了。他来到大楼另一头的他自己的办公室,在自己办公桌上开始工作。这时候大约是下午两点钟。他拿起一个档案夹的时候看见在他刚才带回自己办公室的一堆文件底下有一张便条。这张便条是他无意间从韦克菲尔德的办公桌上拿回来的。他立即站了起来,想要把这张便条送还给韦克菲尔德。然而他看见韦克菲尔德还在通话。现在这一张便条附在书面陈述后面。

"把便条念一下。"格雷立即要求。

"我还没有把陈述书念完。"她立即回嘴。

她接下去念。他被这张便条吓坏了,顿时便陷入一阵惊恐之中。他走出办公室,沿着走廊,来到一架距离最近的施乐复印机前,把它复印下来。他回到办公室,把便条原件放回办公桌档案夹

底下的原来位置。他要发誓不曾看到它。

便条的内容一共有两段，是在怀特和布莱泽维契事务所的内部信笺上手写的。便条来自 M.维尔马诺，也就是马蒂·维尔马诺，本事务所的一个资深合伙人。日期是 9 月 28 日，是直接写给韦克菲尔德的，原文如下：

西姆斯：

告知客户，研究工作已告完成——在罗森堡退休之后，法庭判案将会大为缓和。第二个退休的人有点令人觉得意外。爱因斯坦发现这跟詹森有联系，而不是别人。这孩子，当然，有一些别的问题。

还请告知客户鹈鹕将在 4 年后到达这里，把其他因素都考虑在内。

便条上没有签名。

格雷既露笑容又皱眉头。他的嘴巴张开。她读得更快。

接下去念，马蒂·维尔马诺是一条残酷无情的鲨鱼，每天工作 18 小时。他是怀特和布莱泽维契事务所的心脏和灵魂。在华盛顿的权势人物的眼中，他是个财大气粗的大老板。他和国会议员同桌午餐，他和内阁成员共玩高尔夫球。他在办公室里关起门来干他的杀人勾当。

爱因斯坦是纳撒尼尔·琼斯的绰号，一个精神失常的法律奇才，事务所把他单独锁在 6 楼上他自己的小书房里。最高法院、11 所联邦上诉法庭以及 50 个州的最高法院的每一个判例他都要阅读。摩根从未跟爱因斯坦会过面。事务所里很少见到他。

他复印了之后，就把复印件折好放在办公桌抽屉里。10 分钟后，韦克菲尔德冲进他的办公室，心神不定，面色苍白。他们在摩根的办公桌上一番搜寻，找到了这张便条。韦克菲尔德气得火冒三丈，不过他的这种表现并不少见。他问摩根看过便条没有。没有，他说得斩钉截铁。显然是他在离开他的办公室时把它跟自己的文件混在一起带出来的，他解释说。是什么了不起的大事?韦克菲尔德怒气未消。他怒斥摩根不懂得人家的办公桌是神圣不可侵犯的。他在摩根的办公室里又骂又训。他到最后也发觉自己的反应过了头。他想要收场了，但是他已经给人留下印象。他拿走了便条。

摩根把复印件藏在9楼图书室的一本法律书里。韦克菲尔德的妄想偏执和歇斯底里令他大为吃惊。当天下午下班之前，他把办公桌上和柜子里的东西和文件都清理和排列整齐。第二天早上他检查了一下。夜里有人动过他的书桌。

摩根从此非常小心。两天以后,他发现他书柜里一本书后面有一个小螺丝刀。后来又发现一小片黑色的胶条揉成小团扔在他的废纸筒里。他明白他的办公室里装了窃听器，他的电话也被窃听。他看得出韦克菲尔德对他怀有疑心。他在韦克菲尔德的办公室里看见维尔马诺的次数也比往常多。

接着，罗森堡和詹森两位大法官死于非命。他的脑子里毫不怀疑，是马蒂斯和他的一伙人下的毒手。便条没有提到马蒂斯，但是它说到一位"客户"。韦克菲尔德没有别的客户。也没有任何客户会像马蒂斯那样从一个新的最高法院得到大好处。

陈述书的最后两段令人害怕。暗杀事件过后,有过两次,摩根知道有人跟踪他。他从鹈鹕案件上被调离。派给他的工作更多,工作时间更长,工作要求更严。他担心自己被杀。他们已经杀掉两位大法官,他们也会杀掉一个普通的执业律师。

他在公证员埃米莉·斯坦福的面前宣誓之后签名。公证员的地址打在她的名字下面。

"坐着别动。我马上回来。"格雷说完就开门跳了出去。他躲开车子横穿E街。面包房外面有一个付费电话。他揿了史密斯·基

恩的号码。

"史密斯,我是格雷。听仔细,照我说的做。我已经得到关于鹈鹕案件的另一个消息来源。这非常重要,史密斯,我需要你和克劳特汉默15分钟后都在费尔德曼的办公室里。"

"怎么回事?"

"加西亚留下了一份告别留言。我们还要到一个地方去,马上就回报馆。"

"我们!那姑娘也来吗?"

"是的。会议室里准备一个电视机和录像机。我想加西亚有话要跟我们大家说。"

"他留下录像带了吗?"

"是的。15分钟。"

"你安全没问题吗?"

"我想没问题。我只是兴奋得要死,史密斯。"他挂断电话,跑回车子。

斯坦福女士在佛蒙特街上设有一家诉讼文书事务所。格雷和达比进去的时候她正在揩拭书柜。他们心急火燎。

"你是埃米莉·斯坦福吗?"他问。

"是的。什么事?"

他把书面陈述的最后一页给她看。"你公证过这份东西吗?"

"你是什么人?"

"格雷·格兰瑟姆,在《华盛顿邮报》工作,这是你的签名吗?"

"对。我做的公证。"

达比把照片交给她,站在人行道的加西亚,就是现在的摩根。"在陈述书上签名的就是这个人吗?"她问道。

"这是柯蒂斯·摩根。是的。就是他。"

"谢谢你。"格雷道。

"他死了,是吗?"斯坦福女士问道,"我在报上看见的。"

"是的,他死了,"格雷说道,"你是不是碰巧看到过这份陈述书?"

"噢,没有。我只是亲眼看他签名。不过你知道是出了事情。"

"谢谢你,斯坦福女士。"他们跟来的时候一样急急忙忙走了。

一个瘦瘦的男人把他的光亮额头遮盖在一顶破烂软呢帽子下面。他裤子破烂,鞋子开口,坐在一架旧轮椅上,停在《华盛顿邮报》的前面。他手里拿着一块牌子,上面写着"肚子饿没有家"。他的脑袋不时转过来,转过去,仿佛脖子上的肌肉已经因为饥饿而支撑不住了。他的腿上放了一只纸碗,里面有几张纸币和一些硬币,但这都是他自己的钱。如果他是瞎子,或许就装得更像了。他戴一副绿色的太阳眼镜,注视着街上的一切动静。

他眼看汽车飞驰而来,违章停下。一男一女跳下车来,向他飞跑过来。他的破夹衣里面藏了一把手枪,但是他们跑得太快了,而且人行道上行人太多。他们进入《邮报》大楼。

他等了一分钟,然后便转动轮椅离去。

41

史密斯·基恩焦急不安,在费尔德曼的办公室门前踱来踱去。他看见他们了。在两行办公桌中间的过道上匆匆而来,格雷牵住她的手走在前头。她确实是个漂亮姑娘。不过他要留待以后再慢慢欣赏,因为他们两人都跑得喘不过气来了。

"史密斯·基恩,这是达比·肖。"格雷边喘息边作介绍。

他们握手。"你好。"她一边说一边扫视着眼前的新闻编辑室。

"我很荣幸认识你,达比。久闻大名,你是个了不起的女性。"

"好了,"格兰瑟姆说道,"我们以后再聊。"

"跟我来,"基恩说道,他们又往外走了。"费尔德曼要用会议室。"他穿过了新闻编辑室,走进一个豪华的房间,中间是一长条桌子,房间里人声鼎沸,但是她一进去便全体肃静。费尔德曼把门关上。他向她伸出手去。"我是杰克逊·费尔德曼,主编。你一定是达比吧。"

"能是别人吗?"格雷说道,还在气喘吁吁。

费尔德曼不跟他多说,脸朝长桌。他伸手一指。"这位是霍华德·克劳特汉默,总编辑;厄尼·德贝索,国外新闻助理总编辑;埃利奥特·科恩,全国新闻助理总编辑;还有文斯·利茨基,本报的律师。"

她彬彬有礼地朝一个个人点头,她根本记不住听到的每一个名字。室内至少有50个人,全都卷起了衬衫袖子,全都深切关注这件事。她感觉得到大家的紧张心情。

"把录像带给我。"格雷说道。

她从包里拿出录像带交给他。他把录像带插进录像机。"我们

20 分钟前拿到录像带,可是我们也没有看过。"

达比坐在一只靠墙的椅子上。一屋子人都朝荧屏靠近,等待画面出现。

荧屏上映出日期——10 月 12 日。接着是柯蒂斯·摩根坐在厨房的饭桌上。他手拿一个开关,显然这是控制摄像机的。

"我的名字是柯蒂斯·摩根,在你们看这个录像的时候,我大概已经死了。"真是一句异想天开的开场白。大家都为之动容,更加向前靠近。

"今天是 10 月 12 日,我在自己家中录下这盘带子。家里只有一个人。我太太去看医生了。我本该去上班的,不过我打电话去请了病假。我太太一点儿都不知道与此有关的任何情况,我没有跟任何人讲过,你们观看这个录像的时候,你们一定已经看见过这个。"他拿起了陈述书。"这是一份我签过字的陈述书,我准备把它跟录像带放在一起,可能会存放在市中心一家银行的保管箱内。我接下去读一遍陈述书,再谈一点别的事情。"

"我们已经拿到陈述书。"格雷赶快说了一句。他靠墙站在达比的身旁。谁都不朝他看。他们的视线都固定在荧屏上。摩根慢慢地读陈述书。他的两眼一会儿看着纸面,一会儿对着镜头。来来回回,一次又一次。

他读了 10 分钟。每次达比听到鹈鹕两个字,她便闭上眼睛,轻轻摇头,一切事情都起源于此。这是一场噩梦。她还要听下去。

摩根念完了陈述书,便把它放在饭桌上,再看一下一本法律拍纸簿上的笔记。他的生活舒适,神态从容。他是个英俊的小伙子,看起来不到 29 岁。他在自己家里,所以没有戴领带,只穿一件上了浆的扣住领尖的衬衫。他说怀特和布莱泽维契不是个理想的工作场所,但是 400 名律师中大多数是老实人,也许根本不知道马蒂斯这么个人。事实上,除了韦克菲尔德、维尔马诺和爱因斯坦之外,他不相信还有别人卷进了这个阴谋。该事务所有一个合伙

人叫杰拉尔德·施瓦布,此人阴险狡诈,有可能参与这个阴谋,但是摩根没有证据。有一个原来当秘书的人,暗杀案子发生后没有几天就突然离职了。她的名字是米里亚姆·拉吕,她在石油和天然气部干了18年。她也许会知道点什么。她住在丘契瀑布。还有一位秘书,他不想说出她的名字,曾经告诉他,她偶然听到过韦克菲尔德和维尔马诺两个人的一次谈话,谈话的内容就是摩根是不是靠得住。但是她听到的只是断断续续的词语。在他的办公桌上找到便条之后,他们就对他另眼相看了。特别是施瓦布和韦克菲尔德两人,就好像他们想要一把将他举起来顶在墙上威胁他,如果他敢把便条告诉别人,就要他的命,但是他们又不能这么干,因为他们吃不准他是否看过了便条。他们又不敢对这件事情小题大作,但是他一定看过了便条,他们几乎可以确定他是看过的。如果他们胆敢共谋杀掉了罗森堡和詹森,天哪,他们也随时可以干掉他,找到人接手他的工作,他不过是个执业律师。

利茨基频频摇头,无法相信。大家坐久了,屁股麻木得熬不住了,都在座位上挪动一阵。

摩根用一番令人揪心的告别语作为结束:"我不知道谁会看到这一盒录像带。我想那时我已经死了,不论谁看都与我无关。我希望你们利用这盒录像带给马蒂斯和他的坏律师定罪。但是如果看录像的是那几个坏律师的话,你们大家便都要下地狱。"

格雷退出了录像带。他搓着两手,含笑面向大家。"好了,先生们,我们带来的证据够了吗,你们还嫌太少吗?"

费尔德曼已经站起来在走动。"你怎么找到摩根的?"

"这说来话长。"格雷说道。

"你就长话短说吧。"

"我们找到一个乔治城大学的学生,去年暑假在怀特和布莱泽维契事务所当过书记员。他认出了一张摩根的照片。"

"你们怎么弄到照片的?"利茨基问道。

"你别问。这不是我们要报道的新闻。"

"我主张刊登这篇报道。"克劳特汉默大声说道。

"刊登。"埃利奥特·科恩说道。

"你们怎么知道他已经死了?"费尔德曼问道。

"达比昨天去过怀特和布莱泽维契事务所。他们透露了这个消息。"

"录像带和陈述书放在什么地方?"

"藏在哥伦比亚第一银行的一只保管箱里。摩根的太太今天早上 5 点钟给我钥匙。我的做法一点毛病都没有。鹈鹕案情摘要已经由一个独立的消息来源完全证实了。"

"刊登,"厄尼·德贝索说道,"用大号标题。"

费尔德曼在史密斯·基恩的身旁站住。两位好友相对审视。"登吧。"基恩说道。

他又转向律师。"文斯?"

"在法律上没有问题,不过新闻写好以后我想看一下。"

"要花多长时间写得出来?"主编问格雷。

"案情摘要部分已经写好一个大概。再有一两个小时就能完成。给我两小时写摩根。顶多再花三小时。"

费尔德曼自从和达比握手之后还没有露出一丝笑容。他走到房间对面,跟格雷面对面站定。"万一录像带是假的,怎么办?"

"假的?我们谈的这件事已经死了不少人,杰克逊。我见到过摩根的未亡人。她是个实实在在的活寡妇。报上登过他被杀害的新闻。他已经死了,连他的法律事务所都说他已经死了。录像带上就是他本人,告诉我们他快要死了。我知道那就是他。我们跟公证员谈过话,她是看着他在陈述书上签字的人。她也认出了他。"格雷的嗓门也大了,环顾一下全房间的人。"他所说的一切都证实了鹈鹕案情摘要。全都证实了。马蒂斯、讼案、杀人事件。再说,达比就在我们这里,案情摘要是她写的。接着又死了几个人,他们还在

全国各地追杀她。从头到尾没有丝毫漏洞,杰克逊。这是一篇真实的新闻。"

费尔德曼终于展颜一笑。"这不止是一篇新闻。两点钟以前写好它。现在 11 点了。就在这个会议室里,关上门写。"他又在踱来踱去了。"我们准两点钟到这儿来读你的稿子。现在都别说话了。"

大家都站起来,走出房间去,但是每人都要跟达比握手之后才肯出去。他们也不明白该向她祝贺呢,还是该向她道谢,还是该说点别的,所以他们便干脆只向她笑笑,握一下手。她一直坐在位子上。

房间里只剩下他们两个人,格雷在她身旁坐下,两人手拉着手。他们面前是干干净净的会议桌。桌子四周是放得整整齐齐的椅子。雪白墙壁,日光灯开着,还有两个狭长的窗口透进来亮光。

"你觉得怎么样?"他问道。

"我不知道。现在是到终点了,我想。我们走完了全程。"

"听你的口气好像不是太高兴?"

"我为你高兴。"

他对她看看。"你为什么为我高兴?"

"你把一段段材料拼在一起,明天一发表就引起轰动了。说不定会得普利策奖。"

"我从未想到过这个。"

"骗子。"

"好了,就算我想过。可是当你告诉我加西亚已经死了时,我就再也不想什么普利策奖了。"

"这不公平。我们在一起动脑子,而所有的光荣都归你一个人。"

"我很乐意写上你的名字。我要写明你是案情摘要的作者。我们要把你的照片登在头版,跟罗森堡、詹森、马蒂斯、总统、维尔希克、还有——"

"托马斯?他的照片也跟新闻一起登吗?"

"这要看费尔德曼。他是这篇报道的编辑。"

她想了想,没有说什么。

"好了,肖女士。我有 3 个小时去写我平生最大的一篇新闻。一篇要使全世界震惊的新闻,一篇会把总统拉下台的新闻,一篇破了人命案子的新闻,一篇会使我名利双收的新闻。"

"你还不如让我写。"

"你写吗?我累了。"

"去拿你笔记,还有咖啡。"

他们关上门,清理了桌子。一个新闻助手推进来一架带打印机的计算机。他们再叫他拿一壶咖啡来,以及一点水果。他们把整篇报道分成一个个小节,开头是两起杀人案子,接着是路易斯安那州南部的鹈鹕官司,马蒂斯和他跟总统的结交,鹈鹕案情摘要以及它所引起的轩然大波,卡拉汉、维尔希克,还有柯斯迪·摩根被杀害,然后是怀特和布莱泽维契律师事务所,韦克菲尔德、维尔马诺以及爱因斯坦。达比把案情摘要以及关于马蒂斯的情况都按比例予以压缩。其余都归格雷负责,他用计算机打出粗略的笔记。

12 点半,史密斯·基恩送来了中饭。达比吃了一个冷三明治,观看下面街上的车辆。格雷在翻查竞选捐款的报告。

她看见了他。他斜靠在第 15 大街对面的一幢建筑的边墙上,如果不是他在一小时前就那么斜倚在麦迪逊旅馆的边墙上的话,他本来也没有什么令人生疑之处。他正喝着一个泡沫塑料杯子里的饮料,两眼看着《邮报》的大门。他戴一顶黑帽子,穿劳动布夹克、牛仔裤。年纪不到 30 岁。他就站在那儿看着马路对面。她小口小口地吃三明治,看了他 10 分钟。他喝着杯子里的东西,一动不动。

"格雷,请到这儿来。"

"怎么回事?"他走了过来。她指给他看那个戴黑帽子的人。

"仔细看他，"她说道，"告诉我他在干什么。"

"他在喝东西，很可能是咖啡吧，他靠在那楼房的边墙上，他在看着我们这房子。"

"他穿的什么？"

"一身劳动布的衣服，戴顶黑帽子。怎么了？"

"一小时以前我看见他站在那一边的旅馆墙边。现在他到这边来了。"

"那又怎么样？"

"那就是说，他在这儿转悠，至少已经有一个钟头，什么也不干，只顾看着我们的房子。"

格雷点头不语。现在不是说句俏皮话的时候。那家伙看来可疑，她感到担心。她已经被追踪了两个星期，那些人从新奥尔良跟到纽约，现在也许又跟到了华盛顿，被人跟踪的事儿，她知道得比他多。

"你说什么，达比？"

"给我好好解释一下，这家伙显然不是个街头醉汉，干吗要这么干？"

那汉子看一下手表，慢慢地在人行道上走远了，看不见了。达比看一下手表。

"现在是一点整，"她说道，"我们隔 15 分钟就看一下他在不在，好吗？"

"行。我看不会有什么问题。"他这么说，是为了让她放心，但是不起作用。

他朝她看着，慢慢地又去弄计算机。

格雷使劲打字，15 分钟后又走到窗口。达比仔细地看着他。"我没看见他。"他说。

他看见他是在 1 点 30 分。"达比。"他喊了一声。她朝窗外看去，慢慢看清了那个戴黑帽子的人。现在他穿一件墨绿色的风衣，隔十来秒钟朝大门口看一眼。这就使他更显得可疑,不过他的身体被一辆送货卡车稍微挡住了。他点燃一枝香烟。他朝《邮报》看一眼,然后注视着报馆前面的人行道。

"我怎么总是觉得紧张呢?"达比说。

"他们怎么会跟踪你呢?不可能。"

"他们知道我在纽约,好像是不可能。"

"那家伙是冲我来的,他怎么知道你在这儿?他跟的是我。"达比说。

"也许。"他慢慢地说道。

"你以前见过这个人吗?"

"这些人不会对我做自我介绍。"

"你瞧,我们还有 30 分钟时间。快把工作做完,然后我们就可以观察那个家伙了。"

他们继续埋头工作。1 点 45 分,她又站在窗口,那人已经走了。打印机响了一通,第一稿出来了,她立即开始校读。

几位编辑都手拿铅笔在看稿子,利茨基律师纯粹为了一睹为快。他所得到的愉悦似乎超过其余几位。

这是一个长篇报道,费尔德曼好像一个外科医生一样在大动手术。史密斯·基恩在边上空白处写着。克劳特汉默看了很满意。

他们默不作声地慢慢地看着稿子。格雷又校对了一遍。达比站在窗口,那家伙又来了,现在穿一件藏青法兰绒上衣、牛仔裤。天色阴沉,他手捧杯子,喝一口,看一眼《邮报》,看一下街上,再举杯喝一口。这会儿他在另一幢房子的前面。

一辆汽车在他那边的街沿停下。后面车门开了,原来是他。汽车立即开走,他看一下周围。略有一点跛脚,比以前好得多了,胖墩若无其事似的走向戴黑帽的人。他们交谈了几秒钟,胖墩便朝南走向第 15 大街和 L 街的路口。那家伙留在原地。

　　胖墩已经看不见了,所以她也无法要格雷来看他,他此刻正喜洋洋地看着稿子。不,那伙人不是在监视记者,他们在等候达比。

　　他们现在已经孤注一掷了。他们停立街头,一心巴望着达比自己从报馆里走出来,他们就可以干掉她。他们害怕了,因为她此刻正在里面和盘托出那个该死的案情摘要。他们一定得阻止她。他们得遵命行事。

　　费尔德曼最后一个看完。他把手里的稿子递给格雷。"只有一点小改动。现在我们谈谈打电话的事。"

　　"只要打3处电话,我想,"格雷说道,"白宫,联邦调查局,怀特和布莱泽维契律师事务所。"

　　"律师事务所你只点西姆斯·韦克菲尔德的名。为什么?"克劳特汉默问他。

　　"摩根揭发他最多。"

　　"但是便条出自维尔马诺之手。我想他也该被点到。"

　　"我赞成。"史密斯·基恩说道。

　　"我也赞成。"德贝索表示。

　　"我把他的名字写了进去,"费尔德曼说道,"我们把爱因斯坦放到以后再提。要等到4点半或5点钟以后再给白宫或律师事务所去电话。电话打早了他们会急得发疯去找法院的。"

　　"我同意,"利茨基律师说道,"他们禁不了我们报道,但是他们一定要设法禁止刊登。我情愿过了5点钟再打电话给他们。"

　　"好的,"格雷说道。"我到3点半钟改好它。然后我打电话给联邦调查局请他们发表意见。然后是白宫,然后是怀特和布莱泽维契。"

　　费尔德曼快要走出门去了,"我们3点半钟再到这里碰头。别离开电话。"

　　房间又空了,达比锁上门,又指指窗口。"你听见我说过胖墩吧,我认出了是他。"

"我们想个办法。我可以通知我们的安全部门。你要我告诉费尔德曼吗?"

"别。还不到时候。"

格雷想了想。"我还是得告诉费尔德曼。我们得有两名安全警卫守在这门口。"

"行。"

费尔德曼在3点半钟批准了第二稿,格雷也得到准许,可以打电话给联邦调查局。会议室里搬来了4架电话机,录音机也插好了。费尔德曼、史密斯·基恩和克劳特汉默都用分机听着。

格雷拨通了一个要好的熟人菲尔·诺维尔的电话。诺维尔在他自己的专线电话上接听。

"菲尔,我是《邮报》的格雷·格兰瑟姆。我这儿开着录音机。"

"一定是重要事情。怎么回事?"

"我们明天早上要刊登一篇报道,详详细细披露杀害罗森堡和詹森的阴谋集团。我们要点维克托·马蒂斯的名,他是个石油投机商,还有他的两个在本市的律师。我们还要提到维尔希克,当然他不是参与阴谋集团的人。我们相信联邦调查局早就对马蒂斯有所风闻了,但是听从了白宫的劝说而拒绝进行调查。我们想给你们一个发表意见的机会。"

对方没有反应。

"菲尔,你在听吗?"

"是的。我在听。"

"有什么意思吗?"

"我相信我们一定有意见要说,但是我得过会儿打电话回答你。"

"报纸就要付印了,你得赶快。"

"啊呀,格雷,别这么火烧屁股,你们能晚一天发表吗?"

"不行。"

诺维尔说不出话来。"好吧。让我去找一下沃伊尔斯先生,马上给你电话。"

"谢谢。"

"不,我谢谢你,格雷。真是太好了。沃伊尔斯要大吃一惊。"

"我们等你的电话。"格雷揿一下按钮挂断了电话。基恩关掉了录音机。

他们等了8分钟,电话里传来沃伊尔斯本人的声音。他一定要杰克逊·费尔德曼接电话。录音机开动了。

"沃伊尔斯先生吗?"费尔德曼热情地说道。他们两个曾经见面多次,其实"先生"两个字是不必要的。

"叫我登顿。你瞧,杰克逊,你们的小伙子采访到什么了?真是异想天开。你们得悬崖勒马。我们调查过马蒂斯,还在调查他,对他采取行动还太早。现在,你们的小伙子采访到什么了?"

"达比·肖这个名字你听说过吧?"费尔德曼这么问的时候朝她抿嘴一笑。她正倚墙而立。

沃伊尔斯几乎说不出话来。"是的。"他只说了这两个字。

"我们的小伙子拿到了鹈鹕案情摘要,登顿,我现在坐在这儿,眼睛就看着达比·肖。"

"我想她恐怕已经死了。"

"不。她活得很好。她和格雷·格兰瑟姆两个人已经从另一个来源证实了案情摘要中所说的事实。这是一条大新闻,登顿。"

沃伊尔斯一声长叹,认输了。"我们还在把马蒂斯当做嫌疑犯追查。"他说道。

"录音机开着,登顿,讲话当心。"

"好的,我们得谈一次。我是说,当面谈谈。我或许可以给你提供一点深入的背景情况。"

"欢迎你到这儿来。"

"我一定来。20分钟内可以到达。"

各位编辑都乐坏了,沃伊尔斯这么个大人物居然会跳上他的豪华车,直奔《邮报》而来。他讨厌新闻界,而现在却这么愿意来到他们的报社跟他们谈话,目的只是一个,那就是为了把责任推给别人。最可能的靶子是白宫。

达比不愿见到此人。她所想的就是脱身。

她根本不想跟联邦调查局打交道。她也不要他们保护。她马上就要远走高飞了,谁也不知道她上哪儿去。也许格雷知道。也许不。

他揿了白宫的电话号码,大家都拿起了分机的听筒。基恩开动了录音机。

"请接弗莱彻·科尔。我是《华盛顿邮报》的格雷·格兰瑟姆,十分紧急。"

他等着。"为什么找科尔?"基恩说道。

"什么事情都要经他批准。"格雷用手盖住话筒说道。

"谁说的?"

"一个消息来源说的。"

白宫秘书回话说科尔先生马上就来。请别挂断电话。格雷喜上眉梢。他显得特别来劲。

终于来了,"我是弗莱彻·科尔。"

"是的,科尔先生。我是《华盛顿邮报》的格雷·格兰瑟姆。我在给电话录音。你明白吗?"

"明白。"

"你是否曾经发过指示,除了总统以外,所有的白宫工作人员必须首先经你批准以后方可与新闻界交流?"

"绝对没有。新闻秘书管这方面的事。"

"好的。明天早上我们要发表一篇报道,我用一句话告诉你,这篇报道要证实鹈鹕案情摘要中列举的事实。你对鹈鹕案情摘要

熟悉吗？"

"熟悉。"

"我们已经证实，3 年前马蒂斯为总统竞选捐献了超过 400
万美元。"

"420 万，全部通过合法渠道。"

"我们还相信白宫曾经干预并企图阻挠联邦调查局对马蒂斯
的调查，我们想知道你有什么看法，如果有的话。"

"这是你的想法，还是你要在报上登出来的东西？"

"我们现在想要予以证实。"

"你想要谁给你证实它？"

"我们有不同的消息来源，科尔先生。"

"你当然有。白宫断然否认对调查工作的任何干预。总统在罗
森堡和詹森两位大法官可悲地死亡以后曾经要求得到有关整个
调查情况的报告，但是白宫不曾对调查工作的任何方面有过直接
或者间接的干预。你得到的消息靠不住。"

"总统认为维克托·马蒂斯是他的朋友吗？"

"不。他们见过一面，我已经说过，马蒂斯是个捐款人，但是他
并非总统的朋友。"

"他可是最大的捐款人啊，不是吗？"

"我不能证实这一点。"

"还有别的意见吗？"

"没有。我相信新闻秘书明天上午会针对你们的报道发表谈
话。"

他们挂断电话，基恩关掉录音机。费尔德曼站起身来，两手并
在一起搓擦。"我愿意付出我一年的薪金，让我现在能够看看白宫
里面的景象。"他说道。

"他冷静，不是吗？"格雷说道，不胜敬佩。

"是啊，不过他冷静的屁股现在深深浸在沸腾的开水里。"

42

　　像他这么个人,向来威风八面,人人对他望而生畏,现在要降尊纤贵,登门求饶,怎不觉得为难。他摇摇摆摆地进来,尽量显得谦卑,穿过新闻编辑室,身后跟着刘易斯和两名探员。他穿着他天天穿的风雪大衣,衣带束紧,恰好围在他的矮胖结实的身子的正当中。他并不神气活现,但是他的步履举止却使人相信,他习惯于迫使别人让步,顺从他的意思。他们全都穿着深色大衣,在他们快步经过的时候,经常是忙忙碌碌的新闻编辑室显得肃静无声。

　　一小群紧张的编辑挤成一堆站在弗尔德曼的办公室的门道里。霍华德·克劳特汉默认识沃伊尔斯,见他走近,便上前迎接。他们握手,低声交谈。费尔德曼在打电话,和正在中国访问的出版人路德维格先生联系。史密斯·基恩参加谈话,也和沃伊尔斯及刘易斯都握过手。两位探员站在一边,保持数英尺距离。

　　费尔德曼拉开房门朝新闻编辑室观看,看见了登顿·沃伊尔斯。他招手要他进来。刘易斯跟随进去。他们站着寒暄一番,等到史密斯把门关上,他们便都坐下。

　　"我听说你们确实证明了鹈鹕案情摘要。"沃伊尔斯说道。

　　"我们办到了,"费尔德曼回答,"你和刘易斯先生为什么不看一下新闻稿呢?我想你看到它就会明白了。我们大约再过一小时付印,我们的记者格兰瑟姆先生希望你利用这个机会提点意见。"

　　"我非常感谢。"

　　费尔德曼拿起一份稿子递给沃伊尔斯,他郑重其事地接过去。刘易斯也凑过去,两人立即阅读。"我们出去,"费尔德曼说道,"你们慢慢看。"他和基恩一同离开办公室,把门带上。两个探员走

近他们。

费尔德曼和基恩穿过新闻编辑室到会议室门口。两个身材高大的保安站在走廊里。他们进去的时候,里面只有格雷和达比两个人。

"你们要给怀特和布莱泽维契律师事务所去个电话。"费尔德曼说道。

"我们就是等你们来了打。"

他们都拿起分机的听筒。克劳特汉默走开了一下,基恩把他的电话交给达比。格雷撤下了号码。

"请接马蒂·维尔马诺,"格雷说道,"我是《华盛顿邮报》的格雷·格兰瑟姆,我必须跟他说话。非常紧急的事。"

"请稍等一下。"秘书说道。

过了一会儿,另一个秘书接电话。"维尔马诺先生的办公室。"

"他在开会。"她说道。

"我也在开会,"格雷说道,"到会议室去告诉他我是谁,告诉他《华盛顿邮报》今晚半夜就要把他的照片登在头版。"

"好,是的,先生。"

只过了几秒钟,维尔马诺说道,"是的,怎么回事?"

格雷第3次自报姓名,并且告诉他电话是要录音的。

"知道了。"维尔马诺立即回应。

"我们明天早上发表一篇新闻,报道你的客户维克托·马蒂斯,以及他跟大法官罗森堡和詹森的谋杀案的关系。"

"好得很!我们要跟你这混蛋打上 20 年官司。你是发疯了,伙计。《邮报》要归我们所有了。"

"是的,先生。请记住,我在录音。"

"你要录音就录!你就要当被告了。真是好极了!《华盛顿邮报》就要归维克托·马蒂斯所有了!真是异想天开!"

格雷对达比摇头,难以置信。编辑看着地板,只觉得好笑。

"是的,先生。你听说过鹈鹕案情摘要吗?我们这儿有一份。"

一片死寂。接着是一声咕嘟,好像一条死狗的咽气声。然后又是死寂。

"维尔马诺先生。你还在吗?"

"是的。"

"我们还有一张你给西姆斯·韦克菲尔德的便条的复印件,便条的日期是 9 月 28 日,你在便条中提出,如果最高法院里去掉了罗森堡和詹森两位大法官,你的客户的地位将会大为改善。我们有一个消息来源告诉我们,这个主意是一个名叫爱因斯坦的人经过研究之后得出的结论,我知道这个人一直坐在 6 楼的图书室里。"

一片死寂。

格雷继续说下去。"我们已经编好新闻,马上付印,不过我想给你一个机会发表意见。你要说点什么吗,维尔马诺先生?"

"我头痛。"

"很好。还有别的要说吗?"

"你要把便条逐字刊登出来吗?"

"是的。"

"你们要登我的照片吗?"

"是的,一张参议院听证会上的旧照片。"

"你这个狗娘养的。"

"谢谢你。还有别的话要说吗?"

"我看出来你们故意到 5 点钟来电话。要是早一个钟头的话,我们就要上法院去要求禁止刊登这篇狗屁东西。"

"是的,先生。我们的计划正是这样。"

"你这个狗娘养的。"

"很好。"

"你们毫不在乎把别人毁掉,是不是?"他拖长了的声音,可怜

巴巴的。要是把这句话引用在报道中那真是妙极了。格雷两次告诉他在录音,但是维尔马诺受的打击太大了,根本记不住。

"不,先生。还有别的要说吗?"

"告诉杰克逊·费尔德曼,明天上午9点钟,法院一开门我们就要去起诉。"

"我会告诉他的。你否认写过便条吗?"

"当然。"

"你否认有这张便条吗?"

"这是捏造。"

"没有官司可打,维尔马诺先生,我想你知道这个。"

一片死寂,然后是,"你这个狗娘养的。"

大家的电话都"嗒"的一声放下了。

"你不想做一个记者吗,达比?"史密斯·基恩问她。

"噢,很好玩,"她说道,"不过我昨天有两次差一点被人打死。我不干,谢谢。"

费尔德曼站起来指指录音机。"这里面的话我一句也不用。"

"我倒挺欢喜那句把人毁掉的话。那么有关打官司的威胁话也不要吗?"格雷问道。

"你用不着了,格雷。这篇报道已经占去整个头版了。那些威胁话也许以后还可以用。"

有人敲门。克劳特汉默来到门口。"沃伊尔斯想要见你。"他对费尔德曼说道。

"带他到这儿来。"

格雷立即站了起来,达比走到窗口去。太阳西下,暮色四合。街上的车辆移动缓慢。看不到胖墩和他的一帮同伙的踪影,但是他们人还在,无疑是在阴暗处等候,无疑还要作一次最后的挣扎,要叫她活不成,不是为了阻止自己的灭亡就是为了报复。格雷说过他有一个计划,截稿时间过了以后,可以离开这幢大楼而不用一枪一弹。可是他没有说是什么办法。

沃伊尔斯跟刘易斯一同进来，费尔德曼把他们介绍给格雷·格兰瑟姆，介绍给达比·肖。沃伊尔斯向她走去，笑脸相迎。"你是头一个发动这整个过程的人。"他想要说句恭维话，但是没有达到目的。

她立即给他一个没趣。"我想该是马蒂斯，"她冷冷说了一句。他掉过头去，脱下风雪大衣。

"我们可以坐下吗?"他随口问了一声。

沃伊尔斯、刘易斯、费尔德曼、基恩、格兰瑟姆和克劳特汉默都在桌旁坐下。达比站在窗口。

"我正式表示几点意见。"沃伊尔斯向大家宣布，格雷向刘易斯要了一张纸，立即开始记录。

"我们在两个星期前的今天收到一份鹈鹕案情摘要，并在当天送达白宫。它是我们的副局长 K.O.刘易斯亲手交给弗莱彻·科尔先生的，科尔先生把它和我们给白宫的每天调查简报一同收下。特别调查员埃里克·伊斯特也参加了这次会面。我们认为案情摘要提出的问题足够值得予以追查，但是此后的 6 天中没有进行调查，直到发现局长特别顾问加文·维尔希克先生在新奥尔良遭人暗杀。联邦调查局当即开展对维克托·马蒂斯的大规模调查。400 多名从 27 个单位调集的探员参加此项调查，工作日志登记的工作量为 11,000 小时，访谈人数 600 余人，出访了 5 个国家。目前调查仍在全力推进。我们相信维克托·马蒂斯是谋杀大法官罗森堡和詹森的首要疑犯，当前我们正在设法查明他的下落。"

"如果你们找到了马蒂斯，打算怎么办?"

"逮捕他。"

"你们有逮捕状了吗?"

"马上就会有。"

"你们大概有点知道他的下落吗?"

"坦白说,不知道。我们查找他的下落已经一个星期了,没有收获。"

"白宫干涉了你们对马蒂斯的调查没有?"

"我可以谈谈这一点,不供发表。同意吗?"

格雷看着主编。"同意。"费尔德曼说道。

沃伊尔斯看了看费尔德曼、基恩、克劳特汉默和格兰瑟姆。"我们谈一点不可以公开的情况,好吗?你们在任何情况下都不可以报道。大家都同意吗?"

大家一致点头,神情专注地看着他。达比也看着他。

沃伊尔斯心存戒备地看了看刘易斯。"12天前,在椭圆办公室里,美国总统要求我不把维克托·马蒂斯当做疑犯。他的原话是要求我不去查他。"

"他说了什么理由吗?"格兰瑟姆问道。

"他说这会非常难堪,对他竞选连任会有严重损害。他觉得鹈鹕案情摘要没有什么价值,如果对它进行调查,新闻界听到了风声,他要在政治上受到损失。"

克劳特汉默听得张大嘴巴。基恩低头看着桌子。费尔德曼玩味着每一个字。

"你保证这是事实?"格雷问他。

"我录下了这次谈话。我有一盒录音带,除非总统首先否认此事,我不会让任何人听录音。"

长时间的沉静,大家都钦佩这个卑鄙的小杂种和他的盒带录音机。他有录音带!

费尔德曼清了一下嗓子。"你刚才看过了新闻稿。从联邦调查局收到案情摘要到它开始进行调查,其间有过一段延误。这一点在报道中需要予以说明。"

"你已经有了我的正式声明。不能多加一个字。"

"谁杀了加文·维尔希克?"格雷问道。

"我不准备谈调查的具体情况。"

"你是否知道呢?"

"我们有一个想法。我只有说到这里为止。"

格雷朝在座的人看看。看得出来,沃伊尔斯此刻没有什么好说的了,大家都有如释重负之感。各位编辑都显出志得意满的神情。

沃伊尔斯松开了领带,几乎露出了笑容。"我要问你们一声,当然是不可见报的,你们是怎么找到那位死去的律师摩根的?"

"我不准备谈调查的具体情况。"格雷装了个俏皮的笑脸说道。大家都笑了起来。

"你们现在干什么呢?"克劳特汉默问沃伊尔斯。

"明天中午以前要组成一个大陪审团,迅速起诉。我们要找到马蒂斯,但是这可不容易。我们对他的下落毫无所知。最近5年来他大部分时间是在巴哈巴群岛度过的,但是他在墨西哥、巴拿马和巴拉圭都有住宅。"沃伊尔斯看了达比一眼,这是第二次。她靠近窗口,倚墙而立,一切都听见了。

"最早一版日报什么时候印好?"沃伊尔斯问道。

"今晚10点半开始从机器里出来,通夜不停。"基恩说道。

"这篇报道要在哪个版上登载?"

"晚出的本市版,午夜前几分钟开印。本市版发行量最大。"

"科尔的照片要登在头版吗?"

基恩看看克劳特汉默,克劳特汉默看看费尔德曼。"我想应该要登。我们要引用你的声明,案情摘要是当面交给弗莱彻·科尔的,我们还要引用你的声明,马蒂斯给过总统420万美元。不错,我认为科尔先生应该跟别人一样在头版上露面。"

"我也这么想,"沃伊尔斯说道,"如果我在半夜派一个人到这儿来,可以让我带走几份报纸吗?"

"当然可以,"费尔德曼说道,"干吗?"

"我要把它当面交给科尔。我要半夜去敲他的门，看他穿着睡衣出来，把报纸伸到他的面前。然后我还要告诉他我要拿一张大陪审团的传票再去找他，再过一会儿以后我要送给他一份大陪审团的控告书。再过一会儿，我还要带上手铐去找他。"

他说话时的那副得意劲儿令人吃惊。

"我觉得高兴，你不对他记仇。"格雷说道。只有史密斯·基恩觉得好笑。

"你认为他会被起诉吗？"克劳特汉默天真地问。

沃伊尔斯又朝达比看了一眼。"他要代替总统下台。为了救他的主子一命。"

费尔德曼看了一下手表，把椅子往后推离桌子。

"我能请你帮个忙吗？"沃伊尔斯问道。

"当然。什么事？"

"我希望跟肖女士单独谈几分钟。就是说，如果她不介意的话。"

大家都看着达比，她耸耸肩，表示同意。几位编辑和刘易斯一同站起来，一个跟一个走出会议室。达比拉住格雷的手，要他留下。两人一同在沃伊尔斯的对面坐下。

"我要私下谈谈。"沃伊尔斯说道，眼睛看着格雷。

"他得留下。"她说道。"这是不许发表的。"

"很好。"

她先发制人。"如果你准备审问我，我一定要有律师在场才肯说话。"

他连忙摇头。"不是那么回事。我只是想知道下一步你怎么办。"

"我干吗要告诉你？"

"因为我们可以帮点忙。"

"谁杀了加文？"

沃伊尔斯欲言又止。"不许发表。"

"不许发表。"格雷说道。

"我可以告诉你我们认为是谁杀了他,但是首先你得告诉我,你在他死前告诉了他一些什么事情。"

"周末我们通过几次电话。我们说好要在上星期一会面,一同离开新奥尔良。"

"你最后一次跟他说话是在什么时候?"

"星期天夜里。"

"当时他在什么地方?"

"希尔顿饭店,他的房间里。"

沃伊尔斯深吸一口气,两眼朝天花板看。"你跟他谈了星期天会面的事?"

"是的。"

"你以前见过他吗?"

"没有。"

"杀死他的就是那个跟你手牵手的时候脑袋开花的人。"

她不敢再问。格雷代替她问。"那人是谁?"

"鼎鼎大名的卡迈尔。"

她说不出话来,两手掩住眼睛,她想要说话,但是不行。

"这可真把人搞糊涂了。"格雷说道,竭力想要说得合情合理。

"确实是的。杀死卡迈尔的是个按合同执行任务的人,独立受雇于中央情报局。卡拉汉被杀死的时候他就在场,我想他跟达比有过接触。"

"鲁珀特。"她轻轻说道。

"当然,那不是他的真名,但是叫他鲁珀特也行。他大概有 20 个名字。如果他就是我所说的这个人,他是英国人,非常可靠。"

"你说得更加叫我糊涂了。"

"我能想像得到。"

"鲁珀特去新奥尔良干什么?他为什么要跟踪她?"格雷问道。

"整个过程非常复杂,我也不是全都知道。我得跟中央情报局保持一个距离,你们可以信得过我。我要操心的事情够多的。开头要从马蒂斯说起。几年前,他需要一笔钱推进他的宏大计划,所以他便划出一块地方卖给利比亚政府。我不十分清楚这是否合法,不过此事由中央情报局去管了。显然,他们高度关切地注视着马蒂斯和利比亚人,而且从讼事开始之时起,中央情报局便已注意观察。我知道他们不见得怀疑马蒂斯跟最高法院的谋杀案有关,但是我们送了一份你的案情摘要到白宫之后没有多久罗伯特·格明斯基便得到了一份。是弗莱彻·科尔给他的。我不知道格明斯基跟哪些人说起过这个案情摘要,但是不该说的话进入了不该听的耳朵里,24 小时后,卡拉汉就死了。而你,亲爱的小姐,真是运气特别好。"

"可是为什么我不觉得好运气呢?"她说道。

"那还不足以说明鲁珀特,"格雷说道。

"我并不确知实情如何,但是我怀疑格明斯基立即派出鲁珀特去跟踪达比。我认为这份案情摘要使格明斯基受到的震惊超过我们所有的人。他可以派出鲁珀特去跟踪达比,一半是为了监视,一半是为了保护。接下来便是汽车爆炸,这样一来马蒂斯便证实了这件案情摘要。不然的话他为什么要杀死卡拉汉和达比呢?我有理由相信在汽车爆炸之后几小时内便有几十名中央情报局的人来到新奥尔良。"

"但是为什么呢?"格雷问道。

"鹈鹕案情摘要得到了合法的证实,马蒂斯确实在杀人。他的大部分经营都在新奥尔良。我认为中央情报局对达比非常关心。这是她的好运。他们在生死关头起了作用。"

"为什么中央情报局能够迅速行动,而你们却办不到呢?"她问道。

"你问得有道理。我们并不怎么看重这个案情摘要，而我们所知道的情况也够不到中央情报局的一半。说一句实话，我当时觉得它完全是无的放矢，而我们手头还有十几个嫌疑对象。我们小看了它。够清楚明白了吧。再加上总统叫我们别去查他，我们也就照办不误，因为我们对马蒂斯一无所知。我没有理由不照办。后来我的朋友加文自己去把命送掉，我才派去我的人马。"

"科尔为什么要把案情摘要交给格明斯基?"格雷问道。

"案情摘要把他吓坏了。说实话，我们把它送给科尔就是为了吓唬他。格明斯基这个人啊，他就是这么个人，他有时候爱怎么干就怎么干，顾不得什么法律不法律的。科尔想要把案情摘要核查一下，他估计格明斯基会不声不响地赶快把它办好。"

"所以格明斯基对科尔并不老实。"

"他恨科尔，其实这是完全可以理解的。格明斯基跟总统打交道，是的，他没有老老实实对待科尔，总统和我都是在两个星期前的今天第一次看到案情摘要的。格明斯基大概是在等机会向总统说明一些情况，可是他还没有得到这么个机会。"

达比把她的椅子推了开去，走到窗边。现在已经天黑，街上的车子仍很挤，很慢。她心头的许多难解的谜现在都得到了解答，这是好的，但是它们又带来了更多的谜。她只想离开。她觉得厌倦了，一直在逃亡，一直被追逐;厌倦了，跟格雷在一起，装扮一个记者;厌倦了，一直在思索着什么人干了什么事为了什么缘故;厌倦了，为了写那篇鬼东西而产生的负罪感;厌倦了，每3天就要买一把新牙刷。她渴望去一处人迹罕至的海滩上，有一间小屋，没有电话，没有别人，尤其是没有那些藏身在汽车背后、房屋背后的人。她要睡上3天，不做噩梦，也没有人跟踪她。现在该是走的时候了。

格雷小心注意着她。"她被人跟到了纽约，后来又跟到这里，"他对沃伊尔斯说道，"那是谁?"

"你说的确实吗?"沃伊尔斯问他。

"他们整天都在街上监视着这幢房子。"达比说道,朝着窗口点头。

"我们注意观察过,"格雷说道。"他们一直在那儿。"

沃伊尔斯好像还不相信。"你以前见过他们吗?"他问达比。

"见过一个。他在新奥尔良监视过托马斯的追悼会。他在法国区尾随过我。他在曼哈顿差一点找到了我,5个小时以前我看见他跟另一个同伙讲话。我认出了是他。"

"他是谁?"格雷再问沃伊尔斯。

"我想中央情报局的人不会追赶你。"

"噢,他确实追赶我。"

"你现在看得见他们吗?"

"看不见。他们在两个小时前看不见了,但是他们人还在那儿。"

沃伊尔斯站起来,舒展一下肥大的双臂。他绕着桌子慢慢走动,撕开一枝雪茄烟的包纸。"反对我抽烟吗?"

"是的,我反对。"她说道,眼也不朝他看一下。他把雪茄放在桌上。

"我们可以帮助你,"他说道。

"我不要你帮助,"她对着窗口说道。

"你想要什么呢?"

"我要离开美国,在我离开的时候,我一定要确确实实知道没有人跟在我后面。没有你,没有他们,没有鲁珀特,也没有他的同伙。"

"你一定要回来向大陪审团作证。"

"我要去的那个地方,传票是没有人理睬的。"

"那么审判呢?审判的时候也需要你。"

"那是至少一年以后的事。到时候我会予以考虑的。"

沃伊尔斯把雪茄放到嘴上,但是并不点燃。他慢步走动,需要有一根雪茄咬在牙齿中间才能分析得好一点。"我可以跟你讲交换条件。"

"我没有心情讲条件。"现在她又靠在墙上了,瞧瞧他,又瞧瞧格雷。

"这可是好条件。我有飞机,有直升飞机,有许多带枪的人,他们一点也不害怕那些出没无常跟你捉迷藏的人。首先,我们神不知鬼不觉地把你送出这幢房子,其次,我们送你上我的飞机,飞到随便什么你要去的地方。第三,到了那儿以后你就可以消失得无影无踪。我向你保证我们不会跟踪你。但是,还有第四,如果有十分紧急需要的时候,而且只是在那种情况下,你得答应我可以通过格兰瑟姆先生跟你联系。"

她一面听着他所提议的交换条件,一面看着格雷,一望而知他是欢喜这个交易的。她的脸上毫无表情,但是,该死,这却是个中听的提议。如果她在接到加文的第一次电话时便相信他,他就会仍然活着,而她也不至于会跟卡迈尔手牵手。如果她在听到他的提议之时就同他一起离开新奥尔良,他也不至于会惨遭杀害。这样的想法在过去 7 天里每隔 5 分钟就在她脑子里出现一次。

改变自己的决心,开始对别人寄予信任,这样的时刻终究会来到的。她并不喜欢这个人,但是在这 10 分钟时间里他对她表现出难能可贵的诚心。

"是你的飞机和驾驶员吗?"

"是的。"

"飞机在哪里?"

"安德鲁斯机场。"

"我们就这么干。我登上飞机去,它是飞往丹佛的。除了我、格雷和驾驶员,机上没有任何人。起飞以后 30 分钟,我告诉驾驶员,譬如说,飞往芝加哥。他办得到吗?"

"他在出发前先得填写一份飞行计划。"

"我知道。但是你不是联邦调查局的局长吗,你总可以通个门路吧。"

"是的。你到达芝加哥以后便怎么样呢?"

"我走下飞机,它便跟格雷一同回到安德鲁斯。"

"你在芝加哥干什么呢?"

"我在一个繁忙的机场里不见了,我搭上头班飞机走掉了。"

"办得到,但是我向你保证,我们不会跟踪。"

"我知道,原谅我如此小心。"

"就这么办。你希望什么时候动身?"

她看着格雷。"什么时候?"

"我得花一小时把新闻稿再修改一次,把沃伊尔斯先生也写进去。"

"一小时后。"她对沃伊尔斯说道。

"我等着。"

"可以让我和格雷单独谈谈吗?"她对沃伊尔斯说道,同时对格雷点点头。

"当然可以。"他抓起了他的风雪大衣,到门口站住。他对她笑笑。"你是个了不起的女性,肖女士。你凭自己的头脑和勇气把一个全国最可恶的人拉下了马。我钦佩你。我向你保证我永远都要对你坦诚相见。"

他走出了会议室。

他们看着房门自动关闭。"你认为我安全吗?"她问道。

"是的。我觉得他是真诚的。还有,他的带枪的部下可以保护你离开这里。没问题,达比。"

"你可以和我一起走,是吗?"

"当然。"

她走近他的身边,两臂围在他的腰际。他紧紧拥抱她,闭上双眼。

7点钟,编辑们来到会议桌旁,这是星期二的最后一次碰头。他们匆匆看过了格雷添加的,把沃伊尔斯的话包括进去的一节。费尔德曼进来迟了,满脸堆笑。

"你们信不信,"他说道,"我接了两个电话。一个是路德维格从中国来的。总统在那里找到了他,乞求他把新闻拖晚24小时再发表,路德维格说这个大男人眼泪都要出来了。路德维格是个彬彬君子,他恭恭敬敬地听完总统的话,客客气气地谢绝了。第二个电话是罗兰法官打来的,他是我的老朋友。好像是怀特和布莱泽维契律师事务所的汉子们把他从餐桌上找去听电话,要求他今晚立即受理申诉。罗兰法官很不恭敬地听了电话,毫不客气地回绝了。"

"我们赶快发表吧!"克劳特汉默大喊一声。

43

喷气式飞机平平稳稳起飞了,朝正西方向飞行。预定要向丹佛飞去。机上设施齐全,但不豪华。格雷在冰箱里找到两罐雪碧,递给达比一罐。她打开了易拉罐。

喷气机似乎在水平飞行。副驾驶员出现在驾驶舱的门口。他客客气气地介绍了他自己。

"我们接到过通知,起飞后不久我们要改变飞行方向,飞往一个新的目的地。"

"对。"达比说道。

"好的,嗯,大约 10 分钟后我们需要知道一下。"

"知道。"

"这玩意儿上面有点儿烈酒吗?"格雷问道。

"对不起。"副驾笑着说,便回到驾驶室去。

达比和她的两条长腿占去了小小的长沙发的大部分,他举起她的双脚,在沙发的一头坐下。她的两只脚搁在他的腿上。他抚摸她的脚踝。她现在露点儿笑容了,噩梦已经过去。

"你害怕吗?"他问道。

"害怕。你呢?"

"害怕,但是我觉得安全。我是说有两个武装的保镖用他们的身体给你做盾牌,你是无法觉得自己不安全的。"

"沃伊尔斯欢喜这么干,是不是?"

"他制定计划,调兵遣将。对他,这是一个千载难逢的时刻。明天早上他会遇到难题,但是这难不倒他。只有总统能撤他的职,不过我敢说现在是沃伊尔斯控制了总统。"

"谋杀案算是解决了。他一定觉得得意。"

"我想我们已经给他增加了10年官运。我们干得多漂亮!"

"我觉得他是聪明人,"达比说道,"我一开始不欢喜他,但是他好像会在你的心目中变得高大起来。他也是重感情的人。他提到维尔希克的时候,我看见他的眼睛里有一丝泪水。"

"真是个好心人。我相信再过几个小时后弗莱彻·科尔看见这个聪明的小家伙一定很高兴。"

她的两脚又长又瘦。果真是十全十美。他顺着她的脚背抚摸。他还没有接到以后去拜访她的邀请,这一点颇使他忐忑不安。他一点也不知道她到底要到哪里去,他拿不准她是否知道她的目的地。

"明天是你的大喜日子。"她说道。

他喝了一口纯雪碧。"大喜日子。"他说道,欣赏着她的脚趾头。岂止是大喜日子而已,但是他觉得需要说得低调一点。这会儿,他的心头只有一个她,而不是明天的热闹和混乱。

"你将怎样度过?"她问道。

"我大概要回到办公室去,等候报纸造成轰动。史密斯·基恩说过他要整夜呆在那儿。好多人都会一大早就来。我们要聚集在会议室里,他们还要搬来好多电视机。我们要花上一上午看着消息散布开去。听听白宫的正式反应,一定非常有趣。怀特和布莱泽维契律师事务所一定得说点什么,鲁尼恩院长会说点感想,沃伊尔斯会大受报道,律师们会召集起大陪审团,政客们会胡说八道,国会山上整天都有新闻发布会。明天是一个重要的出新闻的日子。我恨的是你不在了。"

她哼了一声,满是讥刺。"你下一篇新闻写什么?"

"大概是沃伊尔斯和他的录音带。你可以预料得到白宫一定会否认有过任何干预,如果公众的注意使得沃伊尔斯无法忍受时,他会为了报复而出击。我很想得到那盒录音带。"

"以后呢?"

"那要看情况了，有许多现在不知道的因素。早上6点钟以后，竞争会变得剧烈得多。无数的谣言，无数的消息，全国的每一家报纸都要插足进来。"

"但是你成了大明星。"她说道，带着钦佩，而不是讽刺。

"是啊，我也该风光一下。"

副驾驶员敲了敲，便打开了门。他看着达比。

"亚特兰大。"她说道，他便关上门。

"干吗去亚特兰大?"格雷问道。

"你在亚特兰大换过飞机吗?"

"当然。"

"你在亚特兰大换飞机的时候走迷过路吗?"

"我想有过。"

"我就不多说了。那个机场大得很，旅客多得不得了。"

他喝完汽水，把它放在地板上。"到了那里又上哪儿去?"他知道他不该问，因为她没有自己说出来。但是他要知道。

"我要立即乘一班随便到哪里去的飞机。我要实行一夜飞行经过四处机场的老规矩。也许不需要这样做，但是我觉得这样安全一点。到末了我会抵达加勒比海上的某个地方。"

加勒比海的某个地方。范围缩小为上千个岛屿。她干吗要这么含糊其辞?她信不过他吗?他就坐在这儿抚弄着她的双脚，而她却不肯告诉他此行走向何处。

"我跟沃伊尔斯怎么说呢?"他问道。

"我到了那儿给你电话。也许我会给你捎上一行字。"

好极了!他们可以交个笔友。他把他的新闻报道寄给她，而她可以从海滩上寄出明信片。

"你会躲开我吗?"他问她，看着她。

"我还不知道上哪儿去呢，格雷。我得到了那儿才能知道。"

"但是你不是说要给我电话吗?"

"是的,在到达之后。我答应了的。"

夜里 11 点钟时，只有 5 位律师还在怀特和布莱泽维契律师事务所的办公室里呆着,他们都在 10 楼的马蒂·维尔马诺的办公室里。他们是维尔马诺、西姆斯·韦克菲尔德、贾雷尔德·施瓦布、纳撒尼尔(爱因斯坦)·琼斯,还有一位退休了的合伙人名叫弗兰克·科尔茨。两瓶苏格兰威士忌酒放在维尔马诺的办公桌的一边。一瓶已经空了,另一瓶还没怎么动。爱因斯坦独自坐在一角,喃喃自语。他长了满头乱蓬蓬的鬈曲灰发,鼻端尖削,十足是个狂人,特别是现在。西姆斯·韦克菲尔德和贾雷尔德·施瓦布在办公桌前坐着,领带拿掉了,袖子卷了上去。

科尔茨结束了跟维克托·马蒂斯的助手的电话交谈。他把电话递给维尔马诺,维尔马诺把它搁回办公桌上。

"是斯特赖德,"科尔茨向大家通报,"他们都在开罗,住在一家旅馆的顶层豪华套房里。马蒂斯不肯跟我们讲话。斯特赖德说他已经精神错乱,举止失常。他把自己锁在房间里,不消说,他是不会到大洋的这边来的。斯特赖德说他们已经通知所有带枪的伙计们撤离本城。追逐已经取消。现在有好戏看了。"

"那么我们该怎么办呢?"韦克菲尔德问道。

"我们全得靠自己了,"科尔茨说道,"马蒂斯已经对我们撒手不管了。"

他们说话声音很轻,声嘶力竭的叫嚷在几个小时以前已经结束。韦克菲尔德怪罪维尔马诺不该写那张便条。维尔马诺则首先怪罪科尔茨不该招来一个像马蒂斯这么惹祸的客户。科尔茨高声回敬说那都是 12 年前的事了,我们事务所一直在享受他的丰厚报酬。施瓦布怪罪维尔马诺和韦克菲尔德不该如此轻率地处理便条。他们一次又一次臭骂摩根。事情全坏在他身上。爱因斯坦坐在

一角,看着他们大家。但是这一切现在都已过去。

"格兰瑟姆只提到我和西姆斯。"维尔马诺说道,"你们大家都会平安无事。"

"你和西姆斯为什么不出国去呢?"施瓦布说道。

"我早上6点钟到达纽约。"维尔马诺说道,"然后就去欧洲,在火车上过一个月。"

"我走不了,"韦克菲尔德说道。"我有老婆,6个孩子。"

此刻他们听他口口声声哀怜他的孩子,好像别人都没有家小似的。维尔马诺是离了婚的人,他的两个孩子都已成人。别人能够对付得了,他也能够对付。他已到了退休年龄。他已经藏妥了大笔的钱,他也欢喜欧洲,特别是西班牙,所以,现在就是他拜拜的时候。他有点怜悯韦克菲尔德,他才42岁,又没有多少钱。他挣的钱不少,但是他的妻子是个花钱能手,又特别喜爱生儿育女。韦克菲尔德此刻已经失去了平衡。

"我不知道我该怎么办,"这句话韦克菲尔德已经说了30遍。"我就是不知道。"

施瓦布想帮他出个主意。"我想你该回家去告诉你太太一声。我没有太太,要是有的话我就得给她打点气,好应付这件事情。"

"我办不到。"韦克菲尔德说道,一副可怜相。

"你一定办得到。你现在就得告诉她,再过6个小时,她就要看见你的照片登上头版了。你必须马上去告诉她,西姆斯。"

"我办不到。"他快要哭出来了。

施瓦布看着维尔马诺和科尔茨。

"我的孩子们怎么办?"他又问了,"我的大儿子13岁。"他擦擦眼睛。

"别害怕,西姆斯。控制一点,"科尔茨说道。

爱因斯坦站起来走到门口。"我上佛罗里达去,没有急事不要给我电话。"他开门走出去,砰的一声关上门。

韦克菲尔德有气无力地站起来,朝门口走去。

"你上哪儿去,西姆斯?"施瓦布问他。

"去我的办公室。"

"去干什么?"

"我需要躺下来。我没事。"

"让我开车送你回家。"施瓦布说道。他们关切地看着他。他已经在开门了。

"我很好。"他说道,显得坚强一点了。他出去后把门关上。

"你觉得他没事吗?"施瓦布问维尔马诺,"他叫我担心。"

"我可不敢说他没事,"维尔马诺说道。"我们大家一起共过安乐。你何不几分钟后去看他一下。"

"我得去一下。"施瓦布说道。

韦克菲尔德胸有成竹地走向楼梯,往下一层,来到 9 楼。他走近办公室时加快了脚步。他锁好门,这时他已流泪哭泣。

赶快动手!忘了便条吧。它又不是你写的,何劳你多费口舌。人寿保险有一百万。他拉开一个办公桌抽屉。不要再想孩子们了。他从一个文件夹底下取出一支 38 毫米口径的手枪。快下手!别去看那张挂在墙上的孩子们的照片。

有朝一日也许他们会理解。他把枪筒深深插进口中,抠动了扳机。

乔治城的北部,敦巴顿橡树林的一幢两层楼住宅门户前,一辆豪华汽车戛然停下。它堵塞了道路,那也无所谓,因为现在已是午夜过后,零点 20 分,没有车子来往了。沃伊尔斯和两名探员从汽车后座跳了下来,急步走到前门。沃伊尔斯手拿一张报纸。他用拳头敲响大门。

科尔还没睡觉。他正一个人坐在没有灯光的小书房里,睡衣裤外面罩一件浴袍,所以沃伊尔斯一见他开了门便觉得快活了。

"漂亮的睡衣。"沃伊尔斯说道,赞美他的睡衣。

"见鬼,你来干什么?"他慢声慢气地问道。

"给你送来这个,"沃伊尔斯说道,把报纸朝他脸上戳过去,"有一张你的漂亮照片跟在总统拥抱马蒂斯的后面。我知道你最爱看报纸,所以我想我得给你送一张来。"

"你的照片明天也会见报。"科尔说道,好像他已经写好了新闻报道。

沃伊尔斯把报纸扔在他的脚下,转身走开。"我有录音带,科尔。你去胡说八道吧,我会当众扒下你的裤子。"

科尔朝他看看,一言不发。

沃伊尔斯快到街上了。"两天后我会送一张大陪审团的传票来,"他大声说道,"我会在早上两点钟亲自送达。"他站在车旁。"下一步我要送来一份控告书。当然,到那时你小子已经完蛋了,总统身边又新换了一批傻瓜告诉他该怎么办。"他钻进了豪华汽车,一溜烟开走了。

科尔拾起报纸,走进屋去。

44

　　只有格雷和史密斯·基恩两个人坐在会议室里，阅读印出来的报道。还不曾有过如此重大的新闻报道。一张张照片整整齐齐地排在上面：马蒂斯拥抱总统，一张白宫的官方照片里科尔对着电话庄重地讲话，维尔马诺出席一次参议院的小组委员会，从一张律师年会照片中放大的韦克菲尔德，联邦调查局发表的一张维尔希克对着照相机镜头笑的照片，图兰大学年刊上的一张卡拉汉的照片，从录像带拍下来的摩根的照片。警察局新闻的夜班记者佩珀尔一小时前已经告诉他们关于韦克菲尔德的消息。这使格雷的情绪很受压抑，但是他并不觉得自己有什么不对。

　　早上3点钟左右大家开始陆续进来。克劳特汉默带来了一打油炸面圈饼，在他欣赏着报纸头版的时候便一口气吃掉4个。下一个来的是厄尼·德贝索。说他根本没睡过觉。费尔德曼精力充沛、神采焕发地到达。快到4点30，会议室已经挤满了人，4架电视机开着。有线新闻网抢先报道，几分钟后该新闻网就从白宫现场转播，此刻白宫还是无可奉告，到了7点钟齐克曼要发表讲话。

　　除了韦克菲尔德的自杀，开始时没有什么新的东西。电视网的镜头翻来覆去地一会儿是白宫，一会儿是最高法院，一会儿是新闻编辑室。他们在胡佛大厦等候，大厦里面此刻一片沉寂。电视里又闪出了报纸上的照片。电视记者找不到维尔马诺。他们发表一通有关马蒂斯的猜测。有线新闻网播出摩根住宅的镜头，但是摩根的岳父不许摄像机对准他们的住宅。全国广播公司有一位记者站在怀特和布莱泽维契律师事务所那幢大楼的门前，但是说不出什么新东西。虽然新闻中没有引用达比的原话，但是案情摘要

的作者是谁已经不是个秘密。有关达比·肖有很多传说。

7点钟，会议室里挤得人挨着人，全体肃静。4个电视机的荧屏上都是同一个画面，齐克曼紧张不安地走向白宫新闻室的讲台。他显得疲惫憔悴。他宣读了一份简短的声明，白宫承认收到过来自马蒂斯所控制的若干渠道的竞选捐款，但是他断然否认其中有任何不正当的捐款。总统和马蒂斯只见过一次面，那还是在他当副总统的时候，自从他当选总统以后不曾和此人说过话，当然谈不上把他视做一个朋友，尽管曾经得到过他的捐款。竞选收到的捐款超过五千万，总统不曾接触过任何一笔款项。他有一个委员会负责此事。白宫里没有任何人曾经想要干涉对维克托·马蒂斯的罪嫌的调查，任何与此相反的说法都是完全错误的。根据他们所知的有限情况，马蒂斯先生并不住在美国。总统欢迎对《华盛顿邮报》的报道中提出的事进行全面的调查，如果马蒂斯先生犯下了这些凶残的罪行，他就必须受到法律的惩罚。现在先发表这份简单的声明。以后还要举行详尽的新闻发布会。齐克曼跳下了讲台。

这不过是一位心神不安的新闻秘书的虚弱表现，格雷觉得放心了。格雷突然觉得自己挤得吃不消了，需要出去呼吸一下新鲜空气。他在门外找到史密斯·基恩。

"我们去吃早饭。"他轻轻跟他说。

"好的。"

"如果你不介意的话，我也需要顺便去一下我的公寓，我已经4天没有见到它了。"

他们在第15大街挥手拦下一辆出租车，享受着从开启的车窗里涌进的凉爽的秋日空气。

"姑娘上哪儿去了?"基恩问道。

"不知道。我最后看见她是在亚特兰大，大约9小时以前。她说她要去加勒比的海岛。"

基恩抿嘴一笑。"我估计你会马上要求度个长假了。"

"你想行吗?"

"有很多事儿要干,格雷。此刻我们是处在爆炸的正当中,炸开的碎片马上就要掉落地面。你是此刻的中心人物,但是你必须继续搏击,你必须收拾起这些碎片。"

"我知道我的职责,史密斯。"

"是啊,但是你的眼睛里却是恍惚迷惘的神色。这叫我担心。"

"你是编辑。你拿的薪金就是叫你担心。"

他们在宾夕法尼亚大街停下。白宫庄严肃穆地站在他们眼前,快 11 月了,秋风追逐落叶,飘过草地。

45

她在阳光里度过了8天,皮肤够黑的了,头发也在回归它的本色。看来她还不曾把它毁掉。她在海滩上走来走去,一走就是好几英里,除了烤熟的海鱼和岛上的水果,别的她什么都不吃。开头几天她睡得很多,后来就不想睡了。

第一晚她在圣胡安过夜,她在那里找到一个经营旅游业的妇人,这妇人自称对维尔京群岛了如指掌,无所不知,她帮达比在圣托马斯岛上的夏洛特阿马利市中心一处家庭旅馆里找到一个小房间。达比要求住地附近街道狭小,人群拥挤,车辆来来往往。夏洛特阿马利完全符合她的要求。家庭旅馆坐落在山坡上,与海港相距4个街区,她的小房间是在3楼上面。窗子已有裂缝,没有百叶窗,也没有窗帘,第一个早晨她在阳光中醒来,她走到窗口,眼前是雄伟的海港。她看得呆了。大小不等的十几条海船纹丝不动地停泊在波光粼粼的水面。它们随便自在地排列延伸直到天边。近处的码头附近,上百只帆船散落在港口里,好像是要把庞然大物般的豪华旅游船拒之门外。帆船下面是清澈柔和的蓝色海水,波平如镜。海水轻柔地环绕着哈瑟尔岛,水色渐远渐深,成为靛蓝,到接近地平线时便成了紫罗兰色。连绵不断的一长条积云延伸在海天相接处。

她的手表放在旅行包里,至少在6个月之内她不打算戴它。但是她却不由自主地看一眼手腕。她打开窗子,街道上传来集市喧嚣声。热气流进来,室内好像一间桑拿浴室。

她会对这里习惯起来的。她的房间虽小,却也干净。没有空调机,但电扇工作得很好。大部分时间都有自来水。她决定在这里逗留两三天,也许一星期。通向海港的几条街道沿街紧紧相挨着数十幢房子,她寄宿的这个家庭旅馆就是其中的一幢。就目前而言,她喜欢嘈杂人群和热闹的街市,这儿安全。她可以漫步其间寻找她所需要的一切。圣托马斯是个出名的购物城市,她想,这下买来的衣服可以保存下去了。

更加豪华舒适的房间有的是,但是现在有这一间就可以了。她在迈阿密看到过报纸,在机场的电视机上看见了热闹激动的场面,她也知道马蒂斯已经失踪。如果他们现在还在追踪,那就纯粹是为了复仇。如果在她经过这番绕来弯去的旅程之后,他们还能找得到她,那么,他们就不是凡人之躯了,而她也永远摆脱不了他们。

他们已经不在她的背后,她相信这一点。她呆在这个小房间里,一连两天,不曾远离一步。购物区不过数步之遥。一共4个街区长,两个街区深,那是一个大迷宫,数百家自成一格的小店,出售的货物,应有尽有。人行道上和小巷里挤满了熙来攘往的从大船上下来的美国人。她也不过是一个普通旅客,戴一顶宽边草帽,穿一件色彩缤纷的短裤。

一年半以来她第一次买了一本小说。她躺在小床上,花两天时间看小说。天花板上的电风扇送来阵阵清风。她发誓在50岁以前不看任何法律方面的书报。至少每小时一次,她要走到开着的窗口,细细观看港口。有一次她数了一下,等待停靠码头的海船有20艘。

第4天早晨,她整理好东西,装进新买来的旅行袋里,登上轮渡,到达相距20分钟航程的圣约翰岛的克鲁斯湾,她坐上一辆计程车驶在北岸路上。车窗是开着的。风吹进后座。

驾驶员在马霍湾驶离了公路,慢慢朝水边开去。她从上百个小岛中选中这里,因为这里是未经开发的地方。这处海湾上只有五六所海滩屋和小别墅。驾驶员在一条绿树成阴的狭路上停下,

她付掉车钱。

房子就建在朝海里伸去的山脚上,纯粹是加勒比建筑式样,红瓦房顶下面的白色的木头框架,几乎就建在斜坡上,看来分外悦目。她走下一段小径,再上几步踏阶到了房子。单层房子,两间卧室,一个前廊面向海水。房金每周两千,她租用一个月。

她把行李包放在小书房的地板上,走到前廊上。海滩就在她下面30英尺处。海浪静静地卷到岸边。

沙滩上有几个人在休息。她要赶快换上一条比基尼,走向海水。

天已快黑,计程车终于在小径边上停下。他走下车来,付了车钱,车子在他身前开走,看不见了,他已看见灯光。他有一只行李包,他走在通向房子的小径上,前门没有上锁。灯光亮着。他看见她在前廊,喝着冷饮,古铜色的皮肤跟本地人一样。

她在等他,这一点可是非常重要。她看见他立即露出笑容,把饮料放在桌子上。

他们在前廊上接吻,难解难分。

"你来晚了。"她说道,两人拥抱在一起。

"你这地方可不容易找到。"格雷说道。他在抚摸她的脊背,它是全部裸露的,直到腰际,一条长裙从那里开始,遮住了两腿的大部分。

"这儿不美吗?"她说道,纵目海湾。

"美极了,"他说道。他站在她的背后,他们一同看见一条帆船漂向海上。他捧住她的双肩。"你真迷人。"

"我们去散步。"

他很快换上一条短裤,两人手牵手,慢慢地走。

"你提早离开了报社。"她说道。

"我吃不消了。自从那篇大新闻以后我每天写一篇新闻,但是他们还嫌少。基恩要这个,费尔德曼要那个,我一天工作 18 小时。昨天我就说了声拜拜。"

"我一星期不看报了。"她说道。

"科尔辞职了。他们把他推出来承担罪责,但是不见得会对他起诉。我认为总统实际上并没有做什么。他只不过是个傻瓜,无能为力。你看到过韦克菲尔德的消息吗?"

"是的。"

"维尔马诺、施瓦布和爱因斯坦都被起诉了,但是他们找不到维尔马诺。马蒂斯,当然,已经被起诉了,还有跟他一起的 4 个人。以后还会有别的人被起诉。前几天我突然明白了,白宫并没有了不起的掩盖行为,所以我也没劲了。我想这件事情把他的再次当选送了终。"

他们走着,都不说话,天更黑了。她已经听得够了,他也说腻了。天上有半个月亮,静静的海水映着月光。她的手臂围在他的腰际,他把她拉得更紧。

"我想死你了。"她轻声说道。

他深深吸气,不发一言。

"你在这儿呆多久?"她问道。

"我不知道。两星期,也许一年,全看你了。"

"一个月怎么样?"

"我可以住一个月。"

她朝他微笑,他的膝盖发软了。她朝海湾看去,看见了海湾中央的月亮的倒影,帆船在一边慢慢过去。"我们就过一个月,好吗,格雷?"

"好极了。"